Сергей СОБОЛЕВ

ШАХ НЕФТЯНОМУ КОРОЛЮ

ЭКСМО-ПРЕСС
2002

УДК 882
ББК 84(2 Рос-Рус)6-4
С 54

Разработка серийного оформления художников
Г. Саукова, В. Щербакова

Серия основана в 1993 году

Соболев С. В.

С 54   Шах нефтяному королю: Роман. — М.: Изд-во ЭКСМО-
Пресс, 2002. — 416 с. (Серия «Черная кошка»).

ISBN 5-04-009417-5

Пятьдесят миллионов долларов — такую вот сумму запросил за жизнь племянницы Тамары Истоминой ее дядя. Дядя, правда, крутой чеченский делец, под рукой которого сколько угодно кровожадных головорезов. Так что до сих пор отказа он ни от кого не слышал. Согласится и девчонка, наследница баснословного состояния, — деваться ей некуда. Все просчитано, кроме одного. А этот один — друг Тамары, бывший спецназовец, бывший офицер Иностранного легиона, — Саша Протасов. У него свои способы охоты на чеченских волков...

УДК 882
ББК 84(2 Рос-Рус)6-4

ISBN 5-04-009417-5

Всю ночь шел проливной дождь. Свинцовые капли хлестали в окна гостевой резиденции, отбивали тревожную дробь на крутых скатах оцинкованной крыши. Временами полыхали в полнеба зарницы; эхо гулких громовых раскатов, упруго отбиваясь от ближних отрогов южносибирских хребтов, заставляло тонко дребезжать оконные стекла. Хотя дом располагался на пологом холме в полукилометре от реки, было отчетливо слышно, как беспокойно ворочается в своем каменистом русле, слишком тесном для этой весенней поры, Енисей, как торопливо переговариваются о чем-то ниспадающие в котловину дождевые потоки, смывающие попутно с коротких наклонных улочек городской окраины липкую грязь и накопившийся за зиму мелкий мусор...

Руслан Хорхоев спал чутко, как отбившийся от стаи одинокий волк, который теперь может рассчитывать лишь на себя. Раствориться в глубоком сне ему не столько мешала необычайно ранняя для этих мест гроза, сколько теснившиеся в голове тревожные мысли. Причин для беспокойства имелось множество, впрочем, подобное состояние для него давно стало привычным. Он был далеко не последним человеком в отечественном нефтегазовом бизнесе, прежде всего потому, что наряду с известнейшими теперь магнатами, которые выделялись десять лет назад лишь голодным блеском в глазах да еще неистовым желанием х а п н у т ь, стоял у самых истоков «черного передела», в результате чего ему удалось к середине бурных девяностых

5

сформировать объединение ОАО «Западно-Сибирский нефтегазовый альянс». По объемам нефтедобычи, если принимать во внимание данные за последние два года, компания, руководимая Хорхоевым и созданная им фактически с нуля, занимала по стране двенадцатое место. Учитывая родовую принадлежность Руслана Искирхановича, не говоря уже о довольно непростом и противоречивом, как и у многих других «нефтебаронов», прошлом, результат этот нужно счесть более чем достойным.

Понятно, что личности такого калибра, как Хорхоев, недостатка в недоброжелателях не испытывали. Даже среди близких ему людей, близких по крови, но не по духу, наверняка найдутся такие, что не будут слишком печалиться, если Руслан вдруг свернет себе шею. Но сейчас он меньше всего думал о чьих-либо происках, потому что в нынешней ситуации, которую, надо сказать, он лично и смоделировал, его главным соперником являлось само время, скоротечное и безжалостное к опоздавшим.

Осознав, что ему все равно теперь не уснуть, он встал, умылся, полностью оделся, после чего вышел на летнюю полутеррасу, частично защищенную навесом от дождя. Через оставленный им открытым дверной проем слабо мерцал ночник. Большой свет он не стал включать, чтобы не беспокоить свою свиту: сейчас только без четверти пять утра, да к тому же не ясно пока, как сегодня будет обстоять дело с погодными условиями, удастся ли осуществить одну из его задумок.

Хорхоев вот уже третьи сутки находился в Кызыле, небольшом городке, затерявшемся в южносибирской глуши. Городишко этот, в прошлом именовавшийся Белоцарск, является, ко всему прочему, столицей одной из российских автономий (Руслан про себя называл это удельное княжество не иначе, как Тмутаракань).

6

Остановился он вместе с небольшим штатом своих со-трудников в гостевом особняке местной администра-ции, вернее сказать, президента республики, с кото-рым был знаком без малого десять лет и которого в последние годы умеренно подкармливал, благо «царек» был рад любой попавшей на его стол крохе — численность населения автономии составляет всего четверть миллиона, о бедной республике в Москве, ка-жется, напрочь забыли, трансферты редки и скудны, как дождик в пустыне Гоби, а многие федеральные чи-новники, складывается впечатление, вообще не знают о существовании подобной территории в составе ог-ромной, сшитой из пестрых лоскутов России.

Руслана Хорхоева по ряду причин такое положение дел устраивало. Поначалу, правда, «царек» опасался иметь какие-либо дела с чеченом, по понятным, в общем-то, причинам. Но, во-первых, Руслан Хорхоев никогда в открытую не участвовал в регулярно затевае-мых вокруг Северного Кавказа разборках, а его имя числилось в списке чеченцев, настроенных умеренно и даже лояльно к федеральной власти. Во-вторых, он об-ладал неформальными связями такого уровня, что ту-земной администрации даже и не снилось. И, в-тре-тьих, что самое важное, других желающих инвестиро-вать сколь-нибудь значительные денежные средства в автономию, а следовательно, и в ее руководителей по-просту не существовало — во всяком случае, такое по-ложение сохранялось еще до недавней поры.

Нужно быть полным идиотом, чтобы инвестиро-вать деньги, пусть даже пока не слишком большие, в южносибирскую Тмутаракань: это почти то же самое, что закупать впрок земельные участки на Луне.

Либо нужно знать что-то такое, чего не ведают ос-тальные, включая даже тех людей, которые родились и выросли в этом богом забытом краю.

Обо всем, о чем только следовало переговорить с «царьком» в этот приезд, Хорхоев уже переговорил. Вчера они засиделись здесь допоздна, но зато окончательно прояснили все ключевые вопросы. И прежде всего, договорились, через кого и в какой форме будет идти о т с т е ж к а: преимущественно, через родственников местного руководителя, включенных Хорхоевым в штат «Тоорахемской нефтяной компании», отпочковавшейся от ОАО «Кызылнефтегаз», — обе эти скромные структуры, существующие больше на бумаге, уже не только де-факто, но и де-юре принадлежали пришлым варягам.

Теперь, казалось бы, он мог с легкой душой отправиться в Москву, где его ждали неотложные дела, передоверив дальнейшее своей команде и, прежде всего, своему заму Рассадину, который знает это дикое захолустье даже получше аборигенов и которому предстоит остаться здесь за старшего вплоть до окончания подготовительного этапа работ, то есть как минимум до конца октября текущего года. Но хотя это и не диктовалось железной необходимостью, он все же хотел, прежде чем оставить эти края на попечение Рассадина, самому наведаться в район озера Таджа-Азас; причем сие желание больше проистекало от сердца, чем от его занятого многоходовыми расчетами разума.

Хорхоев, сложив руки на груди, стоял на террасе недвижимо, как каменное изваяние. Дровишки на небесах порядком отсырели, поэтому рассвет занимался трудно, словно костерок в мокрой тайге. В отступающей полумгле уже угадывались кроны деревьев и очертания окраинных строений Кызыла. Чуть дальше, в нескольких километрах от резиденции, сливались воедино Бий-Хем и Ка-Хем, соответственно Большой Енисей и Малый Енисей, так что именно здесь, по сути, берет свое истинное начало великая сибирская

8

река. На восток и юго-восток от Кызыла лежит огромная, необжитая, малоисследованная до сих пор территория, простирающаяся вплоть до административной границы с Бурятией и государственной с Монголией: гряды Саянских гор, дикие таежные массивы, котловины многочисленных рек и речушек, разбухших в пору таяния горных снегов. А где-то посередке, вдали от человеческих глаз, находится низменная озеристая местность, и добраться в этот укромный уголок в пору поздневесеннего половодья можно лишь на борту вертолета...

Хотя Хорхоев в душе был атеистом, он решил помолиться. И Аллах, кажется, услышал его молитву: дождь прекратился как по мановению волшебной палочки, серое ноздреватое небо заметно просветлело, в рваных просветах кое-где проступила блеклая голубизна, а сам грозовой фронт, кажется, теперь быстро смещался в направлении Восточных Саян.

Внизу, у крылечка, перекуривал дежурный охранник. Слегка перегнувшись через перила, Хорхоев громко скомандовал:

— Саша, разбуди Николая Дмитрича! После завтрака едем на аэродром! И еще... Свяжитесь с нашими летунами, дайте подтверждение, вылет в девять... нет, даже в половине девятого!

Два джипа, один из которых был раскрашен в камуфлированный окрас, разбрызгивая колесами дождевые лужицы, подъехали к краю летного поля, где Хорхоева дожидался вертолет «Ми-8Т». Это была одна из двух «вертушек», зафрахтованных в Абаканском авиаотряде на весь сезон. Пилот доложил о готовности к вылету, поинтересовался, будут ли они брать с собой попутные грузы, затем, получив отрицательный ответ, заметил:

9

— Однако, Руслан Искирханович, с вылетом придется обождать.

— Почему? — удивился Хорхоев. — Погода вроде резко улучшается. Вон даже солнце выглянуло... Или с вашим аппаратом что-то не так?

— Машина исправна, — сказал первый пилот. — Но все же советую обождать.

Он повернулся вполоборота и, вытянув руку, показал на горный хребет, всю верхнюю часть которого окутывала облачность, — именно в том направлении им и предстояло лететь.

— Видите вот ту жирную тучу, в аккурат меж сопками?

— Вижу, — посмотрев в ту сторону, произнес Хорхоев. — Смахивает на грязного поросенка... И что дальше?

— Как только «поросенок» переползет на восточный склон хребта, можем сразу взлетать. Через час, думаю, не раньше...

Хорхоев, выслушав его, пожал плечами. С метеослужбами в этих краях дело обстояло туго, поэтому приходилось полагаться на многолетний опыт и наблюдательность работающих здесь спецов.

— Добро, командир, обождем еще немного. — Кивнув пилоту, Хорхоев обернулся к выбравшемуся наружу из камуфлированного джипа Рассадину. — Пойдем, Дмитрич, пошепчемся с тобой в сторонке.

Рассадин, высокий, широкоплечий, костистый, успевший обзавестись бородой за те полтора месяца, что он провел большей частью в поселке Дальний, где он наблюдал за тем, как его спецы монтируют две новые буровые установки, сейчас смахивал на малость похудевшего после зимней спячки медведя. Николай Дмитрич был одним из лучших в стране специалистов по разведке перспективных нефтяных полей. Он был сверстником Хорхоева, они сорок четвертого года рождения. Возраст, конечно, для нефтяников нема-

10

лый, но оба находились в прекрасной форме, выглядели моложе своих лет и могли дать фору любому из своих более молодых сотрудников. Их связывало в жизни очень многое, кроме того, существовали некоторые важные вещи, которые знали только они и больше никто.

Когда они отошли на достаточно большое расстояние, чтобы их не могли услышать оставшиеся у «вертушки» люди, Рассадин несколько удивленно произнес:

— Руслан, если честно, не понимаю, зачем тебе понадобилось лететь на дальние озера? Конечно, хозяин — барин, все в твоих руках... Но работа на площадках ведется планово, поверь мне на слово.

Хорхоев прогуливался по краю летного поля, заложив руки за спину. С ответом он не торопился. Он мог бы, конечно, рассказать о том, что неделю назад, ночью, в апартаментах парижского отеля «Крийон», где на следующий день у него должен был состояться очень важный разговор с Борисом (чтобы взять крупные кредиты, пришлось вновь воспользоваться услугами Агасфера, хотя все это обошлось очень недешево), ему приснился странный сон, больше смахивающий на явь. Ему привиделась Лариса... Или он сам сумел проникнуть к ней, не суть важно... Мириады озер, обрамленные малахитовой тайгой, мерцали и переливались под солнцем, как осколки огромного разбитого зеркала. Он стоял на песчаной отмели, а она шла ему навстречу из воды: обнаженная, с распущенными по плечам длинными пшеничными прядями волос, с гладкой бронзовой кожей — ее безупречной красоты тело было не то облито медом, не то покрыто тонкой пленкой нефти...

Ее голубые глаза смотрели на него, как всегда, спокойно, без малейшего укора.

— Береги себя, Руслан, тебе не стоит так торопить

ся, — сказала она. — Но если ты захочешь меня видеть, я буду ждать тебя здесь, на этом берегу...

Даже сейчас, спустя несколько дней после того, как ему приснился этот полусон-полуявь, при одном только воспоминании об этом Хорхоева мороз по коже продрал.

Нет, он не станет рассказывать о таких вещах Рассадину, во всяком случае, не сейчас. Николай, конечно, близок ему как мало кто другой. Сейчас во всем мире есть только два человеческих существа, которым Руслан целиком доверяет и которые являются для него по-настоящему родными людьми. Рассадин — один из этих двух. Но пересказывать ему то, что приснилось в парижском отеле, пожалуй, все же не стоит...

Имелись также причины чисто психологического плана, склонявшие Хорхоева к тому, что он должен лично проинспектировать свое здешнее хозяйство. Хотя проект многократно просчитан во всех деталях, можно сказать, на многие годы вперед, все же капитально вкладываться в Тмутаракань было страшновато. Сейчас как раз такой момент, когда все как бы повисло... Еще есть в запасе два или три дня для того, чтобы дать «отбой», перевести денежные потоки обратно в их привычное русло. Если этого не сделать, то очень скоро будет пройдена некая «точка возврата», после чего останется лишь надеяться на то, что данное рискованное мероприятие не обернется для него полным крахом.

Он хотел слетать в район Дальних озер, поскольку з н а л, что находится в тамошних недрах, и хотел еще раз ощутить на себе мощный магнетизм этих покамест диких мест.

Но и об этом говорить Николаю не стоит, ибо он может счесть такое поведение Хорхоева неуверенностью и даже трусостью: они вдвоем уже тысячу раз все просчитали, и теперь, когда удалось дождаться выгодной для них конъюнктуры, когда найдены кредиты, а деньги переброшены туда, где, кроме Хорхоева, никто из тайно алчущих его богатства не сможет их изъять в свою пользу, как-то воспользоваться этими средствами в случае «скоропостижной» кончины Руслана Искирхановича, всякие колебания должны быть отброшены...

— Все нормально, брат, — сказал он после паузы Рассадину. — Слетаем на Дальние озера, я хочу осмотреть с воздуха оставшиеся со времен прежних экспедиций площадки... Потом слетаем в сторону временного поселка, посмотрим, как идут подготовительные работы. Ну а вечером, в аккурат к ужину, я уже буду здесь, в Кызыле.

— А хочешь, Руслан, я с тобой за компанию полечу?

— Не стоит, Коля, у тебя здесь дел полно. — Хорхоев, посмотрев на расположенную восточнее горную гряду, убедился, что «поросенок» уже больше чем наполовину перевалил через хребет. — К десяти, если не забыл, тебя и нашего юриста будут ждать в администрации. Бумаги, которые мне могут понадобиться в будущем, уже полностью оформлены, так что по своей части ты тоже не отставай... Как ты уже знаешь, по поставкам оборудования я везде договорился, в Голландии, например, сейчас идет отгрузка, с транспортом и доставкой все продумано, «посылки» начнешь получать в свой адрес уже в конце этого месяца... Учти, теперь нам нельзя терять время, потому что мы частично раскрыли карты; и помяни мое слово, дружище, уже этим летом в здешних краях нарисуются ребятки из «Юкоса», «Лукойла» и других достопочтенных компаний...

— Я в этом не сомневаюсь, — усмехнулся Рассадин. — Как только потянет из этих краев жирненьким и вкусненьким, их породистые носы тут же повернутся в нашу сторону... Но на первых порах, уверен, они не станут вставлять нам палки в колеса, а будут лишь присматриваться. Исходя из того, что мы не раз видели с тобой в Тюмени, они будут ждать, пока кто-нибудь произведет качественную разведку, потом, опираясь на полученные данные, скалькулируют доходные и расходные части и прежде всего задумаются о способах и стоимости транспортировки добытой продукции. И только после этого, когда выйдут на уже просчитанный нами результат, настанет время для торгов, дележки и прямых наездов... Наше счастье, что никто из них не в курсе данных, полученных здесь в семьдесят девятом и восемьдесят шестом годах... Потому что если бы кто-то из «монстров» обладал в полном объеме той информацией, какой обладаем мы, то нас, Руслан, сейчас бы здесь не было.

— Весь кусок целиком мы, конечно, не проглотим, — сказал Хорхоев. — Хорошо, если четверть всего нам достанется. Но одно могу точно сказать: «озерное» месторождение мы никому не уступим! Кстати, Николай... Какие там у тебя просчитаны запасы?

— А то ты не знаешь, — усмехнулся Рассадин, затем, понизив голос, произнес: — Примерно п я т ь с о т. Считай столько же, сколько во всей Чечне... Необычайно мощные пласты... И еще...

— Т-с-с, — шутливо приложив палец к губам, сказал Хорхоев. — Учти, кроме нас с тобой, этого пока еще никто не знает...

Пока они обменивались репликами, погода на востоке существенно улучшилась. Хорхоев, обменявшись на прощание рукопожатием со своим старинным другом и еще раз пообещав вернуться к ужину, забрался в салон «мишки». Компанию ему составили двое охранников, один вооруженный карабином, другой «кала-

14

шом», а также один из сотрудников, выделенный Рассадиным им в провожатые.

Рассадин еще несколько минут стоял на краю летного поля, провожая взглядом «вертушку» до тех пор, пока она, удаляясь в сторону сталисто-зеленоватого горного кряжа, не превратилась в точку, а затем и вовсе исчезла с глаз...

Поиски пропавшего вертолета продолжались долгих девять суток. И если бы не энергия и настойчивость Рассадина, а также присоединившегося к нему на третий день Бекмарса, одного из двух младших братьев Руслана, мобилизовавших для розысков все, что только могло передвигаться по земле и по воздуху в этих краях, то Руслан Хорхоев, наверное, еще долго числился бы пропавшим без вести...

Вертолет потерпел катастрофу в труднодоступной местности, примерно на половине расстояния от озера Азас до поселка Дальний. Машина упала в болотистой местности, поэтому добраться до полузатопленного фюзеляжа оказалось делом непростым.

Тело Хорхоева пострадало от удара меньше, чем у других жертв крушения. На его окаменевшем лице застыли следы каких-то переживаний. Но о чем так мучительно думал этот человек в последние секунды своей непростой жизни, уже никому не суждено знать...

Часть I

Глава 1

Идея задержаться ненадолго в Казбеги, где в живописном урочище расположена некогда популярная среди путешествующего по Кавказу люда база отдыха, пришла к Протасову, как это часто бывает, внезапно. По правде говоря, в его первоначальные планы путешествие по Транскавказской магистрали не входило. Он вообще не собирался оставаться в Грузии дольше, чем требуется для того, чтобы отдать некую дань прошлому, перед которым он сам, кажется, ни в чем не виновен. Ни в прежние годы, ни тем более сейчас он не собирался заниматься здесь какими-либо расследованиями, изображая из себя крутого мстителя. Просто он считал очень важным для себя посетить некоторые памятные ему места; и вот теперь, когда он сам резко поменял свою жизнь, наконец удалось осуществить давние замыслы — с этой поездки в Закавказье, собственно, он и решил начать «новую жизнь».

Протасов съездил на двое суток в Новый Афон, затем вернулся обратно в Тбилиси. И, как выяснилось, напрасно: человек, прежде хорошо знавший его отца, нынче работающий в грузинских спецслужбах, от прямого разговора с ним, Протасовым-младшим, уклонился... И это в общем-то неудивительно. Люди такого рода, как тот грузинский гэбист, с которым пытался побеседовать начистоту Протасов, предпочитают в подобных случаях держать рот на замке.

На этом, собственно, его программа пребывания в Грузии была исчерпана. Заказав через администратора такси, Протасов отправился из гостиницы прямиком в аэропорт — на руках у него уже был авиабилет до Москвы. Но тут случился облом: нужный ему рейс неожиданно отменили. Та же участь спустя короткое время постигла ростовский рейс, а вдобавок по зданию аэропорта динамики разнесли информацию, что по не зависящим от местных авиалиний причинам все вылеты в российском направлении откладываются на неопределенный срок...

Ждать, пока вновь помирятся Владимир Владимирович с Эдуардом Амвросиевичем — возмущенные пассажиры, естественно, тут же обвинили в происходящем лидеров двух стран, — Протасову было как-то не с руки. Наведя нужные справки, он пришел к выводу, что сподручнее всего ему проложить свой маршрут через Владикавказ, откуда он сможет беспрепятственно вылететь в Москву. В конце концов, он теперь вольная птица, ему некуда и незачем спешить.

На следующий день, ближе к вечеру, он был уже в Казбеги, небольшом городке, расположенном почти у самой российско-грузинской границы. Междугородный автобус, чей салон был заполнен едва наполовину, делал здесь получасовую остановку. Протасов выбрался из прогретых за день внутренностей автобуса на крохотную привокзальную площадь, закурил. Казбек, контрастно выделявшийся на фоне подсиненного сгущающимися сумерками неба своей заснеженной вершиной, смахивающей на белую кардинальскую шапочку, был столь же величественным, как и в прежние времена. В воздухе витал смешанный запах цветов и доходящего на углях мяса. Швырнув окурок в урну, Протасов еще раз задумчиво оглянулся окрест. Затем так же неторопливо изъял свою большую дорожную сумку из багажного отсека, жестом показал водителю, что остается в Казбеги, после чего направился к расположенной в полусотне метров от автовокзала гостинице...

...Хотя было еще только половина девятого утра, в номере, выходящем на солнечную сторону, уже заметно давала о себе знать духота. Через открытую настежь балконную дверь в комнату вместо бодрящего сквознячка просачивались запахи свежезаваренного кофе и выставленного с утра пораньше во дворе мангала. Скромный одноместный номер, выделенный Протасову, местный администратор гордо обозвал «апартаменты «люкс». Александр не стал с ним спорить — за постой взяли недорого, — но про себя отметил, что по меркам Парижа и Марселя эта построенная еще в советское время гостиница не дотягивает даже до «трехзвездочного» уровня.

Впрочем, Протасов в последние годы не был избалован роскошью, а потому давно приучил себя довольствоваться тем, что у него есть в данную минуту. Ничто его особо не смущало: ни отсутствие электричества (свет вырубили еще до наступления полуночи), ни упитанный таракан на полу в крохотной душевой, ни тонкая прерывистая струйка воды из-под крана, которая пресеклась в аккурат в тот момент, когда Александр собрался побриться...

Его абсолютно все здесь устраивало, тем более что он не намеревался задерживаться в этом притулившемся к подножию Казбека городке на сколь-нибудь длительный срок.

...Августовский день обещал быть жарким. Протасов, надумавший совершить небольшую прогулку по окрестностям, облачился в «курортный» прикид: светлые брюки, белая рубашка с короткими рукавами, на ногах удобные, как тапочки, кожаные мокасины... Местной обслуге особо доверять не следовало; первым делом он извлек из бокового кармана дорожной сумки «ладанку» — эту довольно увесистую металлическую штуковину, размерами с обычный портсигар, он купил по случаю у одного из послушников Новоафонского монастыря — и сунул ее в свой нагрудный карман; затем прикрепил к брючному поясу довольно объемистую барсетку, в которой хранились документы и вполне приличная по местным меркам сумма долларовой наличности, а также остаток приобретенных им в тбилисском обменнике грузинских лари; сохранность же всех прочих вещей, даже если в гостиничный номер в его отсутствие наведаются воры, особо его не беспокоила.

Проходя через вестибюль, Протасов мельком увидел себя в большом зеркале. Вполне приличного вида молодой мужчина, рослый, под сто восемьдесят пять, ладно скроенный, загорелый, неплохо экипированный... Выбравшись на залитую солнцем улочку, он водрузил на переносицу темные очки, затем невольно усмехнулся собственным мыслям: еще каких-то две недели назад ему было диковинно лицезреть себя в гражданке, а теперь он уже вполне свыкся со своим новым, цивильным обличьем.

Вопреки опасениям, подростковые воспоминания его не подвели: дорогу, проложенную в урочище, где некогда располагались домики турбазы, он нашел безошибочно. Расстояние, которое отделяло его от цели, было сравнительно небольшим — около пяти километров, — поэтому он не стал нанимать такси, решив прогуляться до турбазы пешком. В ложбине, куда вскоре втянулась гравийная дорога, было как-то по-особенному покойно и тихо. Склоны холмов поросли буковыми деревьями и орешником; в полукилометре, по правую руку, уже на границе неширокой ложбины, возвышалась зубчатая скала, сплошь увитая дикорастущим плющом, сквозь сочно-зеленый покров которого лишь кое-где проглядывала красноватая горная порода...

Здесь, в урочище, царила мягкая прохлада, да и сам воздух тут был совершенно особенный, целебный. В голове Протасова теснились воспоминания, и даже без компании ему было не скучно. Дорога, по которой он шел, выглядела практически пустынной: за все это время его обогнала лишь пара велосипедистов, парень и девушка с рюкзаками на спинах, да еще его едва не сбил какой-то малахольный джигит, мчавшийся куда-то сломя голову на черном джипе «Тойота», — Протасов, едва успевший отпрянуть на обочину, даже погрозил в сторону быстро удаляющейся пыльной кормы мощного джипа кулаком.

Но и этот досадный эпизод не способен был испортить ему настроение. Тем более что уже спустя несколько минут он добрался до цели, свидетельством чему был установленный на развилке двух дорог чуть покосившийся от времени столб, на котором некогда красовалась табличка с надписью «Турбаза «Казбеги», — теперь этой таблички на месте не было.

От самой турбазы тоже мало что осталось. Дощатые домики кто-то разобрал, а на месте жилого модуля, где они провели некогда целых две недели — мама, отец и он, в ту пору четырнадцатилетний подросток, — сохранился лишь фундамент со следами давнего пожара. Территория порядком заросла, кое-где, правда, сохранились еще открытые площадки, к которым вели вымощенные камнем дорожки: раньше здесь тусовались «турики», резались в волейбол, пели песни под гитару, пили терпкое вино и рвали зубами приготовленную на углях сочную баранину...

«Не стоит удивляться, дружище, — почти равнодушно подумал Протасов, отмечая про себя следы запустения. — Тем более нет смысла расстраиваться. За те полтора десятка лет, что тебя здесь не было, растворились, исчезли в небытие целые страны, что уж говорить о какой-то затерявшейся в закавказской глуши базе отдыха...»

Протасов всегда, даже в юношескую пору, прекрасно ориентировался на местности. Вот и сейчас, хотя окружающий ландшафт изменился почти до неузнаваемости, он без труда нашел полюбившееся ему еще в детстве местечко — всего четверть часа ходьбы от лагеря. Там он и решил устроить себе привал.

Название этой неширокой речушки, с берегами, почти сплошь заросшими местной разновидностью ивы, впадающей в нескольких километрах отсюда в Терек, ему было неизвестно. Кто-то когда-то устроил здесь запруду, вследствие чего образовался симпатичный водоемчик с проточной водой, около сотни метров в длину и чуть более двадцати в ширину. Еще одна приятная особенность: с восьмиметрового скального уступа прямо в озерцо низвергал свои воды ручей; конечно, не Ниагарский водопад, но в мальчишеские годы казалось, что красивее этого уголка природы нет на земле... Они с отцом приходили сюда каждое утро — у запруды хорошо ловилась жадная форель, — часов в девять к ним присоединялась мама; она раскладывала снедь, кормила «своих мужиков», потом они купались в холодноватой прозрачной воде, а ближе к полудню, захватив с собой провизию и радиоприемник «ВЭФ», отправлялись куда-нибудь в поход и возвращались на базу, как правило, лишь к заходу солнца.

Постояв немного на берегу, Протасов убедился, что этот укромный уголок природы за прошедшие годы нисколько не изменился. Чуть дальше, правда, в разрыве между растущими купами чинар была видна оцинкованная, бликующая на солнце крыша какого-то строения, которого раньше здесь не было. До самого дома, если по прямой, было метров сто пятьдесят. По-видимому, кто-то из местных крутых решил отгрохать себе усадьбу, места-то воистину великолепные...

Не удержавшись от соблазна, Александр разделся и нырнул в водоемчик. Вода, по контрасту с жарким днем, показалась ему ледяной. Плескался он недолго и недалеко от того места, где на берегу были сложены его вещи: хотя вокруг не видно ни единой живой души, особо расслабляться все же не стоит.

Выбравшись на берег, он насухо вытерся захваченным с собой полотенцем. Солнце припекало довольно ощутимо, так что уже через несколько минут на коже не было и следа влаги. Особого желания впитывать в себя ультрафиолет он не испытывал: он довольно прилично загорел на Корсике, где базировалось его подразделение, а первый загар к нему пристал еще весной, на Балканах, правда, там у него загорели только лицо, шея да руки до локтей.

Поэтому он, одевшись, прошел вдоль бережка к другому месту, где разросшиеся деревья давали надежную тень и где сильнее всего ощущалось прохладное дыхание водопадных струй.

Здесь он уселся, подстелив чуть волглое полотенце. Извлек из пакета бутылку «Кахетинского» — вино он купил в городке, в одной из местных лавок — и три пластиковых одноразовых стаканчика. В перочинном ножике, который был у него с собой, имелся штопор, поэтому откупорить бутылку не составило труда. Аккуратно, стараясь не расплескать рубиновую жидкость, он наполнил вином все три стаканчика. Вспомнилось вдруг, как пятнадцать лет назад они втроем сидели здесь же, на этом самом месте; отец откупорил бутылку «Кахетинского», налил в стаканчики вина себе и маме, затем неожиданно достал третий и тоже наполнил его, хотя и не до краев...

Мама, конечно, была не в восторге от этой затеи. «Ты что, Миша, — сказала она отцу, — хочешь, чтобы наш сын стал пьяницей?! А ты, Саша, поставь, пожалуйста, посудину с вином на место!»

Как бы не так! Александр к тому времени успел закончить восьмой класс и ощущал себя вполне взрослой личностью. Он знал, что такое слабенькое вино на Кавказе даже детям дают пробовать, и ничего, живут потом до ста лет. Поэтому стоило строгой маме отвлечься на какое-то мгновение, как он тут же — отец заговорщицки подмигнул — выпил это терпкое, но приятное на вкус вино...

Грустно усмехнувшись этим нахлынувшим на него воспоминаниям, он потянулся за своим стаканчиком, но вдруг передумал пить: внезапно возле водоема объявилась еще одна человеческая душа; и надо заметить, зрелище оказалось прелюбопытным...

Это была девушка лет двадцати четырех или, если угодно, молодая женщина. Очевидно, она пришла к водоему со стороны усадьбы, потому что, очутившись на берегу, обернулась и еще раз посмотрела в том направлении. От Протасова, о чьем присутствии она, кажется, не подозревала, ее отделяла неширокая гладь озерца, всего метров двадцать пять, не более. В первые секунды он не знал, как ему себя вести в данной ситуации. Да, что прикажете делать? Встать, подойти к кромке воды и крикнуть: «Эй, послушайте, уважаемая, как там вас звать... Вы здесь не одна, у озера! Вот он я, на противоположном берегу! У меня тут, знаете ли, скромное мероприятие сугубо духовного плана, мое присутствие, надеюсь, вам не помешает, и вообще, мне до вас нет никакого дела...»

Или молча встать, на манер пугала, чтобы привлечь к себе ее внимание?

Как-то глупо это все... Поэтому Протасов решил оставить все как есть: девушка пусть будет сама по себе, ну и он тоже останется на своем месте.

Когда незнакомка объявилась на противоположном берегу, столь неожиданно представ взору Протасова, ее стройную фигурку облегал длинный, почти до пят, халат из черного атласа. Едва он успел отметить этот факт, как девушка — именно в этот момент она обернулась к расположенному за спиной дому — потянула за кончик пояска, повела гладкими плечами, после чего атласный халатик соскользнул к ее босым ногам. Затем развязала черный бант, стягивавший волосы на затылке, — они у нее были пшеничного цвета, с легким медным отливом.

На ней был купальник-бикини нежно-бирюзового цвета. Что касается ее лица, то на этом, пусть даже не слишком большом, расстоянии какие-либо его детали разглядеть было трудновато, тем более что на нем красовались солнцезащитные очки, целиком скрывавшие ее глаза. Ну а в остальном она выглядела очень привлекательно: рослая, с длинными ногами, крутыми бедрами и горделивой, вполне естественной для нее прямой осанкой — именно это ее качество прежде всего и бросалось в глаза...

Две или три минуты она стояла недвижимо, разведя в стороны руки. Ее тело было едва тронуто загаром, но кожа все же была не того малопривлекательного белесо-синеватого цвета, что у большинства давно не видевших солнца горожанок, поскольку сохраняла легкий оттенок смуглоты, как напоминание о прошлогоднем загаре или же посещении солярия многомесячной давности.

Она сняла очки, небрежно бросив их сверху на ха-

латик. Осторожно и в то же время грациозно переби-
рая своими длинными стройными ножками, вошла в
воду; вначале по колено, затем, легонько взвизгнув,
отважно нырнула, не побоявшись замочить свои рос-
кошные волосы... Вынырнула она уже метрах в двадцати, у самого водопада, от мельчайших брызг которого на солнце периодически вспыхивало слабое радуж-
ное свечение. Достигнув этого места, она выбралась на
плоский каменный уступок, так что вода теперь дости-
гала лишь ее щиколоток. Зато сверху на нее низвергал-
ся шипящий, как охлажденный нарзан, водный
поток...

Она завела руку за спину, освободилась от лифчи-
ка, скомкала его в руке, подставив упругие белые полушария с крохотными розоватыми сосками под цели-
тельные, как руки искушенного массажиста, водные
струи...

Протасов, почувствовав себя неловко, хотел отвер-
нуться, но... не смог. Девушка сейчас находилась всего
метрах в пятнадцати от него, и, чего уж греха таить,
действо это его заворожило.

Очевидно, вода была слишком холодной, потому
что, не выдержав и минуты, девушка выбралась из-под
струй водопада, в то же время оставаясь на каменной
«полке». Она энергично замотала головой, чтобы рав-
номерно распределить по плечам мокрые пряди волос,
и в такт этим движениям упруго колыхались нежные
полушария грудей. Затем она провела ладошками по
лицу, стирая крупные брызги, и... заметила наблюдаю-
щего за ней с берега незнакомого мужчину.

Протасов думал, что незнакомка испугается, бро-
сится, к примеру, в воду, чтобы оказаться на другом
берегу, закричит что-нибудь или же просто негодующе
махнет рукой: «Убирайся вон, придурок, нечего за мной
подсматривать...»

Но ничего этого не случилось.

Девушка, хотя и прикрыла обнаженную грудь рукой, и не подумала сдвинуться с места. Протасов с удивлением поймал на себе ее испытующий взгляд. Он чувствовал себя чертовски неловко. Хотя бы потому, что в руке у него по-прежнему был стаканчик, наполненный «Кахетинским», и еще потому, что он и сам неотрывно смотрел ей в глаза.

Продолжалось это несколько долгих секунд, до тех пор, пока прямо над ухом у него не прозвучал характерный звук взводимого курка.

Вначале команду ему подали на грузинском. Но потом, видно, поняли, что язык царицы Тамары и ее бывшего казначея, более известного в качестве гениального поэта Шота Руставели, забредшему в урочище субъекту непонятен. (В детстве Протасов знал довольно много слов на грузинском и абхазском, но сейчас даже жалкие остатки этих знаний разом вылетели из головы...) Так что следующая команда уже прозвучала по-русски:

— Встать!

Протасов нехотя подчинился.

— Руки за голову!

В правой руке его, которую он держал чуть на отлете, по-прежнему была поминальная посудина. Чья-то волосатая лапа ударила его по запястью, выбив из руки стаканчик с вином. Тяжелый горный башмак смачно, с хрустом раздавил другие два стаканчика; ручеек «Кахетинского» багровой струйкой просочился в озерцо, смешавшись там с прозрачной горной водой.

— Р-руки! — прошипел кто-то над ухом. — Руки на затылок! Вот так... А теперь кр-ругом!

Протасов сделал то, что ему приказывали. Повернувшись, он обнаружил себя в компании каких-то двух мужиков. Один из них, тот, что подавал команды, по-прежнему удерживал Протасова на мушке (Александр отметил про себя, что у этого типа «беретта»). Смугловатый, по-видимому, грузин, вернее сказать, местный, кахетинец, лет примерно двадцать пять. Одет в камуфляжные брюки, заправленные в голенища высоких горных «берцев», и в майку цвета хаки с глубоким вырезом, из которого наряду с золотым «ошейником» выпирала наружу жесткая курчавая поросль.

Второй субъект, стоявший метрах в пяти, выглядел совершенно иначе: худощавый рыжеволосый мужчина лет тридцати, одет в темные брюки и белую рубашку, причем с длинными рукавами. На конопатом лице солнцезащитные очки; грудь перетянута поддерживающими ремнями, под мышкой замшевая кобура, из которой торчит рукоять пистолета. В тот самый момент, когда Протасов бросил на него оценивающий взгляд, рыжеволосый субъект поднес к губам портативную рацию и лениво процедил пару-тройку фраз — что самое удивительное, говорил он с кем-то по-английски.

Грузин смерил Протасова глазами, затем разлепил губы:

— Кто ты? И что ты здэ-эсь дэлаешь?

— Кто я? Обычный человек, — негромко произнес Протасов, которому по-прежнему приходилось держать руки на затылке. — А здесь я отдыхаю...

— Здэсь нэльзя ха-адыть! — проинформировал его грузин. — Частная собственность, паны-ымаешь, да?! Ладно... Пасмотрым, что ты за чэловэк...

Подчиняясь его жестам, Протасов подошел к дереву, уперся руками в толстый шершавый ствол, а ноги расставил на ширину плеч — классическая позиция для шмона. Пока длился обыск, на берегу озерца появился еще один субъект, причем, судя по репликам, он был старшим в этой компании. В отличие от кахе-

27

тинца, одетого в популярную в этих краях униформу, прикинут точь-в-точь как «англосакс», включая сюда наличие наплечной кобуры с пистолетом... Именно вновь прибывшему охранник-грузин передал пухлую барсетку, реквизированную им у только что задержанного в урочище «чэловэка».

«Сдается мне, братец, что ты влип в историю, — мрачно подумал Протасов, которого так и оставили стоять прислоненным к дереву. — Вот же кретин, засмотрелся, как малолетка, на полуголую девицу...»

В принципе он не совершил ничего противозаконного. Откуда ему было знать, что кто-то приватизировал здешний уголок Кавказских гор и что теперь «здэсь нэльзя ха-адыть»? Но ситуация, с учетом обступивших его трех вооруженных субъектов, располагающих отнюдь не мирной внешностью, складывалась для него достаточно неприятная.

Протасов чертыхнулся про себя, осознав наконец, что времена сильно изменились и что это живописное урочище уже далеко не столь безопасное место, как то было полтора десятка лет тому назад. Он предполагал, что в Казбеги, как и прежде, функционирует база отдыха, а потому не ожидал увидеть здесь этих опасного вида мужичков...

Конечно, Протасов попал в эту неприятную ситуацию по собственной вине. Надо было не «предполагать», а навести справки у аборигенов. Опять же, уставился на «обнаженку», забыв обо всем на свете. Надо же, как лихо этот джигит к нему подкрался... Похоже, резко изменив образ жизни, переодевшись в цивильное, он вдруг превратился в столь же беспечное существо, что и большинство обычных смертных.

— Теперь повернись, — скомандовал старший. — Скажи мне, уважаемый, где ты раздобыл грузинскую визу?

В отличие от кахетинца, с его неистребимым грузинским акцентом, этот говорил по-русски на удивление чисто. Только сейчас, когда они стояли лицом к лицу, Протасов наконец смог как следует его рассмотреть. «Старшему» было немногим за тридцать. Рост и комплекция примерно такие же, что и у самого Протасова. Многое в его суровом облике указывало на то, что человек этот имеет кавказские корни. Но скорее всего он не из местных, не из грузин. Потому что с кахетинцем общался на какой-то тарабарщине, благо горцы, как правило, способны бегло изъясняться на наречиях своих вековых соседей... Осетин? Или же ингуш? А может, чем черт не шутит, чеченец?

Кем бы он ни был, этот взявшийся допросить его тип, из всей этой компании определенно он был самым опасным.

— Я оформил визу через посольство Грузии в Париже, — разлепив наконец губы, сказал Протасов.

— А что ты делал в Стамбуле? В твоем паспорте есть отметка...

— Я пробыл там всего несколько часов. Из Парижа в тот день не было прямого авиарейса, поэтому мне пришлось добираться в Тбилиси транзитом через Стамбул.

— Что ты делаешь в Грузии? — спросил старший, продолжая рыться в барсетке, причем его пальцы забрались в то отделение, где хранилась пачка стодолларовых купюр. — У тебя что, здесь имеются близкие или друзья?

— Я путешествую в качестве туриста. Я сам по себе, и никого у меня в этих краях из близких и друзей нет.

Оставив на время в покое дензнаки, старший пристально посмотрел на Протасова.

— Скажи, что тебе здесь надо? Почему ты остановился в Казбеги? И зачем следил за Тамарой?

«Определенно, этого абрека я уже где-то когда-то

29

видел, — вдруг подумал Протасов. — Да и он погляды-
вает на меня так, будто пытается вспомнить, при каких
обстоятельствах и как много лет тому назад пересекались наши пути-дорожки...»

— Не понимаю, уважаемый, о чем вы толкуете.

— Ты хочешь сказать, что не знаешь Тамару? — нахмурив брови, переспросил старший. — И никогда ее
раньше не встречал?

«Итак, она звалась Тамарой, — чуть перефразиро-
вав классика, хмыкнул про себя Протасов. — Хорошее
у нее имя, подходящее для сих диких мест... Но мне-то
какое до всего этого дело?!»

— Не знаю, не встречал, — нисколько не кривя
душой, сказал Протасов. Затем, заметив, что кахетин-
нец пытается вскрыть реквизированную у него «ладанку», впервые позволил себе повысить голос: — Эй, не
вздумай открывать! Кому сказал?!

Сделав шаг вперед, он ловко выхватил из рук опе-
шившего от такой наглости кахетинца дорогую ему ве-
щицу и тут же сунул «ладанку» в боковой карман брюк.

— Вот так будет лучше... Кстати, эта вещь сделана
не из золота, а из недорого сплава, так что для вас никакой ценности она не представляет.

Старший властным жестом осадил охранника, после
чего бросил на Протасова неодобрительный взгляд.

— Тебе что, жить надоело?! Гм... Ну и что теперь
прикажешь с тобой, таким крутым, делать?

Сказав это, он направился к скучающему в сторонке «англосаксу». Они принялись о чем-то совещаться.
До ушей Протасова долетали обрывки фраз, вперемешку английские и русские слова... В ходе их диалога
как минимум дважды прозвучало уже знакомое имя
Тамара. Рыжеволосый поднес к губам рацию, кому-то
ответил брошенной по-английски репликой, после чего
ленивым движением прицепил ее обратно к поясу.

Протасов понял, что сейчас решается его судьба. Денежной наличности, конечно, ему теперь не видать. Хорошо еще, если вернут документы и отпустят восвояси...

Кахетинец нехотя сунул ствол в кобуру... Затем, слегка помрачнев, сопроводил взглядом жест старшего — тот вернул Протасову барсетку, причем, что удивительно, все ее содержимое, включая стопку баксов, оказалось в целости и сохранности.

— Не ходи здесь больше, ладно? — сказал старший и при этом бросил на него довольно-таки странный взгляд. — Ты меня хорошо понял?

Протасов молча кивнул. Не потому, что испугался не высказанной вслух угрозы, а по другой причине: экскурс в собственное прошлое явно не удался, и на будущее для себя он решил, что подобные вещи практиковать больше не станет.

— И вообще, уважаемый, тебе не стоит надолго задерживаться в этих краях... Таких «туристов», как ты, у нас на Кавказе многие недолюбливают.

Глава 2

В характере Тамары Истоминой каким-то странным образом были спаяны воедино черты и наклонности, присущие, казалось бы, двум совершенно разным личностям. Сама девушка, кстати, отдавала себе в этом полный отчет. Большей частью она вела замкнутый, почти отшельнический образ жизни; и даже в годы учебы в одном из колледжей университетского Кембриджа, где в молодежной среде царили довольно свободные нравы и где многие были бы не прочь познакомиться с красивой, но несколько скованной девушкой поближе, она смогла избежать многих искусов и вредных шатаний. В том, что она предпочитала самое себя компании своих сверстников, виновата была не только ее склонность к одиночеству. Отчасти ее сковывала собственная биография, которую она не хотела афишировать в Англии или в любом другом месте перед кем бы то ни было, — тем более что отец строго-настрого запретил ей где-либо и когда-либо поднимать эту тему, — отчасти постоянное присутствие в ее жизни пары-тройки людей, заботившихся среди всего прочего и о личной безопасности «мисс Истоминой». Чертовски трудно вести «светскую жизнь», когда ты знаешь, что в любой момент, в какой бы компании ты ни была, один из тех, кто отвечает за тебя головой, непременно «контролирует ситуацию», находясь если и не за спиной, то где-то близко, рядышком, на минимально допустимом приличиями расстоянии...

Вот уже восемь месяцев при ней состоит один лишь Ахмад, не считая, конечно, экономки. Кстати, он единственный из ее крайне немногочисленного окружения, кто не надоедал ей своей мелочной опекой и к чьему присутствию возле себя Тамара относилась спокойно. Поначалу Ахмад Бадуев показался ей мрачным, нелюдимым и каким-то уж слишком суровым человеком. Она даже немного побаивалась его, чего греха таить... Но довольно быстро поняла, что уж ей-то опасаться Ахмада нет никакой нужды. А мрачным он был на первых порах по вполне естественной причине: Бадуев долгие годы состоял при отце, был предан ему, как собака, и очень переживал из-за того, что ему вдруг выписали служебную командировку в Южную Англию, в один из пригородов Саутгемптона, города, известного прежде всего тем, что именно от причала его морского порта вышел в свой роковой рейс «Титаник»; да еще не поймешь сразу, в каком качестве — гувернера, секретаря или же телохранителя — приставили к вполне сложившейся молодой женщине...

Именно этот «закрытый» тип личности доминировал в характере Тамары Истоминой довольно долгое время. Но события последних месяцев, поначалу потрясшие ее до основания, освободили что-то у нее внутри, обнажили многие дремавшие в ней до поры качества.

Из-за того, что произошло в ее жизни, она не стала лучше или хуже, а стала — д р у г о й.

Тамара и глазом не успела моргнуть, как истек месяц ее пребывания в Грузии. Раньше для сотрудников благотворительного фонда, базирующегося в Великобритании и учредившего еще два года назад филиал в этой закавказской республике, она, Тамара Истомина, была никем, величиной неизвестной и сугубо виртуальной — хоть ее имя и фигурировало в списке учредителей фонда, свою истинную роль в этих делах она до поры не афишировала. И теперь кое для кого из людей, припавших к дармовой кормушке, ее внезапное появление здесь, в Грузии, равно как и ее решительные действия, оказались неприятным сюрпризом...

Она и прежде догадывалась, что нанятые ее британским менеджером люди часть денежных средств, предназначенных тбилисскому филиалу, преспокойно кладут себе в карман. Точно так же можно быть уверенным, что кое-что из «гуманитарки» эти деятели толкали, что называется, «налево», кладя, опять же, выручку себе в карман. Учитывая специфику региона, такая своеобразная «отстежка» считается здесь в норме вещей. Но желание сделать что-то полезное, помочь остро нуждающимся в самом необходимом людям заставляло закрывать глаза на такого рода «плановые расходы». Хотя от всего этого, сопутствующего добрым делам, и становилось порой муторно на душе.

Она даже предполагала, хотя собственные мысли и пугали ее, что дельцы, паразитирующие на «ценностях гуманитарного характера», разворовывают до половины всего, что проходит через их липучие руки.

Выяснилось же на деле, что до тех, кому непосредственно предназначались грузы гуманитарного характера, не дошло практически н и ч е г о.

На протяжении двух лет фонд выделял тбилисскому филиалу в среднем ежеквартально около семидесяти тысяч фунтов стерлингов. Это около ста тысяч долларов. Суммы, конечно, не астрономические, но и не такие уж маленькие, в особенности для этого бедного региона. Четверть всей приобретенной за эти средства помощи, а именно: продовольствия, одежды и медикаментов, предназначалась непосредственно для Грузии, точнее, для остро нуждающихся жителей приграничной Кахетии. Еще четверть «гуманитарки» должна была доставляться адресно в лагеря беженцев из Чечни в Панкисском ущелье. Половинуа же всех грузов, по замыслу учредителей фонда, следовало комплектовать крупными партиями и двумя-тремя тяжелогрузными машинами раз в квартал доставлять по Транскавказской магистрали транзитом через Владикавказ в Ингушетию, где бедствуют десятки тысяч согнанных войной с родных мест людей.

Тамаре удалось обнаружить следы лишь одной «экспедиции»: в одно из сел Панкисского ущелья было завезено десять тонн низкосортной муки, несколько ящиков медикаментов с просроченной датой и с полдюжины выцветших и сопревших от времени армейских палаток еще советского образца. Имелись, правда, в изобилии разного рода бумаженции, которые местный посредник гордо именовал «документами». Там, зачастую неграмотно и неразборчиво, было записано, что, куда, когда передано, а также стояли подписи, иногда даже печати тех, кто «оприходовал» эти грузы и взял на себя в дальнейшем ответственность за их раздачу среди нуждающихся в помощи людей. Но она очень быстро убедилась, что почти все, что ей здесь, в Тбилиси, подсовывали, «липа» и что если она будет искать какого-нибудь Ваху или Мамуку, оприходовавших несколько партий «гуманитарки» стоимостью в десятки тысяч долларов, то поиски ее могут продлиться до судного дня.

Так что же, получается, отец был прав? Когда предупреждал какое-то время назад, что ее затея, какие бы благородные цели ни ставились, принесет ей больше хлопот и разочарования, чем удовлетворения от проделанной работы? Что характерно: он не отговаривал, не брюзжал по поводу будущих затрат, а именно предупреждал... Подумай, мол, хорошо, дочь, во что ты пытаешься влезть и над тем, что ты сама еще очень молода...

Но он уже тогда видел, что у его дочери воистину папин характер, что наружу уже рвется ее вторая, скрытая до поры ипостась, что она может быть не только затворницей, способной «зависать» часами на интересующих ее интернетовских сайтах, но и натурой деятельной, не лишенной, правда, некой авантюрной жилки. И поэтому не стал препятствовать ее планам, выдав ей полный карт-бланш. Что же до ее младых лет... Здесь, в Тбилиси, когда она только прилетела с Бадуевым и британским менеджером фонда, ее тоже сочли за молодую дурочку, которой солидные дяди с туманного Альбиона по какой-то прихоти позволяют транжирить их денежки. Дня три или четыре она прикидывалась идиоткой, а когда убедилась, что ее элементарно пытаются водить за нос, вытащила, образно выражаясь, шашку и помахала вокруг себя остреньким... Отрезала от кормушки двух посредничавших в этих убыточных мероприятиях прохиндеев — один грузин по национальности, второй чеченец, — а также разорвала отношения с посредником, оперировавшим в Северной Осетии. Уволив менеджера, отослала его обратно в Лондон, мысленно пообещав устроить ему неприятности сразу же по возвращении в Англию. Поскольку недостатка в рекомендациях и нужной ей информации она не испытывала, то тут же взялась формировать новую «команду». Сама крутилась как белка в колесе, и привлеченных ею людей тоже заставляла «пахать»...

Нельзя более допускать, чтобы деньги, выделяемые на благородные цели, прилипали к грязным лапам мошенников, какой бы национальности они ни были. Чтобы впредь подобные гнусности не повторялись, приходится самой вникать во все детали. Это тем более важно, что появилась возможность тратить гораздо большие суммы на известные цели. Да, сейчас есть такая возможность. Есть деньги и есть желание помочь людям. Нужно только сделать так, чтобы все было по уму.

...И только сейчас, когда удалось выполнить своеобразную «программу-минимум», подтолкнуть дело в нужном ей направлении, она решила выкроить для отдыха пару-тройку дней, а заодно полюбоваться давно будоражащими ее воображение кавказскими видами. Благо арендованная ею по рекомендации одного из ее новых тбилисских знакомых вилла в окрестностях Казбеги для этих целей подходит как нельзя лучше.

Глава 3

Время ленча Тамара провела в гордом одиночестве. Мужская компания, постоянно тусующаяся возле нее в последнее время, изрядно ее утомила. Ахмад, понаблюдав за ее решительными маневрами, выписал из Лондона двух дюжих британцев, сотрудников МАТ[1]. Местным «товарищам» он почему-то не доверяет. Исключение составляет лишь кахетинец Григорий, кото-

_____
[1] МАТ — Международная ассоциация телохранителей.

рый в их команде попеременно выполняет функции охранника и шофера. На вопрос Тамары, чем этот Григорий лучше прочих своих соплеменников, Ахмад лаконично заметил — «лучше». И лишь спустя какое-то время — Бадуев часто практиковал такие вот растянутые по времени разговоры и никогда ничего не забывал, — он внес необходимые разъяснения: «Я знаю отца Григория. Он — хороший человек».

Подкрепилась Тамара кое-как, организовав себе поздний завтрак по-турецки: кофе, фрукты, кусочек пирожного. Пообедать можно будет позже, во второй половине дня, когда на виллу приедет из Ларса «нужный человек». У местного посредника на границе, что называется, «все схвачено». С документами на груз все в порядке, получатели груза, кого это касается, извещены о дате и маршруте поездки. И все же важно, учитывая местную специфику, чтобы таможня заранее «дала добро».

Переодёвшись для пешей прогулки, Тамара выбралась во двор, частично выложенный разноцветной шлифованной плиткой. Солнце успело вскарабкаться по горным вершинам в самый зенит, приклеившись к лазурному небу повыше укрепленной на оцинкованной крыше спутниковой «тарелки». Но здесь, в урочище, особой жары не ощущалось: сказывалось обилие зелени и близость реки, влекущей свои прохладные воды в Терек.

Несколько секунд она любовалась ровной «берлинской» лужайкой — травка имела серебристо-голубоватый оттенок, — переходящей в альпийскую горку, затем обернулась к вышедшему вслед за ней из дома Бадуеву:

— Ахмад, я хочу немного прогуляться. Ты пойдешь со мной, а остальные могут отдыхать.

Она неторопливо шла по тропинке, проложенной

вдоль речки, направляясь в сторону заброшенной турбазы. Прошла мимо водоема, в который шипящей нарзанной струей вливался горный ручей. Справа от нее, в прогалах между буковыми деревьями и чинарами, открывался прекрасный вид на тронутую сединой вечных снегов вершину Казбека. Воистину, райские места... Столько лет она мечтала полюбоваться кавказскими видами, и вот наконец одно из ее заветных желаний исполнилось.

— Ахмад, в последнее время я не очень довольна тобой, — произнесено это было хотя и негромко, но веско. — И я хочу, чтобы ты это знал.

Она остановилась. Чуть повернув голову на высокой красивой шее, посмотрела на Бадуева — Ахмад, по обыкновению, по ходу прогулки держался чуть позади нее. Глаза ее помощника скрывали солнцезащитные очки. Никогда не поймешь, о чем думает этот человек.

Хотя Бадуев почти десять лет прожил в России и еще восемь месяцев в «европах», выучившись бегло говорить по-английски, хотя он давно уже пообтесался и отлично знает, как вести себя в том или ином обществе, не следует все же забывать о его родовых корнях, его происхождении — такого рода личностей, как Ахмад, еще никогда и никому не удавалось на все сто процентов «цивилизовать», «европеизировать».

Да и надо ли к этому стремиться?

— Мы ведь с тобой о чем договорились, Ахмад? — продолжила Тамара. — У нас с тобой существует разделение труда, верно? Я целиком взяла на себя вопросы бизнеса, ты занимаешься обеспечением безопасности. Дальше... Я решаю оргвопросы, ты обеспечиваешь нас транспортом и занимаешься жильем. Правильно я говорю?

Бадуев, неопределенно пожав плечами, сказал:

— Зачем ругаешься, Тамара? Посмотри вокруг! Горы, красиво... Отдыхай, да?

— Ну да, отдохнешь тут с вами, — вздохнула Тамара. — В кои веки захотелось искупаться, так тут же мужики набежали... А я ведь просила, Ахмад, чтобы никто за мной не ходил! И вообще... Зачем столько охраны? Я не такая уж большая шишка, чтобы окружать меня со всех сторон вооруженными верзилами!

— Охрана нужна. Я не трус, Тамара, и не дурак. Сейчас развелось много плохих людей. Они издалека чуют наживу, как комары теплую кровь... В последнее время ты привлекаешь к себе ненужное внимание. Мне это сильно не нравится. Я не могу запретить тебе заниматься делами, зато я могу, и даже обязан, приставить к тебе в это опасное время охранников.

— Для чего? Чтобы устраивать скуки ради такие представления, как сегодня? Признайся, это ты натравил своих нукеров на ни в чем не повинного человека? Что за манера такая... Чуть что, хватаетесь за свои пистолеты, устраиваете мне тут «одесский шум»... Надеюсь, ты принес свои извинения тому парню?

— Ты не понимаешь, Тамара. Мы на Кавказе, да? А здесь все очень непросто.

Истомина посмотрела на него с легкой усмешкой.

— А то я никогда не была на Кавказе.

— Да, была, но когда? Ты была всего лишь ребенком.

— Я здесь уже целый месяц торчу, — в сердцах сказала Тамара. — И сама пахала, как ты мог убедиться, сразу за пятерых мужиков! Я не какой-то прожектер, между прочим! Ты сам видел, сколько времени я собирала нужную нам информацию, со сколькими людьми встречалась в Англии и уже здесь, в Грузии! Последние два года я только тем и занимаюсь, что изучаю здешнюю конъюнктуру!

Бадуев скептически покачал головой.

— Тбилиси — это еще не весь Кавказ. Извини, но в местных особенностях ты разбираешься пока недостаточно хорошо.

— Возможно, ты и прав, Ахмад. И даже наверняка прав. Я долго была оторвана от реальной жизни, от корней. Но я хочу заниматься конкретными делами. И я буду делать то, что считаю нужным, что бы ты мне ни говорил.

— Вот и занимайся, кто ж тебе запрещает?! Руководить местными делами можно из Саутгемптона или Лондона! Не обязательно тебе было самой приезжать сюда... Знаешь, о чем я сейчас думаю, Тамара?

— Догадываюсь, — криво усмехнулась Истомина. — Размышляешь над тем, как бы вывезти меня отсюда поскорее и снова законопатить в наш особняк на Киршберри-роуд в Саутгемптоне? Ахмад, я вижу тебя насквозь! Вот что, дорогой мой джигит... Я тебе не чеченская девушка, чтобы ты мог под покровом темноты, перебросив меня через круп лошади, вывезти вон из аула! Поэтому выброси все эти глупости из головы! И вообще... Take easy, darling[1]...

Они возобновили прогулку. Дорожка, по которой они шли, сохранила асфальтовое покрытие, но оно потрескалось от времени, как лицо старого человека. Думали каждый о своем. Тамара думала о том, что в своих взаимоотношениях с Бадуевым ей следует проявлять большую твердость. Мысль о том, что она может уволить Ахмада, отпустив его на все четыре стороны, ей и в голову не приходила. Дело даже не в том, что Бадуева приставил к ней отец, против чьей воли она не хотела идти. Определенно, ее и саму теперь связывает с Ахма-

---

[1] Полегче, дорогой *(англ.)*.

дом нечто такое, что не позволяет ей вот так, под горячую руку, прогнать его от себя. Хотя, видит бог, они совершенно разные люди.

Сейчас, когда Тамара не могла его видеть, — девушка шла по дорожке чуть впереди, — черты лица Бадуева заметно смягчились. Он был привязан к ней так же сильно, как и к ее отцу, а возможно, и сильнее. Внешне, конечно, эти свои чувства он никак не демонстрировал... Бадуев размышлял над тем, в сколь непростой ситуации они сейчас оказались. Он хребтом чувствовал некую опасность, но ее источник пока оставался ему неизвестным. Отговорить Тамару от задуманного вряд ли удастся. Она упряма и бесстрашна до безрассудства... У нее твердый характер и довольно крепкая, как выяснилось, деловая хватка. Эти черты определенно перешли к ней от отца. Но Тамара еще слишком молода, к тому же у нее нет и десятой доли того жизненного опыта, каким обладал в том же возрасте ее отец.

Когда Тамара обернулась к нему, лицо Бадуева приобрело прежнее невозмутимое выражение.

— Вернемся к началу нашего разговора, — сказала Истомина. — Позавчера... Нет, уже три дня минуло, как случилось это безобразие. Так вот, в мое отсутствие в наш тбилисский офис, как потом до меня дошло через третьи руки, пришли двое просителей. Не знаю, верно ли меня проинформировали, но эти двое представляют в Тбилиси Комитет помощи горским народам. Они вроде бы пытаются организовать поставки «гуманитарки» в Панкисское и Кодорское ущелья, в места скопления беженцев...

— Вот именно, что «вроде бы», — хмыкнул Бадуев. — Они не те, за кого себя выдают, поэтому я их отшил.

— Но ведь эти двое были чеченцами! — возмути-

41

лась Тамара. — Тебе разве дано было право решать, с кем мне нужно встречаться, а с кем нет?!

— Я не хочу, чтобы ты встречалась с чеченцами. Я им не верю.

Услышав это заявление, Тамара от неожиданности едва не споткнулась.

— Как интер-ресно ты говоришь, — язвительно заметила она. — А ты кто у меня такой?! Английский лорд?

— Да, я вайнах, — спокойно сказал Бадуев. — Но я — кистинец[1].

— Ах, какие этнографические тонкости, — не меняя тона, произнесла девушка. — Нет, Бадуев, ты натуральный чечен, так что нечего мне лапшу на уши вешать... И впредь учти, дорогой: если ты и дальше будешь вставлять мне палки в колеса, надеясь, что я отступлюсь от своих планов, то я и на тебя найду управу! Я уже не маленькая девочка, понял?! Мигом пошлю тебя... обратно в Англию!

Бадуев, казалось, ее совсем не слушал, во всяком случае, на лице его не дрогнул ни один мускул.

— Ахмад, ты слышал, что я тебе сказала?!

— Не глухой.

— Признайся, что ты ревнуешь меня ко всем мужчинам подряд, — улыбнулась она. — Я права?

— Я не муж тебе, чтобы ревновать, — пожал плечами Бадуев. — Вот что, Тамара... Хочу тебя спросить. То, чем ты занимаешься, это действительно так важно для тебя?

— Да, Ахмад, для меня это не прихоть и не игра.

— Ну что ж, — подавив тяжелый вздох, сказал Бадуев. — Ты уже взрослый человек и имеешь право сама распоряжаться своей жизнью...

---

[1] Кистины (кистинцы) — самоназвание чеченцев, проживающих со времен имама Шамиля в Панкисском ущелье Грузии.

42

Спустя полчаса они вернулись обратно на виллу. Венчая этот непростой для нее разговор и стараясь нейтрализовать неприятный осадок, которой наверняка остался в душе преданного ей человека после устроенной ею выволочки, Тамара, коснувшись рукой плеча своего спутника, примиряющим тоном сказала:

— Посмотри, как хорошо и покойно вокруг... Ахмад, мы занимаемся добрыми делами. Мы здесь никому не мешаем. Не понимаю, почему кто-то должен желать нам зла?

Место для наблюдения было выбрано удачно. Они устроились на густо поросшем орешником склоне горы, метрах в трехстах от охраняемой усадьбы. Оба наблюдателя имели военный опыт, поэтому позицию выбрали так, чтобы солнце не бликовало на окулярах мощной оптики; в противном случае кто-то из охранников мог бы обнаружить их присутствие, а это крайне нежелательно.

Усадьба и ближние окрестности, которые они разглядывали через линзы двенадцатикратной оптики, были видны отсюда так же хорошо, как собственная ладонь.

Около десяти часов к двум наблюдателям присоединился третий. Это был Ваха Муталиев, личность довольно известная в «узких кругах», причем по обе стороны границы. По молодости успел переболеть вахабизмом, но давно соскреб бороду со своих смуглых щек, оставив лишь усы. Сейчас ему тридцать четыре года. Роста он немногим выше среднего, но что-то в нем было такое, что даже на фоне некоторых своих массивных и высокорослых помощников он не выглядел ни низкорослым, ни худосочным. Жил Муталиев в основном во Владикавказе, но порой его видели в Ростове-на-Дону, куда перебралась часть его родни, в Ин-

43

гушетии и даже в Москве. В ходе последней чеченской кампании он никак не засветился, но это еще не означает, что за последние годы он сильно переменился и стал вести праведную жизнь... Какое-то время Муталиев пытался «крышевать» один из секторов местного спиртоводочного производства, включая контрабандные перевозки через границу с Грузией, но его постепенно вытеснили из этого бизнеса. Сейчас он занимался всем, что сулило прибыль: организовывал через своих помощников контрабанду оружия и наркотиков, торговал разнообразной информацией, а зачастую и посредничал в торговле «живым товаром».

Понятно, что при таком образе жизни к Вахе Муталиеву периодически должны были возникать вопросы у «компетентных органов». Причем по обе стороны российско-грузинской границы. Они и возникали. Но каждый раз срабатывали некие защитные механизмы, позволявшие Муталиеву выходить сухим из воды. Понятно, что отдельные покровители из местных спецслужб требовали от него ответных услуг. Что поделать, Вахе приходилось исправно платить по счетам. Хотя о чем бы его ни просили, какие бы деликатные задания ни пытались ему поручить, он всегда прежде всего преследовал собственный интерес.

Ваха оставил свою черную «Тойоту» более чем в полукилометре от НП, в лесочке, там же, где замаскировали свою «Ниву» двое его помощников, Беслан и Саит. Вот уже около четырех часов он в компании с двумя своими соплеменниками, не прерываясь даже на полуденную молитву, следил за домом и его временными постояльцами. За это время помощники успели доложить ему о тех сведениях, что им удалось собрать в Тбилиси. Хотя к молодой женщине, прибывшей в Грузию около месяца назад из Англии, охрана их не допустила, кое-что любопытное про нее все же удалось выяснить. Пусть с не очень близкого расстояния, но были сделаны фотоснимки Истоминой и ее ближайших помощников, среди которых обнаружился один прелюбопытный тип по фамилии Бадуев.

Все это, в совокупности с той информацией, какую Муталиев получил от своего клиента, позволяло ему сделать вывод, что он сейчас на верном пути. Дело, конечно, ему предстоит рискованное, но при успешном раскладе он, лично он, получит двести пятьдесят тысяч баксов чистого навара.

Ваха вновь вскинул к глазам мощный бинокль. Он наблюдал за парочкой — молодая светловолосая женщина и мужчина примерно его возраста, — которая прогуливалась в окрестностях виллы, не отдаляясь, впрочем, сколь-нибудь далеко от усадьбы. Когда он смотрел на вайнаха, составившего компанию красавице, верхняя губа с усиками невольно ползла вверх, обнажая крепкие и острые, как у волка, зубы. «Чтоб тебе провалиться под землю, Бадуев! — накаляясь ненавистью, думал он. — Вот ты где объявился... Ну ничего, рано или поздно ты свое получишь».

— Да, это они, — в который уже раз сказал он, передавая бинокль рослому и сильному, как медведь, Беслану. — Теперь у меня нет сомнений.

Он сунул в уголок рта сухую былинку, пожевал ее, затем задумчиво посмотрел на своих помощников. Публика, собравшаяся на этой сдаваемой в аренду вилле, отнюдь не выглядела беспечной. Какого-то постороннего мужичка, который надумал полюбоваться местными видами, вмиг повязали, а затем пинком прогнали вон... Кроме Бадуева, девушку охраняют пара британских «бодигардов» и какой-то грузин. Плюс два местных кадра, охраняющих саму виллу, и еще двое из обслуги — эти, конечно, не в счет.

45

Короче, без серьезной драки, задумай он действовать немедленно, не обойтись. Нет, нужно набраться терпения и дождаться более подходящего момента...

— Что дальше, амир? — спросил худощавый, гибкий как лоза Саит. — Продолжать наблюдение?

— Да, не спускайте с них глаз. — Муталиев выплюнул изжеванную травинку. — Но будьте осторожны, потому что Бадуев — стреляный волк.

Пройдя по узкой, едва видимой глазу тропинке, Ваха Муталиев спустился в лесочек, к тому месту, где он оставил на время «Тойоту». Спустя четверть часа он въехал в открытые ворота усадьбы в Казбеги, владельцем которой являлся один из его соплеменников. Войдя в дом, он умылся, вознес благодарственную молитву Аллаху и лишь после этого решил воспользоваться спутниковым телефоном. Всего в этот день Муталиев сделал три звонка: один абонент находился во Владикавказе, второй в ближнем Подмосковье, третий в... Париже.

Глава 4

Встречи с Борисом пришлось дожидаться трое суток. Вначале предполагалось, что деловое рандеву состоится на юге Франции, в Аннабе, в шикарном особняке, заблаговременно приобретенном попавшим нынче в опалу Агасфером. Но, как это часто бывает с Борисом, планы вдруг претерпели изменения... О том, что «зур кунак» не сможет принять его в приватной обстановке, Бекмарс, средний из братьев Хорхоевых, узнал в парижском аэропорту Орли, куда он только что прибыл из Москвы и откуда, воспользовавшись услугами местной авиалинии, собирался вылететь на французскую Ривьеру. Помощник Бориса, позвонивший ему на мобильный телефон, проинформировал, что его патрон сам приедет в Париж, где у него есть какие-то дела, и что «завтра, в крайнем случае, послезавтра» встреча между ними непременно состоится.

Хорхоев после недолгих размышлений решил остаться в Париже, сняв номер в отеле «Крийон», где любил останавливаться его покойный старший брат. Перенос встречи не слишком удивил: Борис давно достиг таких высот, что нередко вообще игнорирует просьбы своих хороших знакомых и бывших компаньонов о встрече. И хотя этот незаурядный человек вынужден сейчас вести жизнь изгнанника, он по-прежнему способен через свои крепчайшие, зачастую незримые связи эффективно решать многие вопросы как внутри России, так и за ее пределами.

То обстоятельство, что Борис не вышел с ним на личный контакт, пусть даже по телефону, и что его заставляют томиться в ожидании, будто он какая-то мелюзга, в прежние времена наверняка вывело бы Бекмарса из себя. Да, были денечки, когда не Борис, а он, Бекмарс, предварительно посоветовавшись с более опытным братом Русланом, решал, стоит ли ему иметь дело с этим человеком. Но сейчас явно не та ситуация, чтобы демонстрировать гордыню. Волей случая он оказался в роли утопающего, который ради спасения готов ухватиться даже за соломинку. И такой соломинкой может стать Борис, у которого, так уж получилось, в том деле, какое доставляет Бекмарсу и всему клану Хорхоевых в последнее время массу хлопот, тоже имеется свой интерес.

Все эти трое суток Бекмарс почти безвылазно провел в своем гостиничном номере, дожидаясь телефонного звонка от Бориса или же от одного из его местных сотрудников. Ему чертовски хотелось плюнуть на все и вернуться в Москву, поставив таким образом крест на всяких отношениях с Борисом и его ближним окружением. Но он не мог так поступить, потому что тогда семья наверняка потеряет громадные деньги. Отец, Искирхан Хорхоев, слава Аллаху, пока жив, здоров и довольно крепок. Пусть всевышний ниспошлет ему многие лета... И все же отцу, которому недавно исполнилось восемьдесят лет, трудно в его возрасте решать столь сложные проблемы, как нынешняя, да еще при том, что он и раньше предпочитал не вмешиваться в бизнес своих сыновей, ограничиваясь разве что дельным советом. Вот и получается, что именно на нем, Бекмарсе, теперь лежит основная ответственность за состояние разветвленного семейного бизнеса.

«Эх, Руслан, Руслан, — не раз горестно вздыхал он в эти часы томительного для него и даже унизительного ожидания. — Как ты мог так поступить с нами? Разве мы чужие тебе? Разве мы не одной с тобой крови? А ведь ты поступил так, будто все мы, отец, я, наш младший брат Ильдас, наши сестры Мадина и Раиса, не говоря уже о более молодой поросли рода Хорхоевых, — твои злейшие враги...»

Но его мысли прежде всего занимал будущий разговор с Борисом, если, конечно, их беседа вообще состоится. Тяжело ему, Бекмарсу, придется, очень тяжело... В канун нелепой смерти Руслан так запутал дела в своей нефтяной компании, что даже спустя три с лишним месяца после этого воистину «несчастного случая» чертов клубок проблем и долгов по кредитам так и не удалось распутать... Отсутствует целый ряд важных финансовых документов — очевидно, Руслан держал их в известном лишь одному ему месте, — и самое главное, до сих пор не удалось обнаружить подлинники документов по многомиллионному кредиту, причем все операции с этими привлеченными непонятно для каких нужд средствами президент ОАО «Западно-Сибирский нефтегазовый альянс», являющийся также учредителем и фактическим владельцем еще целого ряда «дочек» и более мелких компаний, созданных опять же с неясной целью, успел прокрутить буквально за несколько суток до своей крайне несвоевременной кончины.

Единственно, что известно абсолютно достоверно, так это то, что Руслан взял крупный кредит, — такое случалось не впервые, — используя связи Бориса в московских и европейских финансовых кругах; причем наверняка отстегнул последнему известный процент или же, как тоже нередко практиковалось, подписался оказать своему давнему партнеру ответную услугу, эквивалентную определенному количеству дензнаков.

Пятьдесят миллионов долларов как в воду канули... Они с Ильдасом уже общались на эту тему с Борисом — после того, как кредиторы предъявили правонаследникам Руслана свой комплект подлинных документов, в присутствии юрисконсультов и экспертов по залоговому праву, — и тот обещал по своим каналам собрать полезную для Хорхоевых информацию, хотя и высказал недоумение в связи с возникновением столь странной ситуации.

Но захочет ли Борис оказать им реальную помощь? И если даже захочет, то сможет ли доподлинно разобраться в тех многоходовых комбинациях, какие практиковал Руслан Хорхоев? Кстати, благодаря подобным комбинациям обрел свое состояние и свою скандальную известность сам Борис, которому Руслан то ли в шутку, то ли всерьез дал прозвище, схожее с именем известного библейского персонажа.

Борис, всегда по-дружески относившийся к Руслану, не остался в долгу, присвоив Хорхоеву прозвище Овлур (такой персонаж действительно существует в устном чеченском эпосе, причем этот пришедший из глубины веков вайнах, по преданиям, был личностью не только героической, но и предприимчивой). И вот теперь получается так, что один из них погиб в южно-сибирской глуши, без малейшей надежды на чудесное воскрешение, а другой, и вправду как Вечный Жид, вынужден скитаться по белу свету...

Долгожданная встреча состоялась в полуденное время в офисе небольшой адвокатской конторы в одном из модерновых зданий района Дефанс, являющегося деловым центром французской столицы. В эту контору, где, надо полагать, обстряпывались кое-какие дела Бориса, Бекмарса привез помощник опального магната, заехавший за ним в отель «Крийон». К моменту их появления в офисе там почти не было народа — возможно, в связи с обеденным перерывом, — а те несколько человек, что попались на глаза, были либо помощниками Бориса, либо сотрудниками «лички».

Хорхоева провели в одно из офисных помещений. Борис, прислонясь филейной частью к боковине письменного стола, беседовал о чем-то с худощавым, интеллигентного облика мужчиной лет тридцати двух, одетым в строгий деловой костюм. Причем, судя по обличию и разговорной манере, последний был того же рода-племени, что и Борис.

С появлением визитера их беседа тут же прервалась. Борис, изобразив на лице радушие, сделал два или три семенящих шага навстречу старому знакомому. Обнялись, Борис даже похлопал гостя по широкой спине, обтянутой тканью дорогого «версачиевского» костюма. Бекмарс был почти на голову выше своего визави и при желании мог ткнуть своим костистым, напоминающим ястребиный клюв носом в его неопрятную лысину, но ограничился дружескими объятиями. Как водится, осведомились друг у друга о делах и здоровье близких, после чего Борис кивком пригласил визитера занять одно из двух имеющихся здесь кожаных кресел.

— Извини, Бекмарс, что не смог встретиться с тобой по первому требованию, — в своей привычной манере, пулеметной очередью выдал Борис. — Но ты знаешь, я уже давно не принадлежу сам себе... М-м... Что-то мы давненько с тобой не виделись?

— Месяца два тому назад мы у тебя были с Ильдасом, забыл? — не слишком удивляясь, заметил Бекмарс Хорхоев. — А до этого... Да, не виделись, наверное, лет семь или около того.

— А ты почти не меняешься, кунак, — Борис бросил на него рассеянный взгляд. — Даже зубы молодые и белые, как у волка... Настоящий нохча... А ведь тебе тоже уже полтинник стукнул, верно?

— Да, Борис, мы ведь с тобой одногодки... Если ты, конечно, не забыл.

— Я помню, все помню, — пробормотал Борис. — Э-э... Бекмарс, я очень уважаю тебя и твою семью. Поэтому я специально приехал сюда, в этот офис, чтобы мы могли спокойно переговорить. Да... Ну хорошо, я тебя внимательно слушаю, дорогой.

Хорхоев бросил косой взгляд в направлении незнакомого ему субъекта, который по-прежнему находился в помещении, хотя и был здесь, учитывая конфиденциальный характер предстоящей беседы, воистину третьим лишним.

— Это мой помощник, — сказал Борис. — Он надежный человек.

— Пусть он выйдет.

— Хорошо, — неожиданно легко согласился магнат. — Аркадий, подожди за дверью.

— Вынужден напомнить, — сказал тот, прежде чем

закрыть за собой дверь. — У вас в запасе не более двадцати минут, иначе вы опоздаете на важную встречу.

— Вот так? Всего двадцать минут ты можешь мне уделить? — Бекмарс, нахмурив брови, поднялся с кресла. — Разве я тебе когда-нибудь говорил: «Борис, я занят, у меня мало времени»? Или мой старший брат Руслан такое говорил?

— Ладно, Бекмарс, не кипятись, — он усадил чеченца обратно в кресло. — Времени у нас вполне достаточно, чтобы обсудить твою проблему.

— Но твой помощник сказал...

— Это его работа. Если я куда-нибудь опоздаю, если будет нарушен мой рабочий график, то я его выгоню. Зачем мне такие сотрудники? Э-э... Бекмарс, у меня действительно есть проблемы со временем. Сегодня у меня еще две... нет, даже три важные деловые встречи. А уже завтра утром я вылетаю в Штаты...

— Ну хорошо, буду краток...

Бекмарс Хорхоев действительно в нескольких словах обозначил цель своего приезда в Париж — он был уверен, что его собеседник отлично разбирается в данной ситуации, — после чего замолчал, ожидая должной реакции от своего влиятельнейшего, несмотря на временные трудности, собеседника.

Сколько же времени они знакомы? Уже двадцать лет. Их знакомство, кстати, состоялось на торжествах по поводу шестидесятилетия отца, который был в свое время накоротке знаком с отцом Бориса. Но приглашение, возможно, исходило от Руслана, потому что именно старший брат представил ему Бориса, шепнув на ухо: «Хорошенько запомни его! Поверь мне, это очень умный и очень перспективный еврей...» Тогда Борис ему как-то не глянулся, но уже через пару лет они, с подключившимся несколько позднее Ильдасом, стали активно внедряться на тольяттинский автогигант, и с этого самого эпизода, собственно, берет свое начало успевшая уже обрасти легендами биография этого незаурядного политика и бизнесмена.

— Дело обстоит не так просто, Бекмарс, как тебе кажется, — после паузы сказал опальный магнат. — Надо же, как все запуталось...

— Если бы все было «просто», я бы не стал тебя беспокоить, Борис.

— Гм... Я действительно помогал Руслану пробивать кредит. Так, так, припоминаю... Действовали мы через «Суисс Агрикол банк». Пятидесятимиллионный кредит был выдан под залог контрольного пакета акций всего объединения «Альянс». Гарантию на эту сделку выдали... — Борис назвал известную столичную финансовую группу. — Схема, насколько я помню, применялась типовая. Деньги Руслану, как я понимаю, нужны были здесь, в Европе, для закупки какого-то оборудования и снаряжения. Как, куда, когда, по каким каналам прошли эти средства, поверь мне, я не в курсе. Ты своего старшего брата знаешь не хуже меня, он к своим финансовым операциям никогда и никого не подпускал... Так, что еще... Помесячная ставка тебе, конечно, известна. Возвращен кредит должен быть целиком, в указанный в договоре срок.

— Первого сентября, — уточнил Хорхоев. — То есть уже через три недели.

— Да, кажется, так, — покивал головой его собеседник. — Если должная сумма в указанный срок не будет переведена на известный тебе счет в «Суисс Агрикол», то московские банкиры вынуждены будут сами вернуть швейцарскому банку пятьдесят «лимонов» плюс набежавшие долги по процентным ставкам... Ну а им, соответственно, в качестве компенсации достанется контрольный пакет нефтяной компании, которой управлял твой покойный брат.

— Шайтан бы их всех побрал! — выругался Бекмарс. — Именно такого варианта я и хочу избежать! Уже сейчас в объединении творится черт-те что! «Попилят» компанию эти чертовы москвичи, помяни мое слово... Или перепродадут тому же «Юкосу», да еще навар снимут! А нам что останется?! Конкретно мне?!

— Значит, нужно найти деньги и вернуть кредит, — спокойно заметил Борис. — М-да... Очень странная ситуация с этим взятым Русланом кредитом! Он, насколько я знаю, преимущественно гонял деньги через кипрские офшоры, верно? Ну и что, не нашли?

Процедив воздух сквозь стиснутые зубы, Бекмарс отрицательно покачал головой.

— Странно, — повторил его собеседник. — Если он собирался закупать оборудование в Западной Европе, то зачем, с какой целью стал путать следы? Для чего ему понадобилось в таком случае изобретать сложные финансовые цепочки и прятать деньги на секретных счетах? Темнил что-то Руслан, ох, темнил... Но разве сейчас узнаешь, что было у него на уме? Деньги эти, конечно, когда-нибудь найдутся, и тогда вы сможете их разделить по праву наследства...

— Боюсь, будет поздно, — угрюмо сказал Хорхоев. — Поэтому и прошу тебя о помощи.

— Но что я могу? — развел руками делец. — Бизнес есть бизнес, я сам «пролетал» не раз и не два...

— Можешь, Борис, — упрямо гнул свою линию Хорхоев. — Ты и сейчас все можешь! Переговори со швейцарцами и московскими банкирами. Последние, уверен, тебе не откажут, ведь это твои добрые друзья. Нужно, чтобы сделка была пролонгирована как минимум до конца года. Проценты мы будем платить исправно. Если договоришься в нашу пользу, лично тебе «откат» в пять «лимонов». Если сможешь «пробить» по своим каналам, в какой стране, в каком банке или офшоре лежат заныканные Русланом деньги, я тебе за такую услугу тоже буду обязан... Ну, что скажешь?

Борис ненадолго погрузился в размышления, затем, почесав кончик носа, сказал:

— Я всегда рад помочь столь уважаемой семье, как тейп Хорхоевых... Но я помню, как однажды Руслан по какому-то случаю привел мне вашу мудрую чеченскую пословицу: «Слово — раб. Выскочило — ты его раб»... Поэтому раздавать тебе пустые обещания не стану. Сделаю все, что в моих силах. А там как получится.

В этот момент в дверном проеме показалась голова помощника — «время, господа, время»...

— Но ты обещаешь, Борис, что переговоришь по моему делу со швейцарцами и москвичами?

На губах Агасфера появилась ласковая, мгновенно узнаваемая по телевизионным кадрам улыбка.

— Да, Бекмарс, это я тебе твердо обещаю.

Едва чеченец покинул офис, прерванная его приходом беседа тут же возобновилась. Эта контора служила штаб-квартирой изгнанника в Париже. Хорхоева нисколько не обманывали по поводу огромной занятости магната. Но Борис — гибкий человек. Если нужно, он способен корректировать свои планы. Особенно в тех случаях, когда на горизонте в очередной раз замаячили огромные барыши.

Согласно сделанным его помощниками прикидкам, ОАО «Западно-Сибирский нефтяной альянс», вкупе с разрабатываемыми компанией месторождениями, «стоит» не менее полумиллиарда долларов.

Минус пятьдесят миллионов баксов взятого Русланом Хорхоевым кредита и еще те примерно двадцать миллионов, которые он смог скачать из собственных активов и которые, очевидно, уже потратил на какие-то свои секретные проекты.

Остальное же, при удачном раскладе, учитывая то обстоятельство, что в столичном банке, где сейчас заложен хорхоевский «пакет», заправляют его, Бориса, люди, ляжет, за вычетом сопутствующих такого рода операциям расходов, в его карман.

— Поступим следующим образом, Аркадий, — сказал он курирующему этот «проект» помощнику. — Я тут пообещал Бекмарсу переговорить с нашими банкирами по поводу пролонгации... Надо действительно прояснить для них этот вопрос. Если появятся ходоки от Хорхоевых, давать им отлуп по всем пунктам. Но не в лоб, а вежливо заволынить это дело...

— А если начнутся наезды на московских банкиров?

Олигарх скептически покачал головой.

— Сомневаюсь, что они на это пойдут. Это же «ручные», московские чечены. Руслан, конечно, мог бы что-нибудь организовать, но он уже в могиле... Толковый был мужик, царствие ему небесное... Сейчас могу признаться, что и я у него кое-чему в свое время научился. М-да... У них какие-то разборки были в семье. Ты, Аркаша, наведи справки, это может нам тоже пригодиться.

— Мы уже работаем над этим, — кивнул тот. — Как только обобщу информацию, сразу же положу докладную вам на стол.

— Вот что еще ты должен выяснить, Аркадий... Мне важно в точности знать, что за проект раскручивал Хорхоев в Южной Сибири. Ты уже послал нашего человека в Кызыл?

— Да, все сделал, как вы велели.

— Какие-то новости о судьбе заместителя Руслана,

который занимался в последнее время «южносибирским проектом», есть?

— Нет, он по-прежнему числится в «без вести». Он, конечно, был в курсе многих дел Руслана. Есть подозрение, что его исчезновение организовали Бекмарс и Ильдас. Я даже не исключаю, что Рассадина сейчас нет в живых.

— Наверное, ничего важного он им не смог сообщить. Иначе они не бегали бы как ошпаренные в поисках заныканных их старшим братом денежек...

Как это часто с ним случалось, магнат почувствовал волну вдохновения. В его глазах появился блеск, лицо стало почти одухотворенным, как у талантливого композитора, который слышит внутри себя чарующие звуки не рожденной еще мелодии. В такие мгновения в его организме бурлила могучая жизненная энергия, порой обильно выплескивающаяся наружу. И этой энергии вполне хватало на то, чтобы заряжать собственным магнетизмом ближнее окружение...

— Слушай еще, что скажу, Аркадий, — слова вылетали из него с такой скоростью, что он едва успевал их выговаривать. — Руслан много лет собирал материал на разных людей... Ну ты понимаешь, да? На меня, конечно, он тоже компру приличную собрал. Я всегда старался быть осторожным, но случались такие обстоятельства, что не всегда это удавалось... В принципе меня и так уже дерьмом всего измазали, но у Руслана на меня, учитывая стаж нашего знакомства и его умение копить компру, подсобралась, вероятно, целая бочка нечистот...

— Если бы Хорхоевы нашли эти материалы, то Бекмарс как минимум намекнул бы на их существование, — заметил сообразительный помощник. — Я понял вас. Будем искать также хорхоевский «черный архив»... Кроме того, заканчиваем пробивать финансовую цепочку, чтобы узнать судьбу взятого Русланом кредита. В поле нашего зрения попались кое-какие люди, мы пока наблюдаем за ними, но скоро займемся ими конкретно. Я дал соответствующее поручение нашей московской конторе «Алгоритм», там есть опытные спецы по Кавказу и сопутствующим направлениям, они уже активно включились в работу.

— Ну что ж, все по делу, — одобрительно заметил олигарх. — Гм... Руслан, если он только способен слышать меня на том свете, сейчас, наверное, в своем гробу перевернулся от бессильной злости...

Коротко переговорив с сыном по телефону, Искирхан Хорхоев передал трубку своему младшему, после чего опустился в кресло и вновь стал перебирать отшлифованные пальцами янтарные четки. Это был рослый, сухой, костистый, все еще крепкий, несмотря на преклонный возраст, старик. Его суровое лицо, по-своему красивое даже на девятом десятке, не выражало ровным счетом ничего, как и выцветшие от времени глаза.

Младший сын Ильдас, которому недавно исполнилось сорок два, держал трубку левой рукой; на правой вот уже несколько лет недоставало двух пальцев, большого и указательного.

Он отвечал брату, звонившему из Парижа, скупыми отрывистыми фразами. Хотя они и разговаривали по-вайнахски, их разговор мог попасть в чужие уши, поэтому изъясняться приходилось обиняками... У Бекмарса, как водится, были две новости, плохая и хорошая. Плохая заключалась в том, что Борис, это стало ясно уже по ходу встречи, не собирается помогать в непростой ситуации, вина за возникновение которой целиком ложится на Руслана. Хорошая же новость состояла в том — Ильдас, впрочем, был уже в курсе, потому что весть эта пришла по его каналам, — что появился еще один кончик, потянув за который им, возможно, удастся распутать созданный их старшим братом клубок серьезных проблем.

— Отец, я буду собираться в дорогу, — сказал Ильдас, закончив переговоры с братом. — Появился шанс вернуть наши деньги.

— Ты пропустишь вечернюю молитву, Ильдас.

— Теперь я знаю, у кого наши деньги. — На лице Ильдаса промелькнула недобрая усмешка. — И я верну их, вырву, если понадобится, чего бы мне это ни стоило...

Глава 5

Ближе к вечеру на погранпереходе Нижний Ларс скопилась трехкилометровая очередь машин. Возможно, она была даже более протяженной, эта очередь, потому что ее хвост постепенно удлинялся, теряясь где-то в темном прохладном зеве нового тоннеля, открытого сравнительно недавно на этом участке Транскавказской магистрали.

Переход был временно закрыт. Но не по вине местных пограничников, поскольку те никаких препон к проезду не чинили. Запрет исходил от их российских коллег. Во всяком случае, именно такие слухи циркулировали среди застрявших в этой очереди людей — некоторые из них торчали в «предбаннике» погранзоны с шести часов утра.

С российской стороны периодически доносились скраденные расстоянием отголоски стрельбы. Последний раз Протасов слышал эти тревожные звуки в два пополудни. Судя по всему, постреливали на осетино-ингушской границе, до которой отсюда было не так уж далеко. Но, учитывая необычайные свойства акустики в горах, эпицентр перестрелки мог находиться еще дальше, где-то в районе Дарьяльского ущелья, километрах в двадцати на северо-восток.

Какое-то время Протасов пытался дремать на заднем сиденье автобуса «Неоплан». Но в салоне было очень душно, хотя все двери и люки были распахнуты. Когда он вышел наружу, то увидел возвращающегося к автобусу одного из двух водителей, обслуживающих маршрут Тбилиси — Владикавказ.

— Есть какие-нибудь новости? — поинтересовался он у шофера. — Когда откроют переход?

— Вах! — Тот в сердцах махнул рукой. — Ты же слышал, генацвале, с т р е л я ю т...

— Да уже часа три, как не слышно стрельбы. И постреливают, сдается мне, не в районе магистрали, а гораздо восточнее... Часто здесь такое бывает?

— Раньше было часто, а сейчас уже нэ-эт, — пожал плечами водитель. — В восемь вечера у русских пересменка, может, новая смэ-эна а-ткроет границу... А если нэт, та-агда придется ночевать здэсь да-а утра.

Кивком поблагодарив водителя за эту в общем-то неутешительную информацию, Протасов прогулялся к единственному здесь туалету, где ему даже пришлось постоять в очереди... Магистраль в этом месте расширялась, образовывая непосредственно перед погранпереходом и таможенным терминалом довольно просторную площадку, которая сейчас, впрочем, была запружена автомобильным транспортом. Насколько можно было разобраться, здесь существовали две очереди: основная, состоящая из простых смертных, и «льготная». Последняя тоже состояла из двух «рукавов»: в одном ряду застыл транспорт, имеющий легальное право на первоочередной проезд, вроде их автобуса, в другом насчитывалось десятка два крутых тачек, чьи владельцы, судя по всему, не привыкли париться в общей очереди.

Протасов достал из нагрудного кармана пачку «Кэмела», чуть размял в пальцах сигарету, закурил. Однажды, в подростковую пору, он уже проделывал с родителями такой путь, только в обратном направлении, из Владикавказа (в ту пору Орджоникидзе) в Казбеги. Расстояние здесь небольшое, километров около семидесяти пяти. Они тоже ехали в рейсовом автобусе, и дорога у них заняла, кажется, не более полутора часов... А теперь по этим величественным местам проходит граница, так легко и просто, как раньше, не проедешь, а тут еще где-то по окрестным ущельям мелкими группами шныряют люди в камуфляже и с «калашами»...

Александр криво усмехнулся. Казалось бы, политики давно перекроили карту великой страны, и к нынешнему времени все должно было бы устаканиться... Но неудобства, принесенные этим внезапным и болезненным разделением, не только сохраняются, но и приумножаются, от чего страдают прежде всего простые граждане.

В этот момент его внимание привлекла какая-то возня, затеявшаяся на площадке перед въездом в зону таможенного досмотра. Впереди стояли три большегрузных автомобиля марки «Вольво», и именно к ним, отчаянно маневрируя и будоража окрестные горные склоны резкими, требовательными сигналами, протискивалось сразу несколько легковых автомобилей. Протасов, решивший ради скуки понаблюдать за этой публикой, уже в самом скором времени был вознагражден за свое любопытство... Из массивного «Лэнд-Круизера» перламутрово-зеленого окраса, вклинившегося-таки в «блатную» очередь, выбрался наружу рослый смуглолицый мужчина лет тридцати с небольшим.

Ба... Да это же старый знакомый, тот самый «старший», с кем ему довелось общаться в урочище не далее, как вчера... С другой стороны джипа, с кресла водителя, выбрался на свежий воздух знакомый Протасову по тем же событиям кахетинец. Но на этот раз он был одет не в камуфляж, а в цивильные темные брюки и рубашку с короткими рукавами.

Дальше — больше... Пока эти двое, на манер профессиональных бодигардов, просеивали глазами округу — взгляд «старшего» на секунду-другую задержался на стоявшем шагах в двадцати от них Александре, — из другого джипа, вишневого цвета «Шевроле-Блэйзер», показался рыжий англосакс, вслед за которым из той же машины выбрался еще один дюжий детина, судя по облику, его соотечественник.

И наконец, открылась дверца «Лэнд-Круизера»...

Увидев, кто выбрался с заднего сиденья джипа, Протасов удивленно почесал в затылке: «Ну и дела...»

Это была та самая молодая женщина, что купалась в струях водопада, — из-за нее он сутки с лишним назад пережил несколько довольно неприятных моментов. Она была одета в брюки и блузку темных тонов, а в ее светлых пышных волосах, туго стянутых на затылке, как и там, на берегу озерца, красовался черный бант. М-да... Судя по всему, эта дамочка действительно большая «шишка», если такое слово применимо к молоденькой симпатичной женщине...

Эта мысль тут же получила свое подтверждение. Едва из серебристого «Опеля», припарковавшегося рядышком с двумя джипами, выбралась пара кавказцев — эти, кажется, грузины, — одному из которых, одетому в темные брюки и светлый пиджак, было под сорок, она тут же решительно направилась к этим типам. К ней присоединился «старший»... О чем они разговаривали, Протасов специально не прислушивался,

но поскольку базарили они довольно громко, то он услышал бы их, вероятно, даже если бы перекуривал возле своего автобуса.

Судя по всему, дамочка была очень не в духе. Разговор шел на повышенных тонах, причем солировала именно она. Периодически она показывала в сторону российского погранперехода, очевидно, недовольная тем, что в данный момент происходит по другую сторону границы. Грузин в светлом пиджаке пытался, кажется, в чем-то оправдаться. Девушка временами соскакивала с русского на английский, который грузины, сдается, не понимали... Ее русский был правильным, литературным, как у школьной училки. Английский тоже был превосходен, но вот фразы, что она произносила... Ругалась она настолько виртуозно, что ей мог бы позавидовать старина Мак-Кормик, шотландец по месту рождения и капрал по званию, который достигал подобных лингвистических высот лишь после того, как накачивался пивом по самую макушку в полковом «фуайе»...

Впрочем, какое ему дело до всех этих людей, включая сюда юную леди, которая не боится крыть матом, пусть даже на инглише, довольно крутых с виду мужиков? Его личные планы остаются прежними: добраться до Владикавказа — с учетом непредвиденной задержки, придется переночевать в местной гостинице, — купить там билет на самолет, а уже от Москвы до Коломны, где проживает его родная тетка, папина старшая сестра, буквально рукой подать...

Ожидание явно затягивалось. Протасов выкурил еще одну сигарету. Затем купил у местных подростков, которые приторговывают здесь разной мелочовкой, пятилитровую бутыль воды — день был жарким, вспотел, захотелось ополоснуться. Достал из сумки пакет с чистой рубашкой и направился к поросшей кустарником обочине магистрали.

Он снял рубашку, переложив сигареты и зажигалку в задний карман брюк. Отвинтил пробку и собрался уж было плеснуть воды в подставленную ковшиком ладонь, как вдруг услышал позади себя чей-то голос:

— Давайте я вам помогу.

Протасов удивленно обернулся. Перед ним стояла не кто иная, как «юная леди». А шагах в десяти от них обнаружился «старший» — этот человек стоял вполоборота к ним и, казалось, даже не смотрел в их сторону.

— Что?

— Давайте, говорю, полью вам, — на удивление спокойно и буднично, будто они были знакомы уже тысячу лет, произнесла девушка. — Одному вам неловко управляться.

— Да уж, — смущенно крякнул Протасов. — Действительно, неловко...

После секундного колебания он все же передал девушке пластиковую канистру с водой. Та, наклоняя посудину, плеснула в его подставленные ладони... Когда в емкости осталось воды лишь на донышке, она передала ее мужчине:

— Полейте мне, пожалуйста, на руки... Безобразие, во всей округе нет приличной туалетной комнаты...

Протасов невольно усмехнулся про себя. Если бы эта странная особа побывала в некоторых из тех мест, где доводилось бывать ему, к примеру, в центрально-африканских джунглях, она бы сейчас не стала жаловаться на отсутствие «удобств».

— Спасибо, достаточно, — сказала девушка, легонько встряхнув в воздухе мокрыми ладошками. — У вас найдется носовой платок?

К счастью, вместе с ненадеванной рубашкой он прихватил с собой и чистый платок. Пока девушка вытирала руки платком, одновременно ненавязчиво разглядывая обнаженного по пояс мужчину, — впрочем, ее, кажется, заинтересовала не обнаженная натура, а пара «жетонов», болтавшихся на тонком кожаном шнуре, — Протасов раскрыл магазинную упаковку и мигом облачился в новую рубашку. Затем сунул старую, которой он воспользовался в качестве полотенца, в пакет. Жестом подозвал одного из пацанов, крутившегося невдалеке, передал ему пакет и пустую посудину, присовокупив к ним местную купюру, эквивалентную примерно одному баксу, так же молча указал ему на большие мусорные баки...

— Экий вы неэкономный, — заметила девушка, возвращая ему носовой платок. — Видела бы это ваша жена, она бы вас отругала.

— Хорошо, что у меня ее нет, — усмехнулся Протасов. — Иначе мне пришлось бы постоянно выслушивать ее нотации.

Признаться, он сейчас сам себе поражался... Беседует с этой «юной леди» как ни в чем не бывало, хотя они даже незнакомы. А она и вправду красива: большие лучистые глаза — они у нее карие, с длинными пушистыми ресницами, — нежный овал лица в сочетании с высокими славянскими скулами, в то же время нос с легкой горбинкой, причем эта деталь нисколько ее не портит, а, наоборот, придает дополнительный шарм... Но что-то было в ней такое, из-за чего язык не поворачивался назвать ее «куколкой», эта красотка, определенно, способна, подобно дикой кошке, выпустить свои острые коготки...

Что же касается фигурки, то с этим у девушки полный порядок — Протасов имел возможность убедиться в этом воочию.

— Послушайте... — девушка бросила на него задумчивый взгляд. — А вот те «жетоны», что висят у вас на шнурке... Вы военный, да?

— Гм... В какой-то степени.

— Не поняла.

— Ну... Скажем так: я был на военной службе.

— А сейчас?

Протасов неопределенно пожал плечами.

— Сейчас вроде как на пенсии.

— На пенсии? — Она удивленно вскинула брови. — Так рано? Вы же еще совсем молодой!

— Да насчет пенсии это я так, в шутку... Даже не знаю, как обозначить свой нынешний статус. Наверное, так: «временно безработный».

— Опять шутите? — Она улыбнулась краешком сочных губ, едва тронутых помадой. — Кстати, меня зовут Тамара.

«Я уже знаю, как тебя зовут, дорогуша, — подумал Протасов. — Благодаря твоим головорезам...»

— А меня — Александр.

Он осторожно пожал протянутую девушкой ладошку, вновь уловив исходящий от нее летучий аромат дорогих духов.

— Признайтесь, это вы были там... у озера?

— Да, — вздохнул Протасов. — Это был я.

Он ожидал, что она примется выговаривать ему, как, мол, не стыдно подглядывать за купающейся девушкой, схоронившись в кустах... Что-нибудь примерно в таком духе. Но она сказала другое.

— Я должна извиниться перед вами, Александр. За то безобразие, что учинили мои сотрудники...

— Не стоит извиняться, — Протасов махнул рукой. — Пустяки... Я и сам хотел попросить у вас прощения. Хотя, если честно, я не ожидал увидеть кого-либо у того озерца.

— Будем считать, что произошло легкое недоразу-

66

мение, — подытожила она сказанное. — Кстати, как вам это нравится?

Александр сначала не понял, что она имеет в виду. Промелькнула даже дикая мысль, что девушка хочет узнать, какое впечатление он получил от созерцания ее почти обнаженного тела. Но это было, конечно, не так: Тамара имела в виду бардак на границе.

— Вот я вас и подловила! — затем торжествующе сказала она. — У вас легкий акцент... Нет, нет, с языком у вас полный порядок! Просто у меня очень хороший слух... У вас иногда проскакивает грассирующее «р-р-р»... Должно быть, вы хорошо знаете французский?

— А вы английский, надо полагать? — вопросом на вопрос ответил Протасов. — У меня ведь тоже неплохой слух.

Она улыбнулась.

— Вот что, Александр... Вы, кажется, курите, да? У вас найдется для меня сигарета?

Протасов тут же полез в карман.

— «Кэмел», наверное, будут слишком крепкие для вас, — сказал он. — Вообще-то я привык к марке «Голуаз», но здесь их достать невозможно.

Тамара украдкой обернулась на Бадуева, который все это время держался поблизости от них.

— Александр, давайте отойдем чуть в сторонку. Если Ахмад увидит, что я курю, он будет меня потом сильно ругать...

Пройдя расстояние в полсотни шагов, они остановились там, где начинался склон, вначале пологий, поросший кустарником, затем почти обрывистый. Здесь было оборудовано некое подобие смотровой площадки — даже поручни имелись, дабы обезопасить любопытствующих от возможного падения, — откуда открывался прекрасный вид на ущелье.

Тамара, сделав пару затяжек «за компанию», выбросила сигарету в металлическую урну. Какое-то время они стояли молча, любуясь закатными красками, затем, совершенно неожиданно для Протасова, она вдруг заговорила, причем в голосе ее чувствовались какие-то отстраненные интонации:

— Синие горы Кавказа, приветствую вас! Вы взлелеяли детство мое; вы носили меня на своих одичалых хребтах, облаками меня одевали, вы к небу меня приучили, и я с той поры все мечтаю о вас да о небе. Престолы природы, с которых как дым улетают громовые тучи, кто раз лишь на ваших вершинах творцу молился, тот жизнь презирает, хотя в то мгновение гордился он ею!..

Когда она замолчала, Протасов бросил на нее удивленный взгляд.

— Впервые слышу, чтобы кто-то цитировал именно этот фрагмент... Признаться, вы меня удивили, Тамара.

На этот раз уже девушка вскинула брови.

— Вы хотите сказать, что вам известен автор этих строк?

— Конечно. Лермонтов Михаил Юрьевич.

— Гм... Вы тоже меня... удивили. Скажите, вам нравится поэзия Лермонтова?

Протасов про себя усмехнулся. Творчество Лермонтова обожали его родители, они постарались привить эту любовь и своему отпрыску. К тому же матушка была школьной учительницей, преподавала русскую литературу. А когда отца перевели в ЗАКВО (Закавказский военный округ) и они жили некоторое время в Абхазии, на базе в Гудауте, она еще и заведовала библиотекой в военгородке.

Впрочем, он не стал вдаваться в такие биографические тонкости, а предпочел ответить коротко:

— Да.

— И вы можете что-нибудь прочесть? — В словах Тамары просквозило легкое недоверие. — Вот так, по памяти?

— Гм... Собственно, почему бы и нет?

Порывшись немного в памяти, он нашел подходящий случаю «кусок». И тут же, улыбнувшись, принялся декламировать:

> В глубокой теснине Дарьяла,
> Где роется Терек во мгле,
> Старинная башня стояла,
> Чернея на черной скале.
>
> В той башне высокой и тесной
> Царица Тамара жила:
> Прекрасна, как ангел небесный...

В этом месте он замялся, но девушка, поняв причину этой заминки, тут же подхватила:

> ...Как демон коварна и зла.

Рассмеявшись, она погрозила Протасову пальчиком:

— Это был намек, Александр, да? Но ведь вы меня совершенно не знаете... Прочтите еще что-нибудь.

«Да я хоть до утра могу наизусть читать Лермонтова, — подумал Протасов. — Особенно в такой прекрасной компании...»

> Спеша на север из далека,
> Из теплых и чужих сторон,
> Тебе, Казбек, о страж Востока,
> Принес я, странник, свой поклон...

Он неожиданно оборвал себя, раздумав читать стихотворение дальше. Слишком много в его собственной судьбе было схожего с тем, что описано некогда гениальным лермонтовским пером... К тому же «вечер поэзии», кажется, подошел к концу, как и приятное общение с красивой девушкой.

— Тамара, нам пора возвращаться к машине, — сказал подошедший к ним Ахмад. — Скоро для нас откроют границу.

«Ну вот и все, — вздохнул про себя Протасов. — Сейчас она уйдет, и я больше никогда ее не увижу...»

— Одну секунду, Ахмад. — Сказав это, Тамара посмотрела на своего нового знакомого. — Александр, вы куда путь держите? Наверное, во Владикавказ?

Протасов молча кивнул.

— Почему бы вам в таком разе не поехать с нами? Места у нас много, еще один пассажир нам не помешает... Определенно, мы можем подбросить вас к месту.

Заметив, что Протасов колеблется, она сказала:

— Для нас делают эксклюзивный «коридор», остальные же будут стоять здесь, вероятно, до утра... Вам что, охота тут ночевать? Кстати, где ваш багаж?

Протасов покосился на чеченца, который слушал их разговор с невозмутимым видом.

— Боюсь, ваши спутники будут против.

На что Тамара, тоже посмотрев на Ахмада и улыбнувшись, сказала:

— Ну что вы... Они очень милые люди и будут рады вашей компании.

Глава 6

В зоне пограничного и таможенного контроля КПП Нижний Ларс вся процедура оформления отняла у них не более пяти минут. Вероятнее всего, подумал Протасов, этой поездке предшествовали некие подготовительные мероприятия. Содержимое трех груженных под завязку «траков» грузинскими сотрудниками даже не досматривалось. Равно как не досматривался транспорт и личные вещи сопровождавших лиц. Протасов тоже «оформился» без проблем: необычайно вежливый и услужливый сотрудник, которому он передал в приоткрытое окошко свои документы — даже не пришлось покидать салон джипа! — шлепнул печати в загранпаспорт и соответствующую отметку на бланке таможенной декларации, вовсе не сверяясь с данными документов...

Определенно, путешествовать в компании с «деловыми людьми» одно удовольствие: как бы сами собой отпадают многие рутинные проблемы.

Там же, на КПП, Тамара распрощалась с грузинским посредником Гиви и его помощником, а также с двумя англичанами, сотрудниками МАТ, которые по контракту должны были осуществлять свои функции лишь на грузинской территории и от которых, даже если бы для них заблаговременно были оформлены визы, учитывая особенности российского законодательства, по эту сторону границы все равно было бы мало проку.

Помимо этого, произошли еще кое-какие перемещения. Бадуев сам уселся за руль «Лэнд-Круизера», в котором находилась и Тамара. Кахетинец Григорий пересел в освободившийся внедорожник «Шевроле-Блэйзер» (Гиви взял на себя заботу доставить британцев в Тбилиси, откуда они на следующие сутки вылетят в Лондон). Протасов составил ему компанию.

Из тех разговоров, что достигли его ушей, Александр понял следующее. Эта небольшая колонна, в которую он случайно затесался, направляется в Ингушетию, транзитом через Владикавказ. В «траках» груз гуманитарного характера, место назначения — лагеря беженцев в районе станицы Слепцовская. На российской стороне колонну от КПП будет сопровождать до конечного пункта милицейская машина, а кроме того, к ним должен присоединиться некий ингуш Исса —

очевидно, такой же посредник, как Гиви, призванный решать все проблемы, коль они возникнут, уже на север от границы.

Александр предполагал, что и российскую «заставу» они точно так же проскочат «с ветерком», что и здесь обойдется без долгих проволочек. Но интуиция, как это все чаще стало случаться в последнее время, подвела его и на этот раз.

Впрочем, поначалу ничто не предвещало неприятных сюрпризов... Водители грузовиков, в полном соответствии с местными правилами, загнали свои «траки» на досмотровую площадку таможенного терминала КПП Верхний Ларс. Пара джипов проехала чуть дальше, притормозив рядышком с двухсекционным служебным модулем. Кахетинец Григорий, буркнув попутчику: «Жди здэ-эсь», выбрался из машины и направился в модуль, в дверях которого несколькими мгновениями ранее скрылись Тамара и чеченец по имени Ахмад.

С наступлением вечера, как это часто бывает в горах, довольно ощутимо похолодало. Протасов вынужден был даже облачиться в кожаную куртку, которую он выудил из своей дорожной сумки. От нечего делать закурил очередную сигарету, предварительно опустив боковое стекло джипа. И как раз в этот момент у него на глазах произошла небольшая сценка, заставившая его вспомнить один довольно неприятный эпизод из собственного прошлого, а также призадуматься над тем, в чью компанию его угораздило нынче затесаться.

...Тамара оказалась не совсем права, когда заявила, что российские пограничники согласились открыть проезд только для них и более ни для кого. Вслед за гружеными «траками» и двумя джипами сопровождения на российскую территорию просквозило с полдюжины машин — все они, кажется, были из «блатной»

72

очереди. И как раз одна из этих тачек ненадолго притормозила неподалеку от модуля, всего шагах в десяти от припаркованного здесь же «Шевроле-Блэйзер»...

Вряд ли Протасов обратил бы внимание на этот автомобиль, а тем более на его владельца, если бы не одно обстоятельство.

Это был тот самый черный джип марки «Тойота», который полтора суток тому назад промчался мимо него на большой скорости по дороге в заповедное ущелье, едва не задев прижавшегося к обочине одинокого путника.

Гроздья светильников, закрепленные на перекладине Т-образной мачты, заливали округу маслянисто-желтым светом. Стоило «Тойоте» притормозить, как к ней тут же подошел один из сотрудников таможни. Вначале скользнуло вниз боковое стекло джипа, затем, когда таможенник, склонившись к образовавшемуся проему, бросил какую-то реплику, со стороны водителя открылась дверца, и наружу вышел сам владелец «Тойоты».

Это был мужчина лет тридцати пяти, одетый в черную кожаную тужурку, чья наружность определенно выдавала в нем кавказца.

Не отходя от джипа, они принялись о чем-то совещаться, причем таможенник по ходу обмена приглушенными репликами раза два или три указал рукой в направлении модуля, в дверях которого недавно скрылись Тамара и двое ее сотрудников.

Разговор длился всего минуту или около того: кивнув напоследок своему знакомому, кавказец забрался в джип, завел движок и поехал к шлагбауму, перекрывающему выезд на полотно магистрали.

Но даже этого времени Протасову оказалось вполне достаточно, чтобы опознать лихого джигита, едва не сбившего его по дороге в заповедное урочище...

Проглотив подступивший к горлу комок, Александр сумрачно покачал головой. За те шесть с хвостиком лет, что он провел далеко от этих мест, в его жизни произошло много такого, что заставило потускнеть воспоминания о прожитых прежде годах. О некоторых эпизодах он вообще старался вспоминать пореже, хотя бы для того, чтобы не снесло «башню», как это уже случалось с некоторыми из его прежних знакомых... Надо же, столько времени минуло, а в памяти все сохранилось так свежо и ярко, будто ему довелось поучаствовать в этих ранящих нервы событиях только вчера.

На какие-то мгновения память перенесла его в один из пронизывающе холодных дней февраля девяносто пятого года. Селение Алхан-Кала, целехонький еще в ту пору квартал частных домовладений... Пригороды Грозного, сражение на улицах которого перешло в самую ожесточенную фазу, о чем свидетельствовали отчетливо слышимые здесь звуки яростной перестрелки, перемежаемые плотными, тугими залпами гаубиц и самоходных артустановок... Группа прикрытия на двух «бэтээрах» была аккуратно остановлена чеченцами еще на окраине селения, они пропустили к месту переговоров лишь один «уазик». В большом частном доме, сложенном, как и стена вокруг него, из багрово-красного кирпича, вооруженных до зубов нохчей было что сельдей в бочке... Протасов понятия не имел, с кем именно проводил переговоры армейский генерал, которого они сопровождали в Алхан-Калу, — со временем этот «переговорщик» станет одним из самых видных военачальников, выдвинувшихся в ходе обеих чеченских кампаний. Скорее всего, судя по мерам предосторожности и внушительной стае нохчей, наводнивших всю округу, инициатором этого мероприятия был Аслан Масхадов либо другой чеченец столь же крупного калибра.

«Беседа» продолжалась около трех часов. Протекала она за закрытыми дверями. Все это время Протасову и еще двум офицерам армейского спецназа, сопровождавшим генерала в ходе этой странной вылазки, пришлось провести в обществе местной охраны. Ожидание тогда показалось ему бесконечным. Умом он понимал, что ничего дурного с ними вроде бы случиться не должно, но атмосфера вокруг них была настолько напряженной, что предполагать можно было самое худшее. Да и время тогда было такое, что обе стороны, быстро захлебнувшись в крови, отказались от всяких правил и действовали по беспределу.

Один из нохчей, призванных караулить российских спецназовцев, в отличие от своих угрюмых, но молчаливых соплеменников демонстрировал враждебность вполне открыто, не стесняясь в выражениях. Причем основной мишенью он выбрал почему-то именно Протасова; у Александра тогда еще просквозила в голове тревожная мысль, что этот гад знает его, — чечен несколько раз назвал его по фамилии, хотя откуда, спрашивается, он мог почерпнуть это знание?.. Главное, уселся, сволочь, рядышком и злобно шипит, как заезженная пластинка: «Я всех твоих родственников убью и самого тебя, проклятый к я ф и р, тоже когда-нибудь зарежу, как последнего барана!» Иногда, правда, сбивался, говоря о своих угрозах как об уже свершившемся акте возмездия: «Я твою мать зарезал и отца твоего тоже р-резал...»

Короче, заколебал, козлина чеченская... То как бы невзначай руку на рукоять своего дремлющего в ножнах тесака положит — а кинжал у него почти полуметровой длины, — то «сучку»[1] развернет так, что дульце прямо в лобешник Протасову нацелено, а сам потным

___

[1] Автомат АКСУ (жарг.).

пальцем охаживает спусковую скобу... Трудно сказать, чего он добивался. Скорее всего пытался элементарно давить на психику, эдакая проверка на вшивость... Примерно с час все это продолжалось, пока Протасову не надоели эти опасные игры. Он вызвал старшего охраны, попросив того удалить из помещения явно неуравновешенного субъекта; причем последний, прежде чем удалиться, еще раз злобно посмотрел на российского офицера и красноречиво чиркнул ногтем по горлу — я тебя, мол, все равно впоследствии найду, и тогда тебе точно не сносить головы...

Вспомнив эту неприятную историю, Протасов криво усмехнулся. Надо было все же выйти из машины и начистить пятак этому борзому чечену. Хотя... Учитывая всю совокупность обстоятельств, мысль эта не только явно запоздала, но еще и до крайности глупа.

Немудрено, что он узнал этого типа, поскольку такие эпизоды, как тот, что имел место в Алхан-Кале, врезаются в память на всю жизнь. Этот нохча, сражавшийся в первую чеченскую кампанию с оружием в руках, в нынешних разборках, определенно, участия не принимает. Скорее всего перекрасился в лояльные оттенки и занялся каким-то бизнесом. Если бы это было не так, вряд ли он мог бы свободно раскатывать на своем джипе в особой погранзоне да еще иметь доверительные отношения кое с кем из местных сотрудников.

Что характерно, Протасов видел джип «Тойота», за рулем которого, вероятнее всего, находился этот его «давний знакомый», на дороге, ведущей к турбазе, в окрестностях которой нынче красуется чья-то комфортабельная вилла. Не связан ли часом этот тип с Тамарой и ее ближним окружением? Оч-чень может быть...

Протасов задумчиво потеребил подбородок. Надо же, как интересно получается... Второе по счету знакомое лицо, встреченное им за последние двое суток, — и опять чеченец!

Но этот второй Протасова не очень занимал. Промелькнул перед глазами, как картинка из прошлого, ну и черт с ним! Что же касается другого вайнаха, спутника «юной леди»...

Ахмад, конечно, признал его сразу, еще у того злополучного озерца. Это было заметно по его реакции, по всему его поведению. Такое впечатление складывалось, что он хотел сказать «задержанному» нечто важное, но передумал в последний момент... Протасов же находился под «прессом» — на тебя нацелен ствол, да еще сама ситуация возникла крайне неожиданно, — поэтому в памяти «щелкнуло» не сразу, а спустя пару часов.

Наверное, ему все же следует переговорить с Ахмадом (в том, что Протасов принял предложение Тамары доставить его «до места», сыграло важную роль и присутствие рядом с ней этого человека). Желательно один на один — вряд ли чеченец захочет затрагивать некоторые детали своего прошлого в присутствии молодой женщины, на которую он, кажется, сейчас работает в качестве телохранителя...

Миновало уже четверть часа, но Тамара и ее двое кавказцев все не возвращались. Протасов не стал бы переживать по этому поводу — мало ли какие проблемы решает эта троица с местным персоналом, — но тут вдруг стали происходить кое-какие события, которые не могли не привлечь его внимания.

К примеру, то, что в модуль вошло сразу несколько человек в камуфляже — они прошли от расположенного метрах в двухстах от терминалов блокпоста, чей гарнизон, очевидно, призван прикрывать КПП. И другое:

возле «траков» появилась уже более многочисленная группа людей, частью в «брониках», с автоматами... Невзирая на негативную, кажется, реакцию водителей, они уже взялись курочить пломбы и вскрывать крепления задних дверец грузовиков «Вольво»...

Но не успел он осмыслить, в чем причина поднявшегося переполоха, как возле джипа объявилась пара погранцов.

— Выходите из машины! — скомандовал один из них. — Документы при вас? Добро... Возьмите свои личные вещи и следуйте за мной!

Глава 7

В сравнительно небольшой комнате с единственным зарешеченным окном, обставленной по-казенному просто и функционально, находились трое мужчин. По возрасту они были примерно ровесниками Протасова. Один из них, мужик средней комплекции, одетый в форму ФПС, сидел в кресле за столом. На погонах — четыре звездочки. Остальные двое, судя по деталям экипировки, офицеры внутренних войск: один, рослый, сухощавый, с обветренным загорелым лицом, также был в звании капитана, другой, плотный, кряжистый, с борцовской шеей и короткой стрижкой, смахивающий обличьем на типичного «братка»,— старлей. Очевидно, оба они из состава оперотряда временного базирования, призванного осуществлять силовое прикрытие действий пограничников и сотрудников таможни.

Когда Протасова ввели в помещение — молодой пограничник с лычками сержанта сразу вышел, плотно прикрыв за собой дверь, — присутствующие, лениво скользнув по нему рассеянным взглядом, тут же возобновили свой разговор. Судя по репликам, которыми они перебрасывались, эти трое обсуждали детали сегодняшнего ЧП. Протасов толком так и не врубился, что за инцидент произошел на магистрали неподалеку от погранперехода. Понял одно: этот вэвэшный капитан вместе со своим подразделением участвовал в прочесывании близлежащей местности, они попали под обстрел, кого-то там ранило, и теперь он был зол, кажется, на весь мир, поочередно матеря то осетинов с ингушами, то чеченов вперемешку с арабами.

Пограничник, на бледном лице которого лежала печать усталости, цедил слова редко и через силу. А вот старлей, наоборот, был бодр и энергичен. Рукава закатаны выше локтей, могучие запястья сплошь расписаны татуировками. По ходу дела он извлек из шкафчика початую бутылку водки «Абсолют» и три пластиковых стаканчика.

— Водяра теплая, блин, — сказал он недовольным тоном. — В следующий раз, когда будут взятку предлагать, просите холодильник...

Протасов, до которого, кажется, никому здесь не было дела, кашлянул в кулак, надеясь таким образом привлечь внимание к своей скромной персоне.

— Водку будешь пить? — неожиданно спросил у него качок, обряженный в форму вэвэшника. — Счас я еще один стакан достану.

— Ты што, Коляныч, офуел?! — Капитан бросил на своего сослуживца косой взгляд. — Он же с этими... с чеченами!

Мрачно покачав головой, он вновь повернулся к пограничнику.

— Водка часом у тебя не паленая?

— Говна не держим, — флегматично заметил тот. — Что-то у меня, мужики, с желудком... не того... Может, язва открылась?

— Тем более надо выпить! — веско сказал вэвэшник. — Наипервейшее лекарство...

Они выпили, запив поочередно минералкой. Капитан-вэвэшник закурил, затем остро, почти ненавидяще посмотрел на Протасова и медленно процедил:

— Ну?! Кто такой? Что ты за гусь и почему снюхался с этими вонючими чеченцами?!

Хорошего, конечно, в происходящем было мало. Протасов давно приучил себя не расстраиваться по пустякам и ничему особо не удивляться. Он и сейчас решил следовать этому правилу, тем более что ничего иного ему не оставалось.

Пограничник, лицо которого после принятия «допинга» слегка порозовело, пролистав протасовский загранпаспорт, удивленно присвистнул:

— Ог-го! Где ж это, голуба, ты столько времени шлялся?!

— Мы разве знакомы с вами, капитан? — сухо поинтересовался Протасов. — Я что-то такого факта не припомню.

— Закрой пасть! — рявкнул качок, всего минуту назад предлагавший ему выпить за компанию водки. — Встать лицом к стене!! А теперь замри, бля!!

Уже во второй раз за столь короткий отрезок времени Протасов подвергся процедуре обыска. Старлей, изъяв у него барсетку, передал ее своему командиру, а сам, присев на корточки, стал рыться в протасовской сумке.

— Вы только поглядите, что за фрукт к нам пожаловал. — Капитан внутренних войск продемонстрировал двум остальным удостоверение французского Иностранного легиона. — Так... Ни черта не понять... Ага... Вот и звание — субалтерн-офицер...

— Это как по-нашему будет? — спросил погранец.

— Младший офицер, — не слишком уверенно произнес вэвэшник. — Летеха, наверное? А может, и стар-лей...

Его более младший по званию сослуживец тем временем выложил на стол «ладанку», которую он обнаружил в боковом кармашке сумки. Завладев документом, подтверждающим тот факт, что стоящий перед ними человек в недавнем прошлом занимал офицерскую должность в Легионе, качок вначале сверился с фоткой, затем растянул свои толстые губы в недобрую ухмылку:

— Ксива у тебя, конечно, крутая... Ну и где ты, хмырь, этот документик прикупил?

Продолжая ухмыляться, он вытянул перед собой испещренную наколками руку и, разжав пальцы, демонстративно выронил удостоверение Легиона на пол.

Когда экс-легионер медленно, не спуская глаз с камуфлированного верзилы, поднял с пола принадлежащую ему вещь, качок хотел саданить ему коленом в лицо, но в последний момент почему-то передумал.

«Поздравляю тебя, братец, — мрачно сказал себе Протасов, пряча свою легионерскую ксиву в карман. — Теперь ты можешь быть уверен, что попал обратно в любимое Отечество...»

— Так... Еще какие-то ксивы, и опять не по-нашенскому написано, — пробормотал себе под нос загорелый вэвэшник. — Похоже на наградные книжки... Какие-то медальки на обложках изображены... Это, наверное, «за дружбу с косоварами»? Или за то, что вместе с натовцами сербов мочил на Балканах? Так, так... А это что у нас такое?

Он раскрыл орденскую книжку, на которой в отличие от других наградных удостоверений был изображен двуглавый орел. Прочел запись, обратив особое внимание на проставленную в документе дату. Затем так же внимательно посмотрел на экс-легионера, причем на его закопченном южным солнцем и обветренном лице появилось выражение любопытства.

— Послушайте, Протасов... — вэвэшник, сам не заметив того, перешел на «вы». — Вы воевали с чичиками?

— Воевал.

— В первую еще чеченскую?

— Да.

Капитан немного помолчал, явно дожидаясь более пространного ответа. Так и не дождавшись его, он поинтересовался:

— Где воевал, брат?

— Не хочу вспоминать, — сказал Протасов.

— А что ж молчал? Почему сразу не сказал, что сражался с чеченами?

— Во-первых, не обязан был, — сухо заметил Протасов. — Во-вторых, если б я не воевал с чехами, то я уже не человек, да? И со мной можно обращаться по беспределу?

— Ершистый, однако, ты парень, — крякнул вэвэшник. — Гм... Кстати, как ты оказался среди этих... «гуманитариев»?

— В общем-то случайно, — нехотя сказал Протасов. — Попутчик я, обещали подбросить до Владикавказа.

— Ладно, ты не обижайся на нас, — складывая документы обратно в барсетку, сказал капитан. — У нас тут заварушка сегодня была... Сначала транспорт снабженцев на трассе обстреляли, а потом, когда мы взялись прочесать «зеленку», еще двух наших ребят подранили... Чичики какие-то залетные действовали, кто же еще?! А тут, значит, узнаем, что какие-то грузы для чеченцев с той стороны идут... Таможня хотела пропустить машины без досмотра, на «лапу», наверное, поимели. Но мы вот с погранцами пока это дело стопорнули, поскольку не ясно, что там, в этих грузовиках...

Сказав это, он бросил косой взгляд на качка, который, кажется, уже успел чем-то поживиться в протасовской барсетке.

— Коляныч, ты что, совсем офуел?! Что о нас человек подумает?! Решит, что мы мародеры... А ну-ка верни баксы на место!

— Да я всего «штуку» отщипнул.

— Да хоть сколько! Все равно верни!!

— Так я ж не для себя, — оправдывающимся тоном сказал качок. — Сашу Кривцова сегодня в госпиталь упаковали, забыл, командир? Коленная чашечка на фиг раздроблена! Думал, завтра во Владик слетаем, бабки эскулапам передадим, чтобы лечили нормально...

Нехотя, словно отрывая от себя кровное, деньги он все же вернул. Капитан передал Протасову барсетку. Заинтересованно покрутил в руках «ладанку», разглядывая вырезанный на крышке православный крест и ниже, под ним, силуэт Новоафонского монастыря. Так, кажется, ничего и не поняв, протянул довольно увесистую металлическую штуковину, смахивающую на портсигар, Протасову. Тот не стал прятать «ладанку» в сумку, а просто сунул ее во внутренний карман куртки.

— А хочешь, легионер, оставайся с нами до утра, — сказал капитан, отдавая Протасову его загранпаспорт, в котором пограничник уже поставил нужную печать. — Пойдем с нами на «блок», выпьем водочки, поговорим... Я ведь тоже, знаешь, в девяносто пятом в Чечне кувыркался.

Протасову были хорошо знакомы эти мгновенные переходы от враждебности до дружеской приязни. И у него не было никакого желания провести ночь так, как предлагает ему бравый вэвэшный капитан.

— Ну как знаешь, дружище, — сказал тот. — Но в следующий раз, когда выбираешь себе компанию, будь осторожен.

Тамара понимала, что по дороге в Ингушетию они могут столкнуться с трудностями самого различного характера. Но все равно она была до крайности возмущена тем, что произошло на этом погранпереходе. Старшего сотрудника таможни, которого п о д м а з а л Гиви, почему-то не оказалось на месте. Телефон другого посредника, ингуша Иссы, не отвечает. Ментовская охрана, нанятая фондом по договору, до КПП так и не добралась, потому что машину с тремя милиционерами вроде как не пропустили через «блок»... Какие-то два подвыпивших скота в камуфляже пытались избить Ахмада, пользуясь тем, что Бадуев не может им сейчас ответить, он безоружен в отличие от них и их дружков, таких же, кажется, подонков... «Траки» зависли здесь как минимум до завтрашнего полудня, а местные таможенники, ссылаясь на «обострение обстановки», фактически требуют за быстрое оформление грузов дополнительную мзду. Не все документы, видите ли, предъявлены... Не хватает, как деликатно намекнул один из таможенников, справки по «форме №5000». Зелененького такого цвета. То есть, если перевести сие безобразие на человеческий язык, они хотели бы получить по пять тысяч «зелененькими» за оформление каждого из грузовиков. Дополнительно, кроме тех, что уже передал им Гиви.

Все происходящее с ней Тамара Истомина понимала, как ей казалось, вполне адекватно. Если выражаться современным языком, ее элементарно р а з в е л и. Для начала на пять тысяч долларов, которые она вынуждена была передать одному из сотрудников таможни; он и его коллеги обещали присматривать за «траками», хотя, коль они поставили грузовики на «отстой», это их прямая обязанность. А также за то, чтобы водители оставались при своих «Вольво» и чтобы никто не посмел до этих людей даже пальцем дотронуться.

Ну ничего... Ей бы только добраться до Владикавказа! Она всех поднимет на ноги! Начиная от своих посредников, которым она как следует уши надерет, и заканчивая, если потребуется, местными царьками и президентами...

Поэтому единственное, что ее сейчас серьезно беспокоило, так это реакция на случившееся Бадуева. Ахмад настаивает, чтобы они вернулись на грузинскую сторону. Она, естественно, не соглашается ни в какую. Неужели этот бравый джигит так расстроился из-за того, что ему разбили здесь губу?..

Выйдя из модуля, Тамара решительно направилась в сторону площадки, где были припаркованы грузовики «Вольво». За ней семенили двое местных сотрудников таможни. От них не отставали Ахмад и Григорий, хотя от двух последних сейчас, кажется, было мало толку.

Возле ее машин активно копошились какие-то люди в камуфляже.

— Fuck off, mutherfuckers!! — громко выругалась она. — Кто разрешил?! А ну прочь от машин!!

— Тише, тише... — прошипел один из таможенников. — Лучше не злите их. Сейчас все уладим...

Передоверив инициативу местным таможенникам, Тамара остановилась у одного из грузовиков, мрачно наблюдая за происходящим. Какие-то вандалы уже успели выбросить из машин на площадку десятка с полтора ящиков, тюков, свертков... Двое бойцов разрезали ножом один из тюков и теперь ухохатывались по поводу его содержимого — там хранились пачками женские гигиенические прокладки. Третий, более хозяйственный, обозвал своих сослуживцев «дебилами», заметив вслух, что эти «нап...ки» хороши в качестве подкладки в сапоги — ноге удобно, а главное — сухо. И порекомендовал им запастись этими «хреновинами» впрок... Четвертый их товарищ, приспособив поверх бронежилета черный женский бюстгальтер пятого размера, который он выудил из другого тюка, бродил меж грузовиков с отсутствующим видом... Еще двое, выудив из разбитого ящика сочные апельсины, стали очищать их от шкурок, намереваясь полакомиться на дармовщинку цитрусовыми.

Тамара, удерживая свой гнев на привязи, процедила воздух сквозь стиснутые зубы. «Одно из двух, — подумала она. — Либо эти люди действительно ненавидят чеченцев, даже тех из них, кто оказался в незавидном положении беженца, либо они... сами двуногие звери».

Она хотела было опять «выступить», но тут раздалась чья-то властная команда, и всю эту камуфлированную публику с площадки как корова языком слизала...

Переговорив с водителями, она направилась к припаркованным возле модуля джипам.

— Тамара, не нужно сейчас ехать во Владикавказ, — угрюмо сказал шедший рядом с ней Ахмад Бадуев. — Сопровождение не прислали, Исса тоже не приехал!

— Отстань, Ахмад!

— Ты не понимаешь, да?! У меня и у Григория сейчас при себе нет оружия! Приближается ночь! Здесь ездить опасно, да?!

Тамара решительно притормозила.

86

— Не хочешь помогать мне, Бадуев, так хоть не путайся под ногами! Все, надоело! Знаешь что, Ахмад?! Убирайся-ка ты в... «Шевроле»! И можешь на нем ехать куда хочешь!

...Когда Протасов выбрался из модуля, он увидел Тамару и Григория, и еще чеченца Ахмада, который почему-то уселся в «Шевроле», — причем последний, судя по всему, был крепко не в духе.

— А, это вы... — Тамара посмотрела на него так, будто только сейчас вспомнила о попутчике. — Надеюсь, с вами все в порядке? Целы? Вещи, вижу, при вас? Ну так что же вы стоите?! Грузите вашу сумку в багажник и сами садитесь в машину!

«Лэнд-Круизер», в который теперь вынужден был пересесть Протасов, прошелестел под поднявшейся стрелой шлагбаума. Над укреплениями блокпоста, промелькнувшего в окне джипа, развевался российский триколор. На какое-то мгновение фары выхватили из темноты прибитый к столбу метровый щит и сделанную на нем надпись — «ВЗЯТОК НЕ БЕРЕМ».

Они вновь выбрались на полотно магистрали. Было начало одиннадцатого. Из глубокого черного неба стал накрапывать скучный мелкий дождь.

Глава 8

Некоторое время они ехали по трассе, сохраняя полное молчание. Кахетинец Григорий целиком сосредоточил свое внимание на дороге (на подъезде к Верхнему Ларсу магистраль, как это наблюдалось и с грузинской стороны, оказалась забита застрявшим в суточном ожидании транспортом). Тамара, расположившаяся в гордом одиночестве на заднем сиденье «Лэнд-Круизера», пыталась дозвониться из машины до одной известной ей личности во Владикавказе, используя поочередно оба имевшихся в ее распоряжении сотовых телефона. Протасов сидел впереди, в кресле пассажира, рядом с угрюмо сосредоточенным Григорием. Ему, как и им, не хотелось ни о чем говорить.

Александр, чуть повернув голову, пытался разглядеть среди ночного ландшафта, расцвеченного кое-где гирляндами электрических огней, знакомые по прежним поездкам детали. Из его ранних детских, а затем и юношеских воспоминаний выплывали давно позабытые картинки... Транскавказская магистраль, которую многие по старинке называют Военно-Грузинской дорогой, представлялась ему тогда чем-то вроде нарядного проспекта, благоустроенной набережной буйного, лохматого Терека. Нагретый солнцем асфальт, по которому в обе стороны устремляется густой поток машин; преимущественно это транспорт туристов... Ажурные мосты... Бесконечные ресторанчики по обе стороны трассы, с полосатыми, как шкурка арбуза, навесами и выставленными на свежем воздухе традиционными мангалами... Многообразие людских лиц, своеобычие местных традиций, великолепие окружающих ландшафтов...

За два года до той памятной поездки на турбазу в Казбеги они отдыхали в этих местах. Он помнил, что, когда они ехали в машине, которая должна была доставить их в санаторный комплекс в Джейрахе, он поначалу расстроился, потому что за окнами автомобиля какое-то время тянулись голые и довольно унылые горы Ингушетии. Но потом случилось небольшое чудо: миновав мост, переброшенный через Терек, они нырнули в почти незаметный проход, будто вошли с оживленной улицы в скромную калиточку, и перед ними открылся во всей красе Джейрах — ущелье Орлов.

Правый склон: великолепные густые леса, а среди

них белокаменные корпуса курорта Армхи, куда они и направлялись.

Левый склон: до небес стоит громада Мят-лом — Столовой горы; другой же своей стороной эта гора нависает над улицами и площадями столицы Северной Осетии, ныне вернувшей свое историческое название Владикавказ.

Они почти ежедневно поднимались втроем на горную террасу, где у обрыва тесно толпились каменные башни «зиккурат» доисторических горцев-вайнахов, благо туда вела от санаторных корпусов удобная дорога (весь путь занимал около часа, и, когда отпрыск уставал, отец брал его к себе на закорки).

Удивительное все же это было место... Мастера, чьи имена остались в далеком прошлом, выкладывали на утесе, камень за камнем, стройные пирамидальные сооружения высотой с нынешний высотный дом. Пятиярусные башни — боевые. Те, что пониже, — жилые. Ничего лишнего. Строгие грани, эстетика минимализма. Классическая простота и целесообразность архитектурных форм.

Удивительным было и другое: то, к а к отец рассказывал об истории этих диких мест. Порой даже складывалось впечатление, что он сам жил когда-то в этих краях и был лично знаком со многими предками нынешних чеченцев и ингушей. Он отмечал такие детали, какие может знать лишь самый сведущий специалист. Он рассказывал, что при кладке башен использовался не поддающийся разрушению строительный раствор — и они действительно простояли в почти первозданном виде многие столетия — смесь песка с кислым молоком и белком куриных яиц. Крышу башни древний «архитектор» завершал особым, белоснежным, как сахарная голова, камнем — «зогл». За этот венец строителю дарили доброго коня... А когда соору-

89

жение было полностью готово, мастер вдавливал во влажный бок башни кисть руки или же высекал резцом форму своей длани в гранитной плите «зиккурата» — Александр, конечно, не удержался и тоже приложил свою ладошку к вековой отметине.

Отец любил Кавказ и неплохо разбирался в его истории и традициях — хотя, конечно же, эти знания отнюдь не носили энциклопедический характер. Мама, отчасти разделяя его чувства — ее интерес к Кавказу имел сугубо романтическую основу и был завернут в плотную обертку из произведений русских классиков, прежде всего Лермонтова, Пушкина и Льва Толстого, — все же часто подсмеивалась над папой, который относился к тем же чеченцам крайне противоречиво, рассуждая о них с полярных позиций: то он восхищался вайнахами, называя их великими воинами и элитой всего Кавказа, то, наоборот, обзывал бандитами, головорезами, гнусными разбойниками...

Оба они, отец и мама, даже представить себе не могли в ту пору, насколько трагически переплетутся их собственные судьбы с этим красивейшим, величественным, но раздираемым явными и скрытыми до поры конфликтами уголком земного шара...

Но Протасов помнил эту магистраль, напоминавшую в мирное время нарядный проспект, и совсем другой: забитой беженцами-осетинами и беженцами-ингушами, с частью разбитыми, частью сгоревшими грузовиками и легковушками, сброшенными в кювет, вперемешку с колоннами армейской техники, увязнувшей в начинающейся распутице и непонятном конфликте; он помнил людскую злобу и жестокость, горе и отчаяние тысяч людей, бессилие властей и растерянность военных, призванных тушить занимающийся пожар... Собственно, здесь, на границе Северной Осетии и Ингушетии, и состоялось его боевое крещение:

Протасов, едва примеривший в ту пору лейтенантские погоны, должен был вместе со своим батальоном принимать участие в локальных учениях СКВО на высокогорном военном полигоне «Дарьял», а вместо этого угодил в самый эпицентр «локального конфликта», в раскаленную добела атмосферу взаимной ненависти, в ежесекундно меняющуюся обстановку, где ему, юному неопытному взводному, однажды пришлось решать такие проблемы, которыми было в пору заниматься людям в полковничьих и генеральских папахах...

Уже видна была россыпь огней, указывающая на близость окраины североосетинской столицы, когда Тамара, по-видимому, отчаявшись дозвониться по мобильнику до нужного ей человека, наконец нарушила царящее в салоне джипа молчание.

— Александр, вас до гостиницы подбросить? — спросила она. — Или у вас здесь есть кто-то из знакомых?

— На московский авиарейс я, мягко говоря, опоздал, — усмехнувшись, сказал Протасов. — Придется переночевать в гостинице... Но вы за меня не беспокойтесь! Можете выпустить меня где-нибудь на городской окраине, а дальше я доберусь на такси.

— Я обещала, что мы подбросим вас до места, — заметила она. — Мы все равно поедем через центр города, потому что мне нужно будет переговорить с одним местным господином... Кстати, Григорий, телефон в городской квартире Иссы не отвечает...

— Значит, он в сва-ем доме за городом, — подал реплику водитель. — Если он ва-абще гдэ-то здэсь...

— Ты знаешь, где находится этот его дом?

— Знаю... Есть тут сэло Ир, это другая а-акраина. Там живут а-асэтины... Чю-ут дальше ынгуши а-тстраивают свой новый сэло, так там уже па-астроил сэбе новый дом ынгуш Исса.

Короткое название, только что произнесенное Григорием, было Протасову известно. Но вслух он об этом говорить не стал.

— Вы, наверное, обижены на меня?

Протасов не сразу понял, что вопрос девушки адресован ему, а не ее водителю, поэтому обернулся к ней с некоторым запозданием.

— Что? — удивленно переспросил он. — Обижен? На вас, Тамара? За что?

— За те неудобства... что вам причинили... как бы по нашей вине, — старательно подбирая слова, сказала Тамара. — Думаю, вы понимаете, о чем идет речь.

— Пустяки. Не стоит беспокоиться.

— У вас ничего там... не пропало? Деньги? Или какие-нибудь ценные вещи?

— Вы уже спрашивали, Тамара. Все нормально, я в полном порядке.

— У вас, я вижу, хорошая выдержка... Вы, наверное, еще и не в таких переделках бывали?

— Кхм... Всякое в жизни случалось.

Девушка подалась чуть вперед и несколько понизила голос, хотя вряд ли она опасалась собственного водителя, выполняющего также функции охранника.

— Я знаю, Александр, кто вы...

— Что вы говорите? — усмехнулся Протасов. — Ну и кто я, по-вашему?

— Офицер французского Иностранного легиона, — полушепотом произнесла она. — Я ведь тогда, у озера, когда он вас отпустил, его тут же сама допросила... Я говорю об Ахмаде.

«Интересно, милая девушка, как давно вы знаете своего чеченца Ахмада? — подумал Протасов. — И знаете ли вы, где и при каких обстоятельствах мне довелось столкнуться с этим вашим вайнахом?»

92

Девушка на миг обернулась, бросив взгляд в заднее стекло, — «Шевроле», за рулем которого находился Бадуев, все это время держался на корме у них как приклеенный. Протасову вновь пришла в голову мысль, посетившая его чуть ранее на перевале: спустя всего несколько минут его высадят у одной из гостиниц, они попрощаются, как прощаются случайные попутчики, после чего скорее всего он эту «юную леди» больше никогда не увидит...

— И что же из этого следует? — спросил он.

— Помнится, вы говорили, что у вас нынче статус «временно безработного», — она вновь приблизила к нему свое лицо, да так близко, что ее губы едва не касались его щеки. — Александр, у меня есть к вам одно предложение...

— Вах!! — коротко выдохнул Григорий, оборвав этим восклицанием их беседу. — Что а-ани дэлают!!!

Протасов, занятый разговором с девушкой, не смог мгновенно сориентироваться в ситуации, как не смог, впрочем, этого сделать и сидевший за рулем джипа кахетинец Григорий.

Участок дороги, на котором все и произошло, находился между пригородным поселком энергетиков и собственно городскими кварталами, причем лента шоссе, несколько сужающаяся в этом месте, проделывает пару замысловатых зигзагов... Справа крутой подъем — на такую горку никакой вездеход не вскарабкается, — слева довольно глубокий овраг, со столь же крутым склоном, сплошь заросшим упрямо карабкающимся к дорожному полотну густым сочным кустарником.

Короче, когда Григорий, едва миновав поселок, решил обогнать грузовой фургон марки «Форд», водитель последнего вдруг, ударив по тормозам, развернул машину поперек дороги... Еще одна легковушка, темного окраса, невесть откуда взявшаяся — скорее всего она шла по встречной полосе, — нацеливалась, кажется, клюнуть «Лэнд-Круизер» в левый бок, но ее водитель в самый последний момент вывернул руль, заблокировав и другую полосу... И наконец, третья тачка, которая нагоняла их от поселка, попыталась, причем довольно удачно, вклиниться между «Круизером» и следовавшим за ним «Шевроле».

Григорию не оставалось ничего другого, как резко ударить по тормозам. Джип протестующе вильнул, затем застыл как вкопанный, чудом избежав контакта с бортом грузового фургона. Ремень туго перехватил грудь Протасова, не дав ему удариться головой о приборную панель...

Дальнейшее напоминало крутую фантасмагорию.

«Шевроле», вместо того чтобы резко затормозить, избежав таким образом неминуемого столкновения, совершил какой-то дикий маневр... Вначале внедорожник, чуть зацепив по касательной корму пытающейся вклиниться меж двумя джипами легковушки, нацелил свой нос в ту машину, что норовила перекрыть встречную полосу. Казалось, он вот-вот врежется в ее бок, но в самый последний момент Бадуев почему-то изменил свои намерения, круто переложив руль влево... В результате его кажущихся безумными действий «Шевроле», смяв дорожное ограждение, ухнул в овраг, прямо в гущу покрывавшей его крутой склон растительности.

Нападавшие, не обращая внимания на этот явно не вписывающийся в их сценарий эпизод, проделали все быстро, на счет «раз-два!».

На дорожное полотно, освещенное фарами сгрудившихся здесь машин, из своих тачек высыпали пять или шесть боевиков, кто в темной одежде, кто в камуфляже, причем все были в масках. Григорий явно погорячился, раньше них выскочив из джипа, — очевидно, так и не понял до конца, что здесь происходит... Протасов успел лишь отстегнуть предохранительный ремень, как тут же с его стороны распахнулась дверца и прямо в лоб ему уставился черный зрачок пистолета... Он только начал соображать, что все это должно значить, как чьи-то мощные руки выдернули его из салона, словно притертую пробку из бутылки...

Тут же, буквально в считанные мгновения, в освободившееся кресло водителя уселся один из нападавших. Другой забрался на заднее сиденье джипа и сразу же пресек попытки девушки кричать или сопротивляться, сунув ей в лицо тряпку, смоченную фторотаном, — пары этого вещества обладают столь же сильным снотворным эффектом, что и эфир. Автофургон успел сдать назад и освободить проезжую часть. Новый водитель «Лэнд-Круизера» стартовал так резво, что из-под провернувшихся на асфальте шин даже дымок закурился... Следом за ним в известном лишь нападавшим направлении отправились грузовой микроавтобус марки «Форд», а также одна из двух участвовавших в деле легковушек.

Остались на дороге четверо боевиков и еще двое экс-пассажиров угнанного только что джипа. Впрочем, спустя короткое мгновение нападавших осталось трое: один из них, перехватив «калаш» в левую руку, скользя подошвами по крутому склону и придерживаясь за ветки кустарника свободной правой, стал спускаться к месту, куда приземлился, после исполнения головокружительного трюка, внедорожник «Шевроле-Блэйзер».

Один из боевиков стоял у Протасова за спиной, приставив ему к затылку ствол пистолета, одновременно как бы приобнимая его своей левой рукой. По всему чувствовалось, что это рослый, могучий, как медведь, мужик... Второй, чуть пониже Александра, в маске, с пистолетом «ТТ» в руке, на дуло которого был навернут глушитель, стоял шагах в двух прямо перед ним.

— Послушай, Беслан... — сказал он по-чеченски. — Но это же не Бадуев!

— Я сам вижу, что это не Ахмад! — сказал могучего вида вайнах. — Что будем с ним делать, Саит?

— Амир велел взять живыми девушку и Ахмада... Остальных приказано отправить к Аллаху!

Протасов из их разговора понял лишь то, что им нужен Ахмад. Но он не Ахмад, а совсем другой человек. Он почему-то не испытывал сейчас страха, а лишь ощущал круто поднимающуюся в груди волну раздражения: ну что за дела пошли? Третий раз за столь короткое время ему доводится сталкиваться с беспределом!

Он услышал приглушенный хлопок, затем еще один. Стрелял вайнах по имени Саит. Григория, очевидно, оглушили в самом начале, а теперь вот покончили с ним двумя выстрелами в грудь...

Двое, включая Саита, взяли убитого кахетинца за ноги и за руки, чуть раскачали... Тело скрыли заросли, как и сверзившийся в овраг джип, — до утра их вряд ли обнаружат.

Протасов предположил, что боевики собираются увезти его с собой. Но очень скоро выяснилось, что он ошибался.

Саит, как истинный виртуоз, срезал барсетку с пояса одним верным движением тесака — словно лезвием бритвы смахнул! Он хотел сделать еще одно движение, чиркнув острием по горлу этому к я ф и р у, но передумал — будет много крови, а пачкаться неохота...

— Отпусти его, Беслан, — сказал он по-вайнах-ски. — Буду с ним кончать.

Протасов, как только его перестали душить чьи-то медвежьи объятия, стал медленно пятиться, отступая к обочине, к тому месту, где «Шевроле» смял дорожное ограждение. Саит, наблюдая за ним, поднял свой «ТТ», удлиненный глушаком. «Вот и хорошо, — удовлетворенно подумал он. — Не нужно будет волочить тебя по дорожному полотну, сам к краю подошел...»

Интуитивно почувствовав, что до обрыва осталось всего шаг или два, Протасов изготовился к рискованному трюку.

И в это мгновение неожиданно тяжелая свинцовая пуля ударила ему в грудь, опрокинув большое и сильное тело в заросший кустарником овраг...

Саит широко размахнулся и зашвырнул «паленый» «ствол» в провал так далеко, как только смог. Спустя короткие мгновения он уже сидел в машине. К нему тут же присоединился Беслан. Двух остальных, включая того, кто спустился в овраг досмотреть «Шевроле», через несколько минут подберет другой транспорт.

— Ахмад, значит, был в «Шевроле», — сказал Беслан, когда они тронулись с места. — Жаль, что не взяли его живым...

— Деньги нам обещаны за девушку, — напомнил ему Саит. Вытерев потное лицо маской, он сунул эту часть своего реквизита в бардачок, где уже лежали перчатки, в которых он р а б о т а л, и реквизированная барсетка. — Видел, как я завалил к я ф и р а? Улетел в овраг, только подошвы мелькнули!

— Надо было в голову стрелять.

— Зачем так говоришь, кунак? — усмехнулся Саит, сворачивая на пригородное шоссе. — Я всегда в сердце стреляю... И что-то не помню, чтобы хоть раз промахнулся.

Глава 9

Переговоры в Париже, как самокритично подвел их итоги сам Бекмарс Хорхоев, оказались неудачными. Позитивным их результат можно было бы считать лишь в одном случае: если бы Борис взялся «решить вопрос» с пролонгацией кредита, выданного ОАО «Альянс» зарубежным банком «Суисс Агрикол» под гарантии одного из московских банков, со сроком погашения, наступающим уже 1 сентября сего года. Причем взялся не на словах, а на деле, использовав собственные связи среди отечественных и зарубежных финансистов.

Ну что ж... Теперь, когда он убедился, что Борис, легко преступив через все то, чем он был обязан в прошлом семье Хорхоевых, не только не намерен оказывать посильную помощь в этой непростой ситуации, но еще и надеется, кажется, погреть руки на чужом горе, настал черед воспользоваться другими каналами и иными возможностями, о существовании каковых олигарх, по-видимому, даже не подозревает.

Во-первых, удалось добыть важную информацию, прежде всего за рубежом, благодаря которой уже вскоре можно будет прояснить судьбу так некстати запропастившегося куда-то пятидесятимиллионного кредита, а также выйти на людей, которые по какой-то причине — этот вопрос также еще предстоит прояснить — обрели свободный доступ к денежным средствам, размещенным на секретных счетах Руслана Хорхоева, вот уже три с лишним месяца числящегося покойником. Это направление сейчас курирует Ильдас. Хотя данный вопрос чрезвычайно важен для Семьи, Бекмарс передоверил его решение младшему брату — Ильдас далеко не глуп, энергичен, хоть порой, особенно в прошлом, он слишком горячился и вел себя неуступчиво, а порой и жестоко там, где следовало действовать более расчетливо, не как волку, а по-лисьему, пуская в ход весь арсенал накопленных их племенем хитрых приемов и ходов.

Передоверив эту важную задачу Ильдасу, Бекмарс вовсе не собирался сам сидеть сложа руки. Напротив, сразу же по возвращении в Москву из французской столицы он развил кипучую деятельность... Из аэропорта Внуково, не заезжая даже домой, отправился в московский офис «Альянса». Там, во второй половине дня, он провел целую череду совещаний: с прилетевшими из Тюмени производственниками, с ведущим юрисконсультом хорхоевского холдинга, а также с парой менеджеров, назначенных вместо выбывшего из игры Рассадина курировать «южносибирский проект».

Уже ближе к вечеру в офис Бекмарса позвонила одна важная птаха. Хорхоев слышал о существовании этого человека, но видеться с ним пока не доводилось. Номинального руководителя нефтяного холдинга — де-юре президентский пост, если только не случится окончательного краха, Бекмарс займет уже в начале осени — побеспокоил некий Михаил Фейгелевич, выходец из Союза, эмигрировавший за океан в начале восьмидесятых, теперь гражданин США и высокооплачиваемый сотрудник одной прелюбопытной штатовской фирмы, недавно основавшей свое представительство в Москве.

Речь идет о широко известной ныне корпорации «Халлибертон», которая засветилась не только в связи с событиями вокруг затонувшей в Баренцевом море АПЛ «Курск», но и в еще большей степени, правда, исключительно среди специалистов, в связи со своими настойчивыми попытками внедриться в перспективный российский сектор нефтегаза.

Фейгелевич, сославшись на конфиденциальный характер темы, которую он хотел бы обсудить с господином Хорхоевым, предложил встретиться для разговора где-нибудь в удобном месте. Даже та отрывочная информация, какой Бекмарс располагал о деятельности «Халлибертон» в России, — ему было известно, к примеру, что эта корпорация является генподрядчиком Тюменской нефтяной компании по проекту реабилитации Самотлорского месторождения, входящего в десятку крупнейших в мире, — а также о людях, стоящих за этой компанией в Америке, оказалась вполне весомой, чтобы он без колебаний согласился на встречу.

Уже спустя полтора часа они ужинали вдвоем в отдельном кабинете в тихом и уютном московском ресторанчике. Фейгелевич, энергичный сорокадвухлетний делец, с внешностью одессита и цепким взглядом налогового инспектора, вначале, сделав печальное лицо, пособолезновал Бекмарсу, не преминув заметить, что трагическая гибель Руслана Хорхоева в полном расцвете сил, в преддверии подготовленных всей его жизнью по-настоящему крупных свершений — это их «общая потеря». Затем, дав понять, что преждевременная кончина президента «Альянса» ничего не меняет в их совместных далеко идущих планах, — Бекмарс, надо заметить, был в полном неведении, о чем идет речь, хотя на всякий случай виду не показывал, — он сказал, что его фирма, тщательно выполнявшая ранее все конфиденциальные договоренности с ныне покойным президентом компании господином Хорхоевым, теперь готова продолжить переговоры с его правопреемниками.

Циферблат наручных часов «Ролекс», красующихся на запястье левой руки Бекмарса, показывал ровно шесть утра. Он специально решил наведаться к отцу в его загородный дом с утра пораньше, поскольку, во-первых, отец всегда встает с петухами, и если соглашается обсуждать какие-то важные темы, то только в эти утренние часы — после полудня он уходит в себя, как черепаха в свою толстую вековую скорлупу, и до него уже не достучаться, — а во-вторых, сам Бекмарс хотел иметь достаточный запас времени для того, чтобы уговорить старика принять участие в намеченном на завтра, на одиннадцать часов утра, важном мероприятии.

Движение по Носовихинскому шоссе в этот ранний час было не слишком оживленным. «Шестисотый» «Мерседес», за рулем которого сидел Артем Хаванов, в прошлом сотрудник Федеральной службы охраны, числящийся нынче в штате СБ хорхоевского холдинга, миновал Кучино и, не достигнув окраины Желдора, свернул налево, через переезд к лесному массиву, который простирается до самой Балашихи.

Проехав километра полтора по дороге, проложенной в этом смешанном лесу, «мерс» оказался на окраине небольшого поселка, где наряду с сохранившимися еще с советских времен деревянными, преимущественно в два этажа, дачами высились и недавно построенные особняки, в два, три и даже четыре этажа — большей частью, кстати, прекрасно вписанные в местный ландшафт, в котором преобладали бронзовоствольные высоченные сосны.

У одного из таких особняков Хаванов мягко притормозил — но не у самих ворот, как сделал бы не посвященный в некоторые особенности хорхоевского семейства человек, а чуть сбоку.

— Я тебя рано сегодня поднял, Артем, так что можешь пока прикорнуть, — распорядился Бекмарс, прежде чем покинуть салон «мерса». — Даже не знаю, сколько я там пробуду... В любом случае, не вздумай курить в машине, потому что старик не выносит табачного дыма!

Овдовев в девяносто втором году, Искирхан Хорхоев переписал свою четырехкомнатную квартиру на Кутузовском проспекте на младшую дочь — Мадина, кстати, с мужем и четырьмя детьми перебралась пару лет назад на жительство в Турцию, — сам же поселился в своем загородном доме, недавно возведенном на месте стоявшего здесь прежде невзрачного и ветхого деревянного строения.

Так получилось, что дети и внуки жили отдельно от патриарха (впрочем, близкие в последнее время называли его промеж себя Старик или же употребляли давнее еще прозвище Хан). Бекмарс, например, имеет квартиру в столице, но тоже предпочитает жить со своей семьей за городом — у него есть свой дом в поселке Жаворонки. Ильдас, наоборот, живет с семьей в Москве, хотя и у него есть дом за городом, возле Истринского водохранилища — младший брат, впрочем, очень мобилен, у него множество идей и проектов, поэтому дома его застать практически невозможно...

Поэтому в одном доме с Ханом в последние годы живут почти посторонние люди. Если пятидесятидвухлетнюю Зулейку с большой натяжкой еще можно числить за родственницу, — седьмая вода на киселе, но родом она из тех же мест, что и отец, из Толстой-Юрта, — то остальные трое таковыми и вовсе не являются. Абдулла учился у отца, когда тот преподавал в «керосинке», то бишь в Институте нефтегазовой промышленности имени Губкина. Один из сравнительно небольшого количества чеченцев с высшим образованием, кто не купил свой диплом, а добыл его напряженной учебой. Точно таким же жадным до знаний — правда, ему все давалось легко, без напряга — был в свое время Руслан. Как и его старший брат, Бекмарс тоже по образованию нефтяник... Но он, признаться, не сильно перегружал себя в годы учебы в Грозненском нефтяном институте, многие преподаватели которого хорошо помнили профессора, доктора химических наук Искирхана Хорхоева, заведовавшего здесь кафедрой в шестидесятых годах, — большинство из них, чеченцы и русские, сами были студентами у Хана. Потом, когда отца забрали в союзное министерство, и позже, в восьмидесятых, когда он вернулся к преподавательской деятельности уже в стенах «керосинки», Искирхан Хорхоев постоянно наведывался на грозненские промыслы, где многое было сделано его руками и руками его многочисленных учеников, — он бывал наездами в Чечне вплоть до наступления тех времен, когда такие, как он, его древнему народу стали более не нужны...

Что касается Ильдаса, то у него целых два диплома о высшем образовании. Один он купил в Чимкенте, где он родился и где их семья долгие годы, до возвращения в Грозный в шестидесятом, провела в казахстанской ссылке. Второй диплом он оформил уже здесь, в Москве, хотя в учебных корпусах Лестеха в Тарасовке, который он вроде как закончил, кажется, ни разу и не побывал... Да и когда ему было всерьез учиться, если он смолоду был при деле: то цеховиков охранял, а потом их же с такими же отчаянными сорвиголовами «разводил» на бабки, то организовывал «шарашкины» бригады, которые брались исполнять «левую», но хорошо оплачиваемую работу, то, заметно возмужав, курировал в Тольятти одну из существовавших на ВАЗе «чеченских» линий, имея под рукой целую бригаду вайнахов, родившихся преимущественно, как и он сам, в Казахстане в годы ссылки...

Так вот... Абдулла, к которому Хан относится как к собственному внуку, на редкость грамотный вайнах. Ему чуть за тридцать, до сих пор не женат, по-собачьи предан старику, является в последние годы его секретарем и ближайшим помощником. Двое остальных появились в этом доме лет пять или шесть назад. Они беженцы из Чечни... Их дом в Катаяме (это пригород Грозного) накрыло авиабомбой. Из всей родни остались двое: Фатима, дочь бывшего директора Грозненского крекинг-завода, которого Хорхоев-старший хорошо знал, и ее сын, которому в ту пору было лет шестнадцать... Зулейка и Фатима с утра до вечера хлопочут по дому, потому что кроме четырех «приживальщиков», уже прописанных здесь на постоянной основе, у Хана частенько гостят и другие соотечественники, в основном также из числа беженцев, которым нужно помочь с жильем и оформлением временной прописки. Парня, сына Фатимы, Хан вначале хотел отдать в школу, чтобы тот прошел всю школьную программу и хорошенько подготовился к поступлению в институт. Но потом передумал: чеченскому юноше что в школе, что в институте сейчас прохода не дадут... К тому же тот заметно заикается — это последствие контузии, — а с таким дефектом существовать в молодежной среде вдвойне тяжело. Зато это не мешает заметно повзрослевшему уже парню водить машину и выполнять поручения как самого Хана, так и его верного помощника Абдуллы.

Пройдя через открытую калитку в воротах, Бекмарс увидел спешащую ему навстречу из дома Зулейку — довольно полную, но проворную женщину, с полным ртом золотых зубов и усиками, пробивающимися над верхней губой.

Скупо поприветствовав приживалку и так же коротко ответив на ее вопросы о его жене и детях, он поинтересовался, чем сейчас занят старик.

— Они с Тимуром за домом, возле беседки, — сказала та. — Бекмарс, ты позавтракаешь с нами?

— Благодарю, Зулейка, я не голоден. Кстати... В каком настроении сегодня пребывает Хан?

— Не знаю, что и сказать, Бекмарс, — женщина бросила на него озабоченный взгляд. — В последнее время он в своем кабинете почти не бывает, то на воздухе, за домом, то на летней террасе сидит... А вчера весь день не выходил оттуда! И вечером тоже. Я поздно легла, почти в час ночи, так у него еще там свет горел! Ну а так... Разве поймешь, Бекмарс? Сам у него спроси.

— Спрошу. Да, Зулейка... Абдулла здесь? Он мне тоже нужен.

— В доме его нет.

— А где он так рано обретается? — удивился Бекмарс.

— Не знаю, — уклончиво ответила тетка. — Какието дела, наверное? Спроси у отца, он должен знать.

Хмыкнув, Бекмарс обошел ее и направился за дом, в противоположный конец участка. Навстречу ему по дорожке, выложенной серо-голубоватой шлифованной плиткой, шел Тимур — рослый красивый парень, совсем уже взрослый сын беженки Фатимы. Под мышкой он держал аккуратно свернутый молельный коврик. Лишь коротко кивнув парню, Бекмарс разминулся с ним, направившись к деревянной, в виде шатра, резной беседке, — это явное архитектурное излишество, доставшееся ему от прежних хозяев, отец почемуто не захотел сносить.

Бекмарс в очередной раз отметил про себя, что Хан в последнее время стал очень набожным человеком, хотя и на свой лад. О том, чтобы принять немусульманина в этом доме, не могло быть и речи. Исключение составлял лишь Рассадин, но и Николай бывал здесь очень редко. Вот почему Бекмарс вынужден был оставить машину с охранником-славянином за пределами отцовского домовладения.

Искирхан сидел на лавке, вполоборота к встающему над горизонтом дневному светилу, чьи рассветные лучи, просачиваясь сквозь листву деревьев, освещали в профиль его тронутое морщинами, но еще совсем не старое лицо. Одет в темно-серый домашний костюм, черную рубаху с глухим стоячим воротом, на голове традиционная шапочка, сливающаяся своим цветом с выбеленными возрастом волосами.

Бекмарс почтительно поцеловал старика в плечо, затем, осведомившись о его самочувствии, уселся напротив него.

— Бекмарс, ты опять пропустил утреннюю молитву.

— А когда мне молиться, отец? — невольно развел руками тот. — Сам знаешь, дел у меня по горло... Как прилетел, из аэропорта сразу поехал в офис. Извини, что еще вчера к тебе не наведался, но навалилось столько всего...

Он рассказал отцу о своих парижских переговорах с Борисом, остановившись на некоторых важных нюансах, о которых нельзя было говорить по телефону. Потом, вкратце рассказав о проведенных им в офисе мероприятиях — отец выслушал все это молча, с каким-то отстраненным видом, не задав ни одного вопроса, — наконец перешел к главному, ради чего он и приехал сюда в такую рань.

— Отец, вчера на меня вышел один... интересный человек. Его фамилия Фейгелевич...

— Фейгелевич? — неожиданно переспросил старик. — Как его зовут?

— Михаил... Но на визитке его имя значится как Майкл.

Бекмарс, порывшись в кармане, достал визитку, которую вчера ему дал новый знакомый. Хан отрицательно покачал головой, так что визитку пришлось сунуть обратно.

— Сколько ему примерно лет?

— Ровесник нашего Ильдаса. Может, на пару лет старше.

— Он что, нефтью занимается?

— Вот именно! Гм... Ты хочешь сказать, отец, что знаком с ним?

Хан какое-то время молчал, потом негромко проговорил:

— Среди моих студентов был один с таким именем и фамилией... Способный парень. Собирался остаться в аспирантуре, но что-то не сложилось... Кажется, он уехал на Запад.

Бекмарс изумленно покрутил головой. У Хана, несмотря на преклонный возраст, все еще острая, почти не дающая сбоев память на людей и события. Другое дело, что старик, кажется, порядком устал от прожитой им непростой жизни, так что этой своей «картотекой» он в последнее время пользуется не часто.

— Похоже, это он и есть, — заметил Бекмарс. — Он возглавляет московское представительство корпорации «Халлибертон»...

— Вот как? — бесцветным голосом сказал старик. — На тебя вышли люди из этой корпорации?

— Да. И у них, как я понял из предварительной беседы с этим Фейгелевичем, есть к нам серьезный разговор... Сейчас в Москве находится одна очень крупная шишка, директор «русского» департамента этой фирмы. «Халлибертон», ты, наверное, в курсе, сейчас имеет в России общий бизнес с Тюменской нефтяной... Но этот большой босс хочет встретиться также и с нами. Твой бывший студент так и сказал: «Крайне важно, чтобы на этой встрече присутствовал и ваш отец, уважаемый профессор Хорхоев...»

Хан повернул к нему свое лицо. Бекмарс подумал, что отец, как это часто случалось в последние месяцы, откажется участвовать в намечаемом мероприятии. А упрашивать Хана изменить свое решение — дело почти безнадежное.

— Хорошо, Бекмарс, — неожиданно произнес Хорхоев-старший. — Я хотел бы послушать, что скажут люди из «Халлибертон». Когда должны состояться переговоры?

— Уже завтра, в одиннадцать утра. Я распоряжусь, отец, чтобы за тобой прислали машину.

— Нет нужды. Скажешь Тимуру, куда и в какое время нужно подъехать. Он меня отвезет.

— Делай, как тебе удобней, отец. Кстати... А где Абдулла? Я с ним тоже хотел бы переговорить.

— О чем?

— Да все о том же. Ты же знаешь, что Абдулла помогал мне разбирать бумаги Руслана в московском офисе? И потом... Вы забрали к себе часть личного архива Руслана, то, что удалось отыскать...

— Руслан не хотел, чтобы вы рылись в его прошлом, — сухо сказал старик. — Это во-первых. Во-вторых, то, что нам удалось обнаружить, это — мизер. Одно из двух, Бекмарс: либо твой старший брат почистил свой «архивный фонд», уничтожив почти все накопленное за долгие годы, либо спрятал так, что теперь никто этого не найдет.

— Ладно, к этой теме мы вернемся позже... Ну так где Абдулла? Он башковитый парень, и он в курсе всех событий. На этой стадии контактов с «Халлибертон» я не хотел бы привлекать кого-либо из наших менеджеров, иначе получим «утечку»... Вы ведь с Абдуллой еще не закрыли вашу маркетинговую фирмочку в Москве? Так вот... У людей из «Халлибертон» наверняка будут какие-то предложения. Понадобится предварительная

108

экспертная оценка, верно? Я не Руслан, чтобы на лету все схватывать... Полагаю, Абдулла тоже должен присутствовать на этой встрече. Я хочу, чтобы он выслушал этих людей, все как следует обдумал, потом дал рекомендации, как нам лучше поступить. Ну а ты, отец, как всегда, поможешь нам добрым советом.

Он пристально посмотрел на отца. Слова, которые только что произнес Бекмарс, казалось, канули в пустоту. Это была одна из особенностей Хана: если он не хотел о чем-то говорить, то попросту игнорировал поднятую собеседником тему. Применимо к этому конкретному случаю молчание старика можно было истолковать двояко: либо Хан не хочет, чтобы его помощник присутствовал на переговорах с людьми из «Халлибертон», либо Абдулла сейчас занят какими-то важными делами и старик не считает нужным отвлекать его от этих занятий.

— Скажи мне, Бекмарс, — неожиданно сказал старик, остро посмотрев на него из-под кустистых седых бровей. — Что вы затеяли с братом?

— О чем ты говоришь, отец?

— Ильдас вчера с кем-то из своих людей выехал на Северный Кавказ. Зачем?

— Мы ищем деньги Руслана, отец, — хмуро ответил Бекмарс. — Это наши семейные капиталы, и мы не собираемся их никому дарить!

— Послушай, что я тебе скажу, Бекмарс, — медленно, делая паузы между словами, сказал старик. — Не делайте с братом ничего такого, о чем вам пришлось бы потом пожалеть.

Хорхоев-младший встал на ноги.

— Спасибо за совет, отец. Увидимся завтра, в офисе, ну а сейчас я должен идти.

...Хорхоев-старший дождался звонка от Абдуллы лишь в полдень. Тимур принес сотовый телефон в беседку. Слышимость была настолько хорошей, будто собеседники находились рядышком, а не в тысяче с лишним километров друг от друга.

— Несколько минут назад мы выехали из Лондона и сейчас направляемся в Саутгемптон, — сообщил по телефону Абдулла. — Мы проверили несколько мест, и выяснилось, что перед нами там побывали двое людей, которых я знаю как сотрудников Ильдаса... Я почти уверен, Учитель, что ваша догадка верна. Сегодня я надеюсь получить еще более веские доказательства...

— Когда ты планируешь вернуться, Абдулла?

— Вылетаю завтра, из аэропорта Хитроу, в два пополудни. И у меня есть предчувствия, что приеду я не с пустыми руками.

Глава 10

Тамару неудержимо клонило в сон... Сколько времени она уже находится в этом помещении, где ее держат взаперти? Часов десять... максимум двенадцать. Или все же больше?

Она поднесла к глазам руку — часики, кстати, у нее не отобрали, — но не смогла сфокусировать взгляд на циферблате наручных часов «Картье». В помещении, смахивающем на обычную комнату средних размеров, вдобавок царил полумрак, подсиненный тусклым светом помещенного над входной дверью светильника. Все это время, оказывается, она лежала на кушетке одетая — с нее только сняли туфли и пиджачок и укрыли сверху пледом.

Похоже, у нее возникли серьезные проблемы... В голове царил совершенный сумбур, поэтому соображала она с большим трудом. Куда это ее угораздило вляпаться? Все происходящее с нею сильно смахивает на классический случай киднепинга.

Ей захотелось в туалет. Она с трудом поднялась с кушетки и, пошатываясь, направилась к двери. Подергала за ручку — заперто. Постучалась в нее кулачком и даже попыталась подать голос, но из пересохшего горла вырвались лишь какие-то хриплые звуки, будто ворона прокаркала...

К счастью, обнаружилась еще одна дверь, а за ней оказалась туалетная комната. Белый кафель, голубой унитаз, душевая кабинка, сразу два банных полотенца, а на полочке перед зеркалом флаконы с шампунем, жидким мылом и даже зубная щетка в фабричной упаковке... Прямо тебе апартаменты в отеле «Хилтон»...

Дальше — больше. Ополоснувшись и сделав еще кое-какие свои делишки, она вернулась в комнату. Когда отдернула занавеси, увидела окно... Частая металлическая решетка, армированное стекло, которое, наверное, пулей не прошибить, да еще с наружной стороны окно наглухо закрыто ставнями.

На столе она нашла блюдо с бутербродами, белую пластиковую вазу с фруктами и пластиковую же бутыль с минеральной водой. Из-под стола выглядывал бок дорожной сумки — это был один из тех двух баулов, что она взяла с собой в эту поездку, решив не обременять себя слишком большим багажом. А вот дамской сумочки, где хранились ее документы, кредитные карточки и остаток долларовой наличности, она не нашла...

Все это, вместе взятое, навело ее на определенные мысли... Она находится в этом незнакомом ей месте не по собственной воле. Кто и зачем держит ее здесь взаперти? Рано или поздно она узнает ответ на этот вопрос... Но она, слава богу, сидит не в зиндане, не в какой-то вонючей тюремной камере, а в человеческих, если так можно сказать, условиях. Похоже на то, что содержание в этом «хилтоне» обойдется ей ох как не-дешево...

Порывшись в сумке, она нашла джинсы и клетча-тую рубаху. Переоделась. Затем присела на край ку-шетки и, обхватив голову руками, крепко задумалась.

То, что произошло с ними на дороге, сам момент нападения, она помнила смутно. Надышалась какой-то дрянью, до сих пор мутит... Получается, Ахмад был прав? Когда предупреждал ее, причем неоднократно, что она слишком рискует в последнее время. И что ей вообще не следовало приезжать на Кавказ и делать то, что она считает нужным.

Тамара встрепенулась... Ну и эгоистка же она! Толь-ко сейчас вспомнила про Ахмада Бадуева... Все ли с ним благополучно? Что с Григорием? А с Александром? Вот же дура... Подставила человека ни за что ни про что.

Но кто мог знать, что все так плачевно закончится? Она даже в мыслях не держала, что с ней, молодой женщиной, которая никого не обидела и действует ис-ключительно в благородных целях, может случиться нечто подобное...

Ход ее печальных мыслей был нарушен какими-то посторонними звуками. Кто-то снаружи провернул ключ в замочной скважине... Когда дверь распахну-лась, на пороге возник какой-то субъект, одетый в темные брюки и рыжую кожанку. Лицо его скрывала черная маска с прорезями для глаз и рта, а в правой руке, продев пальцы под дужку крепления, он держал компактную видеокамеру «Сони».

— Вижу, проснулись? Хорошо... Как вы себя чувст-вуете?

Тамара поднялась на ноги и, уперев руки в боки, поинтересовалась:

— Кто вы такие, черт вас побери?! И что вам от меня нужно?!

Субъект с камерой прошел внутрь. В дверном проеме показался его сообщник, этот тоже был в маске — но он так и остался стоять на пороге.

— Спокойно, дэвушка, — сказал «видеооператор». — Вопросы здесь буду задавать я.

Хотя он говорил по-русски довольно чисто, все же в его речи проскальзывал характерный для кавказцев акцент.

В помещении вспыхнул верхний свет. Бандит включил камеру и навел ее на застывшую посреди комнаты девушку.

— Как тебя за-авут?

Тамара едва сдержала себя, чтобы не послать этого типа куда подальше. Она знала, что в таких случаях следует проявлять выдержку, дабы не спровоцировать злоумышленников на какие-нибудь агрессивные действия. Тот же Ахмад не раз инструктировал ее, как вести себя в той или иной ситуации. А она, дурочка, все время отмахивалась от него, не принимая его речи всерьез.

— У вас должны быть мои документы... Впрочем... Моя фамилия — Истомина.

— Так... Хорошо... Назови теперь имя.

— Тамара.

— Отчество?

— Александровна.

— Где и когда родилась?

Пожав плечами, Тамара ответила и на этот вопрос.

— Истомина Тамара Александровна, — продолжая снимать ее на видео, произнес бандит. — Это твое настоящее имя, да?

— А что, есть какие-то сомнения?

— А-атвечай на вопрос!

— Ответ — да.

— Ты когда-нибудь меняла свои имя и фамилию?

Этот вопрос, с одной стороны, удивил Истомину, а с другой — насторожил.

— Да кто вы такие, черт вас побери?! — все же вспылила она. — Что за дурацкие расспросы?! Вам нужен выкуп? Ну так скажите прямо — с к о л ь к о?! Зря пленку переводите... Вот куда вы ее пошлете? Все равно все «вопросы» вам придется решать со мной!

— Так меняла или нет?

Тамара выругалась. Про себя. И на всякий случай — по-английски. Хотя, по правде говоря, у нее от страха поджилки тряслись.

Самое интересное, стоило ей мысленно обложить крепким словом похитивших ее бандюганов, как субъект в маске тут же выключил свою видеокамеру.

— Кушай, да? — бросил «оператор», прежде чем закрыть за собой дверь. — Ты же на Кавказе... зачем обижаешь хозяев?..

Оставшись одна, Тамара как подкошенная рухнула на кушетку. Свернулась калачиком и застыла в этой позе эмбриона...

Похоже на то, что события для нее оборачиваются так, как она и предположить не могла. То есть все обстоит гораздо круче, чем банальный киднепинг, пусть даже в его экстремальном кавказском варианте...

Пройдя по коридору, Ваха толкнул одну из дверей. Здесь, в комнате, увешанной коврами, его дожидались двое помощников, Беслан и Саит. Когда в помещение вошел человек, которого они давно уже называли а м и р о м, то есть начальником, командиром, оба чеченца почтительно встали.

Ваха стащил маску, бросил ее Беслану. Выщелкнул из видеокамеры кассету. Камеру он передал сопровождавшему его человеку, который тут же вышел из комнаты, а кассету спрятал во внутренний карман куртки.

— Думаю, заказчик будет доволен, — произнес он под нос. — Жаль только, Бадуева упустили...

В очередной раз он подумал, что Ахмад, наверное, в рубашке родился. «Шевроле» приземлился на заросли, почти как на мягкую перину, даже стекла не повылетали... Бадуева, или кто там был за рулем, в салоне не оказалось. Следов крови тоже не видно было. Куда он подевался? Да шайтан его знает... Некогда было поиски организовывать, да и людям незачем находиться в том месте слишком долго. Теперь ищи ветра в поле... Скорее всего Бадуев, почувствовав, что запахло жареным, дал деру, бросив свою работодательницу на произвол судьбы. Сила сейчас не на его стороне. Один, с пустыми руками, он все равно ничего не сделает. Да и зачем ему эти напряги? Нет, точно сбежал и, наверное, планирует забиться в какую-нибудь нору, где у него припрятаны денежки на черный день...

— Сколько мы здесь еще пробудем, амир? — поинтересовался Саит.

— Думаю, не больше суток, — чуть подумав, сказал Ваха. — Скоро должен заказчик подъехать... Он просил немного подержать ее у нас, потому что он для нее обстановку готовит... но это уже не наши заботы.

— Саит, скажи амиру про барсетку, — напомнил другу Беслан. — А то амир решит, что мы с тобой нечестные люди.

Вайнах тут же выложил на стол трофейное имущество, вкратце рассказав, где он это добыл, — впрочем, амир и сам об этом догадался.

— Почему сразу не показали? — чуть нахмурив брови, спросил Ваха.

— Так когда было показывать? — пожал плечами Саит. — Мы же ночевали в другом месте...

Когда Ваха выложил на стол все содержимое барсетки и пролистал загранпаспорт того мужика, которого его люди отправили к праотцам, его брови вдруг удивленно взметнулись ввысь.

— А этот откуда появился?! Так... У меня когда-то на его отца была «зарубка»... По крови он мне был должен! Но его отца убили раньше, чем я... другие люди.

— Ты хочешь сказать, амир, что отец этого кяфира и есть виновный в гибели двух твоих двоюродных братьев в Грузии? — спросил Беслан.

Муталиев в сердцах махнул рукой.

— Длинная история! Как-нибудь потом расскажу... А этого молодого кяфира я в девяносто пятом встречал под Грозным. К нам на переговоры кяфиры приезжали. Они еще до нас не добрались, а у нас уже были полные разведданные: кто, в каком звании... Я смотрю: знакомая фамилия! Отчество тоже совпадает...

— Почему тогда не убил? — удивился Беслан. — Надо было отрезать голову и засунуть ее между ног!

— Свои же не дали! — криво усмехнулся Ваха. — Я к самому Аслану ходил, очень сильно его просил... Но у меня забрали оружие и вернули, только когда кяфиры уехали!

— Видишь, амир, как все хорошо сложилось, — расцвел улыбкой Саит. — Ты хотел крови этой русской собаки? Ну так этот вонючий пес мертв, потому что вчера я прострелил ему сердце!

Муталиев подумал, что его помощники заслуживают дополнительного вознаграждения. В «лопатнике» убитого ими человека обнаружилось без двух сотен десять тысяч долларов. Пока Ваха пересчитывал эти деньги, оба подручных делали скучающий вид, а Саит, шумно сглотнув, даже отвернул свою поросшую двухдневной щетиной образину в сторону.

— Это вам за убитого русского, — сказал Ваха, вручив своим помощникам по две тысячи долларов. — Кстати, я как-то пытался его «пробить», и выяснилась любопытная деталь... Этот Протасов-младший, в ту пору старлей, засветился в одном дельце еще осенью девяносто четвертого. Помните, люди Лабазанова и Умара Автурханова двумя колоннами к Грозному прорвались? Так вот... Кроме танкистов-федералов и разной славянской шушеры, в этих событиях участвовала как минимум одна русская спецгруппа. Она выполняла какое-то секретное задание... Почти никто из русских спецназовцев назад не вернулся. Этот Протасов, как мне рассказывал один вайнах, участник тех событий, попал в плен — кажется, был контужен.

— Как же ему удалось спасти свою шкуру? — удивился Беслан.

— Вот этого я не знаю...

Появившийся в помещении вайнах сказал Муталиеву, что у него какое-то срочное дело. Они вдвоем вышли. Саит и Беслан, довольно переглянувшись — умолчать о трофее они не решились, зная крутой нрав Вахи, и теперь были рады, что им перепала часть реквизированных у русского денег, — вновь растянулись в глубоких креслах, чтобы подремать после двух бессонных ночей.

Когда Ваха вернулся в помещение, по его лицу было видно, что он взбешен.

— Саит! И ты, Беслан! Что за сказки вы мне тут рассказываете?!

— В чем дело, амир? — спросил тут же вскочивший на ноги Саит. — Что случилось?

— Я только что получил известие от своего человека из органов, — на коричневатых скулах Муталиева заходили желваки. — Оказывается, этой ночью в один из госпиталей Владикавказа «Скорая» доставила какого-то мужчину лет тридцати с огнестрельным ранением... Нашли его в районе поселка энергетиков! И сейчас его вроде как охраняет милицейский пост... Ясно?! А теперь марш в город и хорошенько проверьте эту информацию!

Глава 11

Какое-то время, не поддающееся исчислению, он пребывал в полном беспамятстве. В том сумеречном состоянии, в каком он находился, он испытывал лишь одно ощущение: ему казалось, что его странно невесомое тело дрейфует в толще некой субстанции... вязкой и липкой, как свернувшаяся кровь.

«Наверное, это и есть смерть, — подумал он. — Я умер, мое тело закопали... а моя грешная душа теперь будет вечно бултыхаться в этом огромном, наполненном кровью бассейне».

Багровую толщу вдруг прорезал тоненький луч света, нацеленный точнехонько ему в сетчатку глаза. Тут же в мозгу замкнулись какие-то цепи... Он очнулся, заморгал глазами, судорожно пытаясь сообразить, где он находится и что с ним происходит.

— Неплохо, — услышал он чей-то мужской голос. — Очень неплохо... Очнулись, молодой человек? Ну-с... Как ваше самочувствие?

Мужчина в белом халате и шапочке, смахивающий внешне на актера Евстигнеева, сунув в нагрудный карман фонарик-«карандаш», при помощи которого он исследовал роговичный рефлекс у своего пациента, осторожно присел на край больничной кровати. Медсестра тем временем дала больному напиться, а затем помогла ему занять полусидячее положение, подложив под лопатки еще одну подушку.

— Г-где я?

— Вы находитесь в республиканской больнице... Вас подобрали около двух часов ночи в районе поселка энергетиков. Вы помните, что с вами произошло?

— Д-дурдом... — сказал Протасов, хотя следовало бы — «кошмар».

— Нет, здесь не дурдом, — не поняв его, произнес врач. — Вы находитесь в отделении реанимации; но не пугайтесь — сколь-нибудь серьезных травм и повреждений, представляющих опасность для жизни, мы у вас не обнаружили.

— К-как я сюда попал?

— А вы разве не помните? — вопросом на вопрос ответил врач. — Кстати... При вас не нашли никаких документов. Назовите, пожалуйста, свое имя и фамилию.

Как только туман в его голове немного рассеялся, Протасов смог не только быстренько произвести процесс самоидентификации, но и вспомнить кое-что из того, что с ним произошло накануне.

Даже эти сумбурные, далеко не полные воспоминания породили у него зыбкое чувство тревоги. Были и еще два обстоятельства, заставившие его насторожиться... Палата, куда его поместили, была четырехместной, но остальные койки почему-то пустовали. И вторая, еще более тревожная деталь: кроме доктора и медсестры, в палате находился некто третий. Этот субъект, широкий в плечах, с подстриженной под ежик крупной головой, стоял, сложив руки на груди, у входной двери. Хотя на его плечи поверх легкой куртки был наброшен белый халат, на сотрудника медперсонала он как-то не походил...

«Скорее всего, это мент, — подумал Протасов. — Выставили, наверное, охрану... Чего они опасаются? Боятся, что меня, как единственного уцелевшего очевидца недавнего ЧП, могут добить? Или же полагают, что я, едва придя в себя, попытаюсь свинтить отсюда, прежде чем меня успеют допросить?»

И еще он подумал, что ему нужно быть предельно осторожным: прежде чем сообщать какую-либо информацию о себе, особенно о том злополучном происшествии, жертвой которого он является, ему следует хорошенько поразмыслить...

— Н-не помню, — облизнув губы, сказал он. — Какой-то з-звон в голове... И в груди сильно болит.

Врач, померив пульс, отпустил его руку.

— Вам очень повезло, молодой человек... У вас гематома в районе левой грудины, это последствие...

— Об этом не надо, доктор! — резко сказал стоящий у двери субъект. — Скажите... Мы можем его допросить? Прямо сейчас?

Врач, нахмурив брови, бросил в его сторону недовольный взгляд.

— Не раньше, чем через четыре часа! Вы же видите, что больной еще не готов отвечать на ваши вопросы! Он получил сильное сотрясение мозга... Хорошо, если последствия полученной им травмы ограничатся лишь кратковременной потерей памяти...

Сказав это, он вновь посмотрел на своего пациента, на голове которого, подобно чалме, красовалась повязка из бинтов.

— Так на чем мы остановились, молодой человек?.. Кажется, я уже говорил вам, что вы легко отделались? Впрочем... Вижу, вы еще не совсем пришли в себя. Я к вам наведаюсь чуть позже, а пока отдыхайте, набирайтесь сил...

Врач и медсестра покинули палату. За ними последовал и крепыш; очевидно, пост охраны располагался в больничном коридоре. Протасов, выждав еще какое-то время, отбросил в сторону одеяло, после чего уселся на своем больничном одре, свесив босые ноги на пол.

Поскольку зеркала в палате не обнаружилось, ему не оставалось ничего иного, как ощупать самого себя, дабы выяснить, какого рода повреждения он получил.

Протасов поочередно расстегнул пуговицы больничной пижамы. Так... Грудь замотана в тугой корсет из бинтов... Он сделал несколько глубоких вдохов и выдохов. В груди порядком саднило, но ощущения оказались менее болезненными, чем он ожидал... Ребра, кажется, целы... С левой стороны груди повязка имела заметное утолщение. Он осторожно прошелся поверх повязки пальцами, исследуя этот явно поврежденный участок... В один из моментов поморщился от боли, но вместе с тем и воспрял духом: он опасался, что у него «проникающее огнестрельное» в грудь, но выяснилось, как он уже себе это ясно представлял, что пуля, выпущенная из «ТТ», встретив на своем пути «ладанку», которая находилась в кармане протасовской куртки, счастливым для него образом срикошетила... Чуток цепанула, в аккурат под левую мышку нырнула, мерзавка, но, кажется, сквозанула по касательной... Судя по наличию повязки, медики эту рану уже почистили, обработали и заштопали.

Но удар, как это ему запомнилось, все же был чертовски сильным... Будто кувалдой наотмашь треснули!

Ладно, с этим более-менее ясно. А что у него с черепушкой? Почему голова так трещит, словно он угодил сюда с оч-чень крутого бодуна?

Протасов поднял руки и принялся ощупывать сквозь слой бинтов свою бедную голову...

Не сразу, но ему все же удалось установить источник, откуда пульсирующими волнами исходила тупая, отзывающаяся в висках боль. Похоже на то, что, когда один из боевиков выстрелил в него почти в упор, Протасов, кувыркнувшись по крутому склону в овраг, вдобавок еще крепко приложился темечком о какое-то препятствие...

Но не исключено, что он получил эту травму уже позднее, когда, очнувшись, то ползком, то на четвереньках принялся выбираться из этого чертова провала, где его бросили, записав в мертвецы. Как-то выполз наверх. Последнее, что он смутно припоминает, это был яркий свет фар и дорожное полотно, которое почему-то встало перед ним дыбом.

Остальное можно представить себе без особого труда: карета «Скорой», обезболивающий укол промедола, посттравматический шок, несложная операция, проведенная, скорее всего, под местным наркозом, повязки поверх наложенных швов, милицейский пост у входа в больничную палату...

Протасов подвигал челюстью, затем облизал десны языком, пытаясь определить, все ли зубы целы. Вроде бы все нормально... Руки и ноги тоже на месте; вот только правое колено побаливает, видимо, получил ушиб этой злосчастной ночью. На теле обнаружилось еще несколько царапин и синяков, но эти повреждения и вовсе пустяковые... Кажется, врач был прав, утверждая, что он в этой ситуации еще легко отделался.

Александр осторожно, стараясь не скрипеть, встал с постели. Какое-то время оставался на месте, придерживаясь рукой за спинку кровати, — голова вначале слегка закружилась, но спустя несколько секунд все пришло в норму.

Возле койки обнаружились кожаные больничные тапки без задников. Протасов сунул в них босые ноги, после чего направился к плотно зашторенному окну. Раздвигать шторы не стал, ограничившись узкой щелью меж занавесей, вполне достаточной для обзора.

Результаты сделанных им наблюдений оказались следующими.

Больничная палата, где его содержат, выходит своим единственным окном на заасфальтированную площадку, часть которой занимает разнокалиберный транспорт, отсеченную живой зеленой изгородью от близлежащих городских строений. На дворе стоит день, небо частично затянуто облачностью. Своих часов на запястье руки он не обнаружил, но в палате имелись настенные часы: их стрелки показывали четверть третьего.

Можно было попытаться открыть одну из фрамуг окна, но его проблем это бы не решило. Во-первых, палата находится на третьем этаже. Рядом нет ни водосточной трубы, ни пожарной лестницы, по которой можно было бы, выбравшись через окно, спуститься на землю. Значит, этот путь на свободу для него закрыт... Во-вторых, даже если ему удастся каким-то образом выбраться отсюда, то в своем больничном прикиде он будет привлекать к себе внимание досужей публики.

Не нужно также забывать о том, что у него нет при себе никаких документов, не говоря уже об отсутствии дензнаков.

Кстати, что касается документов...

Протасов, покинув свой наблюдательный пост, опять уселся на больничную койку. Прежде чем что-то говорить или же предпринимать какие-то действия, следовало все хорошенько обдумать. Его угораздило попасть в препаршивую ситуацию. Теперь вот надо ломать голову над тем, как из нее выбраться с минимальными для себя потерями.

Теперь о документах, без которых, как известно, человек ничего не значит и имя ему — «никто». Загранпаспорт Протасова, равно как и обычный гражданский паспорт — старого еще образца, но абсолютно легальный, — хранились в барсетке наряду с другими документами и довольно крупной суммой баксов. В чьих руках сейчас все это добро? Очевидно, протасовские документы и деньги перекочевали к кому-то из тех боевиков, что, переговариваясь меж собой по-чеченски, решали на пустынной ночной дороге его судьбу...

Другими словами, когда его подобрали невесть где и привезли в эту больницу, никаких документов при нем наверняка уже не обнаружили. Удалось ли местным ментам установить личность одного из «пострадавших», каким-то чудом уцелевшего в этом жутком и в то же время довольно странном ночном инциденте? Кто его знает... Даже если еще не установили, то это вопрос времени: кто-то из следаков непременно сообразит навести справки на погранпереходе в Верхнем Ларсе, если уже не сообразил...

С одной стороны, у него вроде нет причин опасаться правоохранительных органов. Он не боевик, не террорист, он сам жертва нападения. Но... Его как-то насторожило то, что происходило прошлым вечером на погранпереходе. К тому же он давно перестал смотреть на мир через розовые очки, а потому от встречи с ментовскими операми и прокурорскими работниками не ждал для себя ничего хорошего.

И еще... Те, кто участвовал в ночном нападении, действовали довольно слаженно, как единая команда. Судя по тому, что во время этой сценки, длившейся пару минут, на этом участке дороги не нарисовалось ни одной посторонней тачки, они неплохо подготовились, заблокировав даже, по всей вероятности, движение по ночному шоссе со стороны пригородного поселка, выставив на его окраине «ряженых», а то и настоящих сотрудников ГИБДД...

Если узнают, что один из потенциальных «жмуров»

не только выжил, но и может дать показания о случившемся прошедшей ночью, то есть сообщить какие-то важные детали, способные навести на след преступников, то не исключено, что они либо их люди в правохранительных органах сделают все возможное, чтобы опасный свидетель замолчал навеки.

Протасов направился к двери. Некоторое время он стоял недвижимо, прислушиваясь к невнятным звукам, доносившимся из коридора. Определенно, это были мужские голоса... Он осторожно потянул за ручку, придерживая одновременно дверь большим пальцем правой руки, дабы она не распахнулась слишком широко. В конце концов, чем он сейчас рискует? Даже если заметят, что он высунул нос из палаты, можно будет отбрехаться. Скажет, что в туалет захотелось, и дело с концом.

В образовавшуюся узкую щель он увидел троих мужчин: они стояли в коридоре, у окна, всего в нескольких шагах от него. Одного из этой троицы он узнал сразу: это был тот самый крепыш, что находился в палате во время недавнего медосмотра. Рядышком, вполоборота к Протасову, стояли еще двое. В отличие от крепыша, кажется, старшего среди них, больничные халаты на них не были надеты. Один в милицейской форме, на плече у него болтался «калаш». Другой, как и его начальник, в цивильном прикиде: джинсы, легкая куртка, на голове бейсболка.

— Смотрите мне тут в оба, — завершая, очевидно, инструктаж, довольно громко произнес старший. — А ты, Паша, если появятся какие-нибудь новости, сразу же звони мне на сотовый!

Ткнув пальцем в грудь остающегося здесь оперативника, одетого в цивильное, он круто развернулся на каблуках и направился к выходу из отделения, пройдя мимо сидевшей за столиком медсестры.

Протасов тут же плотно прикрыл дверь. Прижался спиной к прохладной стене, пытаясь сообразить, как ему поступить в этой паршивой ситуации. Сердце отчаянно колотилось в груди, и ему казалось, что эти гулкие удары способны услышать те двое, что остались караулить его в больничном коридоре.

Глава 12

Алексей Бортко, майор милиции, старший оперуполномоченный республиканской СКМ[1], предпочитал использовать для служебных надобностей обычный милицейский «газик». Вот и сейчас, проинструктировав надлежащим образом двух своих подчиненных, выставленных им в качестве охраны у больничной палаты, он протиснул свое массивное тело в разъездной «газон» и, вырулив с больничного двора, направился по одному хорошо известному ему адресу, где, надо полагать, его уже с нетерпением ждали.

У него, правда, имелся собственный «БМВ» пятой модели — ну так что ж из того? Кое у каких начальников из республиканского МВД есть тачки и покруче. Все можно иметь по нынешним временам: и дорогие иномарки, и особняки в частном секторе, и молоденьких красавиц на выбор, и прочие блага современной цивилизации... Даже такому «простому» майору милиции, как он, вполне хватает, чтобы свой бутерброд не только маслицем намазать, но и черной икрой прослоить...

Главное в его работе не зарываться. А еще главнее, быть полезным людям, у которых есть либо власть, либо большие деньги — зачастую же и то и другое.

Человека, к которому он спешил, звали Чертано-

---

[1] СКМ — Служба криминальной милиции.

вым Сергеем Ивановичем. Ему тридцать восемь лет, подполковник госбезопасности в запасе, живет нынче в Москве, работает в одной серьезной охранной структуре, название которой непосвященному человеку ничего не говорит.

Бортко был с ним знаком давно, и достаточно плотно, хотя они и работали в различных ведомствах. Чертанова, с определенной натяжкой, можно назвать местным кадром: Чертанов-старший был крупной шишкой в республиканском УКГБ, его сын тоже начинал службу в органах в этом городе, в те времена еще носившем имя сталинского наркома. В начале девяностых Сергей вслед за отцом, который вскоре вышел на пенсию, перевелся в Москву, продолжив службу в ФСК, переименованной впоследствии в ФСБ. Во Владикавказе он был частым гостем, поскольку по долгу службы регулярно наведывался в регион Северного Кавказа, преимущественно в Северную Осетию, Ингушетию и Чечню. Потом, после одного скандала, суть которого милицейскому майору была известна не слишком хорошо, — то ли группа сотрудников ФСБ намеревалась «завалить» известного олигарха, то ли, наоборот, все они являлись платной агентурой могущественного дельца в этом учреждении, — Чертанов тихонько покинул свою контору, переместившись в частную структуру, где он, продолжая работать по своему профилю, получал зарплату в разы выше, чем свой прежний служебный склад.

Так что Бортко догадывался, чьи интересы обслуживает контора, в которой нынче подвизается Чертанов. Но свои догадки предпочитал держать при себе. Достаточно того, что Черт, когда у него возникает нужда в услугах своего давнего знакомого майора Бортко, никогда не скупится...

Путь отнял у него не более десяти минут. Чертанов, который в этом месяце наведывался во Владикавказ уже во второй раз, по обыкновению остановился в гостевом доме одного крупного местного бизнера, имеющего деловые выходы на Москву. Компанию ему составляли два крепких парня. И уже по первому разговору с Сергеем у Бортко сложилось впечатление, что Черт занимается в их регионе каким-то очень серьезным расследованием.

Дверь милицейскому майору открыл один из двух прибывших во Владикавказ с Чертановым сотрудников. В двухэтажном коттедже, где временно поселились москвичи, кроме них, кажется, никого не было. Молчаливый парень провел визитера в гостиную, где его, сидя в кресле перед телевизором, ждал мужчина средней комплекции, с не слишком запоминающейся внешностью — очки с затемненными стеклами на переносице были едва ли не единственной деталью в его облике, на которую можно было сразу обратить внимание.

Это и был Сергей Чертанов.

— Присаживайся, Алексей, — бывший гэбист скупым кивком указал на свободное кресло. — Выпьешь что-нибудь?

— Я за рулем, — сказал Бортко, вытирая потный загривок носовым платком. — Но от холодной минералки не откажусь.

Молодой сотрудник разлил минералку по стаканам, потом вышел, плотно прикрыв за собой дверь.

Бортко залпом осушил свой стакан, затем, вытерев толстые губы ладонью, сказал:

— Я только что из больницы. Этот мужик, которым ты заинтересовался, с полчаса назад пришел в себя. Но ни имени своего, ни фамилии пока не вспомнил...

— Может, специально «косит»? Как думаешь?

— Может, так, а может, и нет, — Бортко пожал широченными плечами. — Медики говорят, что допрашивать его рановато... Часа через четыре, полагаю, можно будет им вплотную заняться.

Он скосил взгляд на журнальный столик, разделяющий пару кресел, в которых они удобно устроились. На его поверхности, ближе к тому креслу, в котором сидел Бортко, лежал обыкновенный белый конверт без маркировки. Майору хотелось взять со стола этот конверт, раскрыть его и посмотреть, что там, вернее, с к о л ь к о там, внутри? Но он, справившись с этим искушением, пока не стал к нему прикасаться.

Поскольку Чертанов молчал, явно ожидая какой-то дополнительной информации, майор, подняв на него глаза, продолжил:

— Короче, Сергей, хрен поймешь, кто он такой, этот субчик... Никаких документов, я тебе это уже говорил, при нем не обнаружилось. Выскочил посреди ночи, как черт из табакерки... Мои коллеги как раз направлялись к месту ЧП, так он чуть под колеса их тачки не угодил! И ты знаешь, Сергей... Хотя он выполз из провала, считай, в полукилометре от того места, где «Шевроле» протаранил оградку, я сразу просек, что этот подраненный субчик имеет прямое отношение к интересующей тебя компании!

Он налил себе еще минералки, выпил воду теперь уже мелкими неспешными глотками.

— Что еще? Доктор сказал, что у него, у этого субчика, есть старый след от пулевого ранения — в правый бок, навылет, по заверению врача, эта рана у него многолетней давности, — и еще небольшой шрам на левом бедре, оставшийся, возможно, после удара каким-то колющим или режущим предметом... Парню этому, в общем-то, крупно повезло. У него во внутреннем кармане куртки какая-то железка была, вот пуля от нее, значит, и срикошетила, лишь чуть задев мягкие ткани ниже левой подмышки.

— Где сейчас эта «железка»?

— У меня. Это может быть важным вещдоком, потому что на ней есть след от пули.

— Передашь эту штуковину мне, — сказал Чертанов.

— Гм... — Майор задумчиво потеребил подбородок, затем покосился на конверт. — В принципе, я пока еще не оформлял эту находку, хотя ребята из опергруппы в курсе... Добро, Сергей, чуть позже я тебе эту хреновину привезу.

— «Круизер» так и не нашли?

Бортко отрицательно покачал головой.

— «Шевроле» уже вытащили из оврага, а вот другой джип как сквозь землю провалился. Продолжаем, конечно, искать...

— Так же, как и его хозяйка, — заметил экс-гэбист. — Послушай, Алексей... Ты лучше меня знаешь местный контингент. Кто, по-твоему, мог провернуть это дельце?

— Я уже ломал голову над этим, — потерев покатый лоб, сказал Бортко. — С утра озадачил кое-кого из своих информаторов, может, они в клювике что-нибудь полезное принесут. Ты, наверное, в курсе, Сергей, что положение у нас здесь нынче довольно сложное... Ингуши опять наводнили Пригородный район, пытаются вернуть обратно земли, которые они считают по-прежнему своими... На магистрали, да и на других дорогах, что ни день, то разбойное нападение с применением стрелкового оружия, то подрыв на фугасе...

— Ты полагаешь, это дело рук одной из ингушских группировок?

— Это одна из главных версий. Кстати, коль речь зашла про ингушей... Перед тем, как отправиться в больницу, мне удалось кое-что выяснить, что может нам в будущем пригодиться. Есть тут такой Исса Яндиев, полуингуш, получечен... Последние несколько лет занимается «гуманитаркой», сотрудничает с правозащитными организациями, в том числе и зарубежными. Само собой, неплохо на этом деле наваривается... Я узнал, что именно Яндиев контачил с теми людьми, которых посылала к нам эта твоя «бизнес-вумен». Такое впечатление складывается, что именно его она выбрала на роль местного посредника.

— Ну и где он, этот Яндиев?

— Я и это попытался выяснить. Удалось узнать, что он сейчас в Назрани, причем выехал туда еще пару дней назад. Не знаю... Тревожить коллег из Ингушетии, сам понимаешь, дело совершенно бесперспективное. Но как только Исса Яндиев тут нарисуется, я найду способ выяснить степень его причастности к нашему делу.

— Чеченскую общину тоже надо «просветить».

— Сложная задача, — поморщился майор. — Тронешь одного из них, а дело будешь иметь со всем их дерьмовым тейпом... К нам их знаешь сколько под разными предлогами понаехало? Просачиваются, мать их... Но будем, конечно, и чеченскую версию «пробивать».

В этот момент на пороге вырос один из сотрудников Чертанова, но не тот, что открывал Бортко входную дверь, а другой, которого Сергей Иваныч утром отправил с заданием на КПП Верхний Ларс.

— Одну минуту, Алексей...

Чертанов и его сотрудник вышли в коридор.

— Что так долго? — спросил он.

— Человек, которому вы звонили в Ларс, был занят. Пришлось его дожидаться.

— Удалось получить данные на четвертого из их компании?

Сотрудник молча протянул ему сложенный пополам лист бумаги, который Чертанов, развернув, тут же принялся изучать.

— Что? — его брови удивленно поползли вверх. — Так... так... Неужели совпадение?

Несколько секунд он пребывал в глубокой задумчивости, потом, сказав помощнику, что переговорит с ним о деталях поездки в Ларс чуть позднее, вернулся в гостиную.

Хотя конверт по-прежнему лежал на краю стола, можно было быть уверенным, что мент уже успел пересчитать наличку — внутри лежало пять тысяч долларов сотенными купюрами.

Стоило Чертанову кивком указать на конверт с гонораром, как баксы тут же перекочевали в один из карманов дюжего детины.

— Поможешь установить нынешнее местонахождение Истоминой, — негромко произнес гэбист, — получишь вдвойне. Кстати... Парня этого, что вы охраняете в больнице, передашь моим людям. Причем не позднее шести утра завтрашнего дня. Дельце у меня, знаешь ли, такое, что не терпит долгих проволочек.

— Как ты себе это представляешь? — не слишком, впрочем, удивляясь, поинтересовался Бортко. — Думаешь, так легко будет выполнить эту твою просьбу?

— Не думаю, а точно знаю, — криво усмехнулся Чертанов. — Мудрить особо не надо, Алексей. Оформишь его исчезновение как побег... А сам передашь этого субчика моим помощникам.

— Так он же лежачий, — хитро посмотрев на собеседника, сказал майор. — В реанимации, блин, валяется!

— Да хоть парализованный, — почти дружески улыбнулся гэбист. — Ты его моим парням передай, а я ему потом свой диагноз поставлю.

Его рука, скользнув во внутренний карман пиджака, извлекла оттуда еще один конверт.

— Я могу, конечно, и напрямую обратиться к твоему начальнику, — с задумчивым видом произнес Чертанов. — Или все же справишься сам с этим нехитрым дельцем, Алексей?

Ради приличия Бортко выдержал небольшую паузу. И в тот самый момент, когда он намеревался взять из рук своего давнего знакомого конверт с гонораром за дополнительную услугу, вдруг дал знать о себе тревожным пиликаньем его сотовый телефон.

Глава 13

Двое милиционеров, которых Бортко выставил на пост у больничной палаты, где содержали человека, чью личность еще только предстояло уточнить, принялись, скуки ради, флиртовать с молоденькой кареглазой сестричкой.

Оперативник Павел Гущин, рыжеволосый смешливый парень лет двадцати семи, уже почти уговорил девушку соорудить для служивых кофеек. Он даже собирался по-быстрому слетать в расположенный этажом ниже буфет за шоколадкой, оставив у палаты одного сержанта Гогниева. Но едва эта мысль залетела ему в голову, вдруг распахнулась дверь больничной палаты, и на пороге возник рослый мужик в пижаме, с повязкой на голове — тот самый тип, которого они по приказу майора Бортко должны охранять.

— Сестра, можно вас на минуту? — сказал Протасов, игнорируя остальных. — Девушка, милая, у меня такое дело...

— Ну и куда это вы собрались, уважаемый? — подойдя к нему вслед за сестричкой, поинтересовался Гущин.

— А что, собственно, такое? — соизволил наконец заметить его человек в больничной пижаме. — Что вам нужно от меня?

— Я оперуполномоченный Службы криминальной милиции. — Гущин продемонстрировал свою служебную корочку. — Вижу, пришли в себя?

— Я, наверное, сейчас доктора позову, — несколько растерянно произнесла медсестра. — А вам, больной, лучше вернуться в палату!

— Зачем звать доктора? — негромко сказал Протасов. — Я хочу в туалет! Только и всего... Да не бойтесь вы, я в норме!

— Я вижу, вы уже почти в порядке, — одобрительно улыбнулась медсестра. — Может, на «утку» сходите? Нет? Ладно... Пойдемте, я вас провожу до места.

Гущин жестом остановил девушку.

— Извините, сестричка, — твердо сказал он. — Я сам составлю компанию вашему больному...

Протасов просчитывал ситуацию так, что ему придется иметь дело сразу с двумя ментами. К счастью, эти двое явно не считали его опасной личностью... За ним увязался рыжий оперативник, другой же, сержант в милицейской форме, остался на прежнем месте, неподалеку от входа в отделение, в компании все с той же симпатичной кареглазой сестричкой.

Туалет находился в конце коридора, в закутке рядом с запасным выходом.

Протасов направился к писсуару, вроде как собирался малую нужду справить. Опер, оставив дверь открытой, прошел в предбанник... где имелись раковина и зеркало. Глянув в зеркало, пригладил ладонью волнистые, с рыжеватым отливом волосы. Затем, вспомнив о ЦУ, полученных от начальника, полез в карман за сотовым телефоном.

Майор приказал, как только этот деятель придет в себя, сразу же прозвонить ему на мобильник...

Рыжеволосый оперативник начал уж было набирать номер сотового телефона своего начальника, как вдруг заметил, что с его подопечным творится что-то неладное... Тот вдруг сильно покачнулся, цепляясь рукой за стену... А потом и вовсе стал медленно заваливаться на бок, все еще пытаясь удержаться за вертикальную перегородку.

Опер Гущин, а на его месте так поступил бы каждый, метнулся к подранку, который, кажется, сильно переоценил свое физическое состояние.

«Ну и куда ты, блин, поперся! — успел он выругаться про себя. — Говорили же тебе — воспользуйся «уткой»!

И тут же нарвался на мощный удар локтем, пришедшийся ему в аккурат под левую скулу...

Протасов на несколько секунд замер, прислушиваясь к звукам, доносившимся из коридора через приоткрытую дверь... К счастью, он успел «зафиксировать» жертву, не позволив ей грохнуться на пол, наделав тем самым ненужного шума, — одной рукой поймал нарвавшегося на убойный удар «рыжего» за воротник куртки, одновременно с тем его правая, согнутая в локте рука легла на горло беспечного мента...

Проводить добавочный удушающий прием Протасову не потребовалось, поскольку несчастный опер и без того не подавал признаков жизни. Конечно, парень потом оклемается — убивать его в планы Протасова не входило, — но произойдет это очень не скоро.

Теперь нельзя было терять ни секунды.

Продев руки под мышки своей жертве, Протасов волоком втащил оперативника обратно в предбанник. Здесь он аккуратно уложил тело на пол, предварительно завладев чужой курткой. Прикрыл дверь, поставив ее на защелку. Далее, продолжая действовать в хорошем темпе, в несколько приемов освободил рыжеволосого сотрудника местного угрозыска от одежды, раздев его до трусов. Ростом и комплекцией они примерно соответствовали друг другу, так что одежда и даже обувка, которые Протасов тут же примерил на себя, оказались ему более или менее впору...

Несколькими минутами ранее, еще находясь в палате, он ослабил узел своей головной повязки. Понятно, что с таким «шлемом» на голове он будет выглядеть на городских улицах подобно белой вороне. Встав перед зеркалом и чуть наклонив голову вперед, он потянул за кончик повязки, быстрыми круговыми движениями разматывая бинт на всю его длину... Почти на самом темечке обнаружилась приличных размеров шишка, а также «нашлепка», — что-то вроде куска лейкопластыря, — которую Александр благоразумно решил не трогать, равно как и «корсет» из бинтов, стягивающий его грудную клетку.

К тому же он ощущал себя сейчас скрягой, ведущим скрупулезный счет каждому из поистине драгоценных мгновений, зная, сколь ограничен его временной ресурс.

Как и предполагал Протасов, у оперативника при себе оказался табельный «ПМ» — «макаров» хранился в наплечной кобуре под курткой. Но ни пистолет, ни документы у «рыжего» он отбирать не стал: если у него при себе будет ментовский «ствол», то коллеги рыжего оперативника, если им удастся настичь беглеца, церемониться с ним не будут — в таких случаях отдается приказ стрелять «на поражение»...

Выгреб только рублевую наличность из «лопатника» да еще прихватил напоследок бейсболку с эмблемой нью-йоркской полиции — такой головной убор, с учетом покорябанной черепушки, оказался сейчас вовсе не лишним.

Вся эта действующая на нервы возня отняла у него минуты три. И еще столько же времени понадобилось, чтобы проскользнуть по лестнице к запасному выходу, преодолеть расстояние до калитки в больничной ограде и, выйдя наружу, оказаться на одной из тихих, утопающих в зелени городских улочек...

Уже по отрывочным репликам милицейского майора, сказанным им позвонившему ему на сотовый телефон сотруднику, Чертанов понял, что произошло нечто из ряда вон выходящее.

Закончив переговоры, побагровевший Бортко уставился на экс-гэбиста, который в отличие от него внешне выглядел совершенно спокойным.

— Ты не поверишь, Сергей, — сказал он, облизнув мясистые губы. — Но тот субъект, который тебя так интересует и которого двое моих сотрудников стерегли в республиканской больнице, — с б е ж а л!

— Это что, шутка? — сухо произнес Чертанов. — Как он мог подорвать, если его охраняли твои люди?! К тому же он ведь в реанимации лежал, так?

— В том-то и дело! — угрюмо отозвался Бортко. — Он же в бинтах весь, как мумия был замотан! Я своими глазами это видел!

Он с завидной легкостью, несмотря на крупные габариты, выдернул свое тело из кресла. А вслед за ним поднялся и Чертанов.

— Что ты собираешься предпринять, Алексей? — спросил он у милицейского майора.

— Поеду в больницу, конечно, — сказал тот, раздраженно пожав плечами. — Узнаю на месте, что там стряслось, снесусь со своим начальством, а потом уже тебе перезвоню!

Когда они вышли из коттеджа во двор к милицейскому «газику», Бортко нехотя запустил руку во внутренний карман, где лежали конверты с только что переданными ему Чертановым дензнаками. Экс-гэбист, легко прочтя его мысли, сделал протестующий жест.

— Это досадное недоразумение на наши взаиморасчеты никак не влияет, — сказал он, усмехнувшись краешком губ. — Я к тебе прикомандирую одного из своих помощников, он сообщит кое-какие данные на этого сбежавшего от твоих сотрудников типа... В вашем городе этот человек — чужак. Куда он, спрашивается, от вас денется?! Но учти, майор... Этот борзый мужик нужен мне живым и невредимым! В таком виде, как он сейчас есть! Потому что он, сдается мне, так и останется единственной реальной зацепкой в деле об исчезновении некой Тамары Истоминой...

Саит припарковал темно-серый «Ауди-80» во дворе панельной пятиэтажки, расположенной в непосредственной близости от комплекса строений республиканской больницы. Компанию ему составлял его кунак Беслан. Ожидать новостей им пришлось около получаса. Вишневая «девятка», только что отъехавшая от центрального корпуса больницы, едва миновав въездные ворота, тут же свернула во двор пятиэтажки, припарковавшись по соседству с подержанной «Ауди».

Водитель «девятки», мужчина лет тридцати с темными усиками на рыхлом, покрытом оспинками лице, служил в местном филиале северокавказского РУБОПа. А по совместительству являлся информатором Вахи Муталиева и его более высоких покровителей.

Они о чем-то пошептались с Саитом минуту-другую, после чего вайнах, сохраняя до крайности угрюмый вид, вернулся в салон «Ауди». Здесь он вкратце

138

пересказал кунаку только что услышанные из уст информатора новости.

Их, этих новостей, было две, причем обе были — плохие.

Первая заключалась в том, что человек, которого они к о н ч и л и на обочине пригородного шоссе, каким-то непостижимым образом оказался жив и этой ночью был доставлен в республиканскую больницу, где ему была оказана экстренная медицинская помощь.

Вторая новость ничем не лучше... Этот субъект, которого милиция охраняла как возможного ценного свидетеля, вместо того чтобы тихо преставиться на операционном столе либо скромно возлежать под капельницей, пребывая в состоянии комы, умудрился как-то нейтрализовать милицейскую охрану и дал деру в неизвестном направлении.

Тем самым он привлек к себе еще большее внимание со стороны местных правоохранительных органов. А вместе с этим, не исключено, теперь гораздо большее внимание будет уделено и тому инциденту на ночной трассе, к расследованию которого уже привлечены сотрудники республиканской криминальной милиции.

— Сам не знаю, как такое могло случиться?! — мрачно произнес Саит. — Ты же свидетель, кунак, что я с одного выстрела прошиб эту собаку насквозь!

— Надо было ему голову отрезать, — меланхолично заметил Беслан. — Без головы он бы далеко не убежал!

— Наверное, у этого кяфира две жизни, — задумчиво сказал Саит. — Ну ничего... В следующий раз, когда он мне попадется, я ему сердце вырву!

В этот момент запиликал сотовый телефон. Вытащив из чехольчика трубку, Саит сверился с номером, высветившимся на экранчике, — это был сам Муталиев.

— Возвращайтесь! — распорядился Ваха, который, очевидно, уже был в курсе всех новостей. — Вы мне оба нужны, причем — ср-рочно!

Глава 14

Краткое по времени общение с «видеооператором», в чьих скупых, но в то же время многозначительных репликах, в самой их интонации смешались воедино загадочная ухмылка и не высказанная пока вслух угроза, усугубило давящее на ее психику чувство одиночества и собственной незащищенности. Последующие несколько часов, проведенных Истоминой в полной изоляции, показались девушке вечностью...

Как бы ни складывалась ее жизнь в последние годы и каковы бы ни были причины, заставлявшие ее вести довольно уединенный образ жизни, сама Тамара отнюдь не считала себя хрупким комнатным растением, способным существовать исключительно в тепличных условиях. Но еще меньше оснований у нее имелось для того, чтобы числить себя бывалым, закаленным в жизненных передрягах человеком.

Она всегда находилась под чьим-то заботливым приглядом. Она давно привыкла как к самому факту опеки, формы которой вплоть до недавней поры оставались довольно строгими, так и к тому, что папа, действуя через специально отобранных им людей, всеми силами стремился обеспечить для своего чада «полную безопасность». Отец никогда и ничего не навязывал ей — во всяком случае, начиная с той поры, как ей стукнуло восемнадцать, — но был неизменно строг во всем, что касалось ее личной безопасности. Это не был жесткий диктат, скорее несколько гипертрофированная реакция на трагические события, с момента которых уже минуло более десятка лет. Папа настолько трепетно относился к своей дочери, настолько не чаял

140

в ней души, что она, стоило ей только захотеть, могла бы помыкать своим состоятельным родителем, как ей заблагорассудится. Но в то же время, явно или скрытно, он продолжал внимательно отслеживать все, что могло представлять малейшую опасность для его дочери.

Многие годы она жила с мыслью, что с ней ничего дурного случиться не может по определению. Папа обладал столь мощной харизмой, он казался таким сильным и надежным человеком, что даже в его отсутствие, в те периоды, когда они не виделись неделями и даже месяцами, когда их разделяли тысячи километров, Тамара ощущала себя в полной безопасности. Она знала, что если не сам отец, то кто-то из его надежных помощников, в случае сколь-нибудь серьезных затруднений, возникнет рядышком с ней, как по мановению волшебной палочки. И хотя она прожила почти половину жизни в тихих благоустроенных кварталах пригородов Лондона и Саутгемптона, воспринимая, подобно значительной части своего поколения, существующее в мире зло как телевизионную картинку, как «окошко» в виртуальном мире глобальной Сети, как нечто опасное, но проявляющее себя лишь где-то на периферии их собственного мира, она отчетливо понимала, что в случае возникновения малейшей угрозы ее жизни отец способен не просто наказать, а даже убить того или тех, из-за чьих действий могла бы пострадать его дочь.

Именно поэтому то, что происходило сейчас с ней, было настолько чудовищным для Тамары Истоминой, настолько неправдоподобным, что она отказывалась верить в реальность происходящего...

Из этого состояния странного оцепенения ее вывел целый шквал разом обрушившихся на нее громких звуков. Сначала лопнуло что-то за стеной, бритвенно полоснув по нервам. Наряду с частыми сочными хлопками, донесшимися из соседнего помещения, с небольшой задержкой по времени, всего в несколько секунд, громыхнуло в коридоре... Оттуда же, из-за двери, донесся чей-то стон, оборванный еще одним выстрелом. Все смешалось воедино: грохот выстрелов, ругань, топот шагов...

Кто-то снаружи рывком распахнул дверь. В помещение ввалились двое мужчин в камуфляже и бронежилетах. На лицах маски. Один из них, жестом указав напарнику на вторую имеющуюся здесь дверь, тут же метнулся к Истоминой — девушка сидела на краю кушетки, обхватив голову руками.

— Не бойтесь, Тамара, мы свои, — громко произнес человек в камуфляже. — Вы как, в порядке? Надеюсь, вы не ранены?

Действуя осторожно, но в то же время решительно, он помог девушке встать на ноги. Ее ноздри отчетливо улавливали исходящий от экипировки боевика острый запах пороховых газов.

— Здесь больше никого нет, командир, — доложил еще один боевик, объявившийся в дверном проеме. — Ситуация полностью под контролем.

— Добро. Подгоните наш транспорт вплотную к дому! Будем эвакуировать девушку...

Двое оставшихся боевиков действовали хотя и без суматошной спешки, но достаточно быстро. Один из них, осмотрев помещение и туалетную комнату, занялся вещами Истоминой, намереваясь вывезти их отсюда вместе с самой «кавказской пленницей». Другой, явно старший в этой компании, легонько тряхнул девушку за плечи, надеясь таким нехитрым способом привести ее в чувство.

— Вы способны сами передвигаться? — спросил он.
— Д-да.

— Все будет нормально, Тамара, — долетело до нее из-под маски. — Готовы? Сейчас мы доставим вас в безопасное место...

Он набросил на нее камуфлированную накидку, сказав — «так нужно», после чего, приобняв девушку за талию, увлек ее за собой.

Увидев в коридоре распростертого мужчину, из затылка которого на пол натекла лужица крови, Тамара сдавленно охнула.

— Ничего не бойтесь, — успокаивающе сказал ее поводырь. — Просто переступите через тело! Вот так...

Еще одно тело обнаружилось возле лестницы, по которой они спустились в цокольный этаж, где был обустроен гараж. Обе половинки гаражной двери были распахнуты, сам же проем почти целиком занимала корма микроавтобуса. Дверцы люка со стороны кормы были раскрыты, негромко урчал в полной готовности движок. Тамара и охнуть не успела, как ее втащили в салон, в котором за тонированными стеклами царил полумрак...

Ее усадили в одно из кресел. Рядышком, подпирая девушку своим литым плечом, уселся все тот же «старший». В салоне, кроме них, расположились еще двое вооруженных людей. Один из них закрыл кормовой люк. Водитель тронулся с места, после чего микроавтобус, плавно покачиваясь на рессорах, выкатился через ворота в краснокирпичной ограде на тихую, сонную улочку пригородного поселка...

Тамара чувствовала себя полностью опустошенной. По идее, она должна была бы сейчас испытывать просто-таки сумасшедшую радость из-за того, что ее так быстро освободили, что она осталась цела и невредима. Ничего этого не было и в помине. Возможно, она устала, исчерпав до донышка свою жизненную энергию. Или еще не осознала до конца случившегося с ней... Как бы то ни было, на душе у нее по-прежнему было муторно, а в горле стоял тошнотный комок — ей казалось, все вокруг пропитано запахом крови и пороховых газов...

Все же она нашла в себе силы, чтобы спросить:

— Скажите, кто вы такие? Вы из органов?

— Через несколько минут мы будем на месте, — сказал старший. — Не беспокойтесь, Тамара, самое страшное позади.

— Это Ахмад вас послал, да? — произнесла она прыгающими губами. — А где же сам Бадуев?

— Расслабьтесь, Тамара, — тем же успокаивающим тоном произнес сидящий рядом боевик. — Вас ждет приятный сюрприз... Кстати, мы уже и приехали!

Она так и не поняла, куда ее привезли. Двое крепких мужчин помогли ей выбраться из микроавтобуса, припаркованного во дворе какого-то громоздкого, смахивающего на крепость особняка. Не успела она толком оглядеться, как ее ввели внутрь дома. Старший помог девушке избавиться от накидки, в которую она была закутана. Затем он, открыв одну из дверей, жестом пригласил Тамару пройти внутрь; а сам, едва она подчинилась, тут же куда-то испарился.

В комнате, увешанной дорогими коврами ручной работы, горел яркий электрический свет. Посреди помещения, лицом к ней, стоял мужчина лет сорока с небольшим, одетый в элегантный темно-серый костюм и черную кавказскую рубаху. Хотя Тамара считалась высокой девушкой, все же этот человек был выше ее на полголовы. На лице — его можно было бы назвать красивым, если бы не нагловатые, чуть навыкате глаза — красовалась аккуратно подстриженная борода. Ну а в целом, уже с первого взгляда в этом человеке, которого Тамара ни разу прежде не видела вот так, воочию, ощущался немалый заряд жизненной энергии.

В свою очередь, мужчина тоже внимательно разглядывал свою гостью. Они изучали друг друга несколько секунд, показавшихся Тамаре вечностью. Она подметила еще одну деталь, заставившую ее побледнеть.

У мужчины, к которому ее доставили вооруженные люди, освободившие ее из «плена», на правой руке недоставало двух пальцев — большого и указательного.

Ильдас Хорхоев улыбнулся, обнажив молодые и по-волчьи острые зубы.

— Рад тебя видеть, дорогая племянница! — сказал он вначале по-вайнахски и тут же перевел на русский: — Добро пожаловать обратно в Семью.

Глава 15

Протасов прекрасно осознавал, что после его сумасбродной акции в республиканской больнице, когда сами обстоятельства вынудили его подорвать, несмотря на неважное физическое состояние, да еще «обидеть» приставленного к нему сотрудника уголовки, местная милиция может организовать масштабные мероприятия по немедленной поимке беглеца.

Он находился в чужом городе, без документов, с небольшой суммой денег в кармане, — вся его наличность составляла триста рублей с мелочью, — которой было явно недостаточно для того хотя бы, чтобы перебраться в другую, более безопасную для него местность.

Почти два с половиной часа он провел на скамейке в городском парке, забившись в самый глухой его уголок. Предварительно Александр в одном из киосков печати купил на отнятые у «рыжего» деньги непритязательного дизайна солнцезащитные очки, призванные замаскировать синяки под глазами... А также приобрел газету, опять же с целью нехитрой маскировки, пачку «Кэмела», зажигалку и бутылку минеральной воды.

Вода была как нельзя кстати: его бросало то в жар, то в холод; губы пересыхали, нутро горело, как наутро после крутой выпивки, все время хотелось пить...

А что тут удивляться? Всего каких-то двенадцать часов назад он лежал на хирургическом столе. И пусть операция была несложной, а полученная им рана пустяковой, последствия недавнего ЧП, в особенности же головоломного полета в заросший кустарником овраг, все еще заметно сказывались на его самочувствии.

Не помешало бы, конечно, принять пару таблеток аспирина, желательно «бауэровского». Но пришлось бы наведаться в аптеку, а это в его положении чревато крупными неприятностями. Поэтому вместо лекарства он выкурил пару-тройку сигарет, хотя и осознавал, что это не самая удачная идея.

Другая идея, посетившая его, пока он сидел на парковой скамье, была гораздо более продуктивной. Он вспомнил разговор в салоне «Лэнд-Круизера», оборванный, кстати, на самом интересном месте в связи с внезапным нападением на Тамару каких-то неизвестных лиц. В брошенной тогда кем-то реплике — кажется, она принадлежала несчастному кахетинцу Григорию — фигурировало название одного из местных населенных пунктов, знакомое Протасову отнюдь не понаслышке.

Единственный человек, который мог оказать ему реальную помощь в этой непростой ситуации, жил некогда в поселке Ир, населенном со времен осетино-ингушского конфликта преимущественно потомками древних аланов.

Других вариантов для него, кажется, не существовало.

До поселка Ир Протасов добрался маршрутным автобусом. Стремясь хоть в какой-то степени обезопасить себя от контактов с местной милицией, он не пошел на центральный автовокзал, откуда берет начало этот пригородный маршрут, а забрался в «Икарус» на следующей остановке, расположенной рядом с городским парком, где он обрел свое временное укрытие. Руководствуясь теми же соображениями, сошел с автобуса не на конечной остановке, в центре поселка, а на предпоследней, откуда, кстати, ему было даже ближе до цели.

Еще одну важную вещь он вынужден был держать в уме. Хотя Ир довольно крупный поселок с населением в несколько тысяч человек, все же появляться здесь засветло не стоило. Местные знают всех своих наперечет, и если в дом одного из самых уважаемых в этих краях осетина наведается посторонний, чье обличье сразу выдаст в нем чужака, у соседей могут возникнуть ненужные вопросы.

Когда он выбрался из автобуса, было уже около половины девятого вечера. Пока Протасов прошагал примерно с полкилометра до цели, на землю опустились густые сумерки. Но он не боялся заблудиться, потому что улица вывела его прямиком к трехэтажному зданию местной школы, которое являлось не только прекрасным ориентиром, но и было хорошо знакомо ему по событиям многолетней давности.

Мимо него прошла стайка мальчишек, возвращавшихся со спортивной площадки, где они гоняли мяч до темноты. Здание школы, по причине летних каникул, пустовало; горел лишь фонарь над входом, да еще светилось одно из окон первого этажа. Протасов обогнул с торца здание школы, пересек заасфальтированный «плац» и оказался на пустой спортивной площадке.

Вновь оказавшись в уединении, он сел на лавочку,

закурил. Сделав глубокую затяжку, посмотрел в ту сторону, где находится нужный ему дом — третий по улице, если отсчитывать от здания школы. Пожалуй, нужно еще немного выждать, чтобы суета в поселке окончательно улеглась; народ здесь ох какой глазастый.

Вечер был довольно теплый. Сквозь листву деревьев, почти вплотную к тому краю площадки, где он находился, там и сям проклевывались теплые электрические огоньки. Где-то едва слышно играла музыка; со стороны центральной улицы доносилось временами урчание автомобильных движков, в соседнем квартале как-то вяло, совсем не злобно, перебрехивались собаки...

В этот августовский вечер вся округа выглядела мирно, покойно, умиротворенно.

Не таким запомнился поселок Ир Александру Протасову. Совсем не таким.

Запомнился он четырьмя показавшимися бесконечными днями и ночами, когда ему и небольшой горстке солдат, десантникам и бойцам подразделения внутренних войск, удалось предотвратить готовую вот-вот начаться жесточайшую резню.

Протасов в ту пору был зеленым юнцом. Всего два месяца он носил на плечах лейтенантские погоны. Ну а в должности взводного он и вовсе был утвержден за несколько дней до начала тех драматических событий.

Он не знал ни замыслов командования, ни оперативной обстановки в «буферной зоне», где предстояло развести обе враждующие стороны. Точно так же ему были неведомы причины межэтнического конфликта в Пригородном районе Северной Осетии, вылившегося в ожесточенные столкновения между осетинами и ингушами в конце 92-го и начале 93-го годов. Он лишь запомнил, что вокруг тогда царил полный хаос; в напряженной атмосфере уже вполне осязаемо потянуло запашком крови и гарью от занявшихся пожарищ.

Рота армейского спецназа, приданная для усиления батальону внутренних войск, выделенному из состава оперативной дивизии ВВ «Дон», — именно эта часть и должна была обеспечивать порядок в поселке Ир, — вначале угодила в плотный затор по дороге к месту назначения, а затем оказалась разорванной надвое. В пригородный поселок, на окраине которого уже горели частные дома и откуда явственно доносились спорадические вспышки стрельбы, удалось пробиться частью по шоссе, частью по раскисшим полям, когда приходилось объезжать перегородившую дорожное полотно технику и выставленные на трассе «живые заслоны», лишь незначительному контингенту федеральных сил. Из всей колонны в «точку» вышел лишь протасовский взвод в полном составе да еще взвод вэвэшников, которым командовал такой же неопытный, как он, молоденький офицер.

Никого из начальства рядом с Протасовым и этим вэвэшным старлеем в этот пиковый момент не оказалось. Последний, кстати, как только понял, что они угодили в самое пекло, попытался со своими ребятами выскочить обратно. Но не тут-то было... Местные чуть под колеса не кидались, а когда поняли, что горстку федералов, в которых они видели своих защитников, тоже обуяла паника, то в отчаянии даже пошли на то, что спалили тентованный «Урал», пригрозив сделать то же самое с двумя оставшимися в распоряжении вэвэшников бэтээрами...

Протасову удалось снестись по рации с ротным. Тот сказал, что его с двумя взводами и небольшим подразделением внутренних войск заблокировали в одном из соседних ингушских сел. Когда Протасов доложил обстановку и спросил, что ему в этой ситуации предпринять, — ни одна рация вышестоящих штабов на вызовы не отвечала, — ротный, нажимая на ненормативную лексику, подтвердил ему, со слов находящегося рядом с ним вэвэшного подполковника, прежнюю задачу — встать между враждующими сторонами и не допускать кровопролития до прибытия подкрепления из числа федералов.

«Не вздумай сбежать, Протасов, — сказал ротный, прежде чем накрылась радиосвязь. — И учти, взводный... Если позволишь себя разоружить, пойдешь под трибунал!»

Конечно, никаких трибуналов в ту пору не существовало, но эта проговорка была не случайной, свидетельствуя о том грузе ответственности, какой вдруг свалился на их неокрепшие плечи.

Те драматические события, кажется, намертво врезались в его память.

Протасов помнил, что, когда он выбрался наружу из «бэтээра», окруженного толпой местных жителей, к нему подошли несколько старейшин. Гвалт и ор тут же стих, будто кто-то щелчком переключателя убрал звук. Поскольку он волей случая оказался старшим среди федералов, — вэвэшный старлей предпочел со своими людьми перейти под его начало, — то именно к нему обратились старейшины. Вернее, говорил с ним только один из авторитетных осетинов: это был крепкий еще старик лет семидесяти, в расстегнутом на груди полушубке, под который был пододет «парадный» пиджак с колодкой орденов и медалей на груди — судя по наградам, ветеран Великой Отечественной войны.

Он сказал, что ингуши уже захватили несколько домов на окраине поселка и теперь пытаются просочиться небольшими группами в центр населенного пункта. Противостоят им сейчас полтора десятка местных милиционеров, а также наспех собранный отряд самообороны. Говорил он довольно грамотно и доходчиво, по-военному кратко и емко обрисовав сложившуюся здесь обстановку. Попросил же о следующем: взять под защиту федералов хотя бы центральную часть поселка, — он, конечно, видел, что под рукой у Протасова нет и полусотни бойцов, — в особенности же больницу и здание школы. Именно в эти два строения, наиболее пригодные для обороны, старейшины намеревались поместить если не всех, то большую часть женщин, детей и стариков. Это позволит высвободить несколько десятков мужчин, большей частью уже вооруженных, которых можно будет использовать для обороны села.

Протасов предупредил старейшин, что он и его солдаты не намерены вмешиваться в конфликт. Ни на чьей стороне они воевать не станут. У него жесткий приказ — «разводить» конфликтующие стороны. Конечно, он сделает все возможное, чтобы обеспечить защиту гражданского населения. Но охранять одновременно два объекта, школу и больницу, он не сможет, у него попросту недостает сил.

Тут же он выставил боевое охранение и расставил бронетехнику — два БТР, две БМП и одну БМД — таким образом, чтобы в случае крайнего обострения ситуации можно было держать под обстрелом окрестные улицы в районе поселковой школы.

Вечером тех же суток в здании, которое сейчас находится всего в сотне шагов у него за спиной, собрались, прихватив из своих домов лишь самое необходимое, несколько сотен женщин, детей и стариков. Он не знал, сколько их там собралось, тех, кто уповает не только на своих сыновей, братьев и отцов, но и на него, лейтенанта Протасова, и его молоденьких необстрелянных бойцов. Он знал одно: никто из этих людей, пока он находится здесь, не должен умереть.

Поэтому он отдал своим бойцам приказ: при любых попытках обстрелять школу, в стенах которой нашли убежище сотни мирных жителей, открывать огонь на поражение.

Вспоминая те события, он подметил в себе одну любопытную вещь. Ни тогда, ни тем более теперь он не испытывал ни малейшей неприязни к ингушам или к кому бы то ни было (его отношение к чеченцам — единственному исключению — тема для отдельного разговора). Окажись он тогда не в осетинском, а в ингушском селении, действовал бы точно так же. Вообще ненависть — это очень сильное чувство, и, как правило, оно сопряжено с потерей чего-то бесконечно дорогого, к примеру, близких людей, погибших по чьей-то злой воле. Но его родители тогда еще были живы, поэтому ненависти в нем не было ни грамма.

Правильнее сказать, он испытывал тогда чувство тревоги, обеспокоенности и еще крайней досады. Досады на тот бедлам, который царил, к счастью, не слишком долго, в этом красивом уголке Северного Кавказа. И еще он досадовал на тех, кто норовил раздуть тлеющие угольки разногласий, существующих между соседними народами, и на других, кто допустил, вернее, спровоцировал саму возможность существования в стране множества такого рода «горячих точек».

Если бы он не давил огнем крупнокалиберных пулеметов малейшие попытки обстрелять центр поселка, в особенности здание школы, то еще неизвестно, чем бы все здесь закончилось...

Ножевое ранение он получил на четвертые сутки этого противостояния, когда накал страстей стал уже помаленьку спадать (таково было его личное впечатление). В поселок сумела прорваться еще одна небольшая колонна федералов, дышать Протасову сразу стало полегче. На окраине поселка затеялись переговоры между осетинами и ингушами. По просьбе старейшин Протасов с парой бэтээров и двумя десятками бойцов присутствовал при сем событии — обе стороны по-прежнему не доверяли друг другу. Одновременно с ними к месту переговоров прибыли три или четыре армейских «уазика» в сопровождении бронетехники. Наконец, соизволили прибыть милицейские чины, а также с полдюжины сотрудников госбезопасности.

Бэтээр, на котором пришлепал на околицу Протасов и его спецназовцы, сразу же окружила толпа ингушей, среди которых было немало женщин. Поднялся крик, в бойцов полетели комья грязи, камни, какие-то железки. Короче, «пробили» они таки тех федералов, кто почти четверо суток, иногда огрызаясь огнем, не пропускал в поселок группы вооруженных ингушей...

Надо сказать, что один из подъехавших сюда гэбистов, сотрудник республиканского управления в звании капитана, переговорив с кем-то из влиятельных ингушей, сумел сбить агрессивный настрой с этой толпы раскаленных от горя и ярости людей.

Он похвалил Протасова за его самоотверженные и довольно грамотные, как он заверил, действия, не забыв представиться — капитан госбезопасности Чертанов.

Позже Протасов еще раз столкнулся с «чекистом», в Чечне, осенью девяносто четвертого, где они познакомились уже более обстоятельно. Там же, и в то же время, пересеклись их пути с чеченцем Ахмадом, нынешним спутником «юной леди». Именно об этой истории, в которой осталось кое-что неясным для самого Протасова, он и хотел расспросить опекающего Тамару вайнаха.

153

Что же касается ножевого ранения, то получил его Протасов буквально в последний момент, когда они уже собирались возвращаться в поселок, где его сборную команду должно было сменить только что прибывшее подразделение внутренних войск. Он поднимался на броню, когда кто-то из толпы, вновь осадившей машину спецназовцев, выхватил в этой суматохе нож... Очевидно, этот смуглолицый парень настолько был ослеплен яростью, что даже не заметил, что на Протасове, поверх бушлата, надет «броник». Лезвие ножа, скользнув по жилетке, полоснуло по бедру, оставив на теле Протасова отметину в виде кривого, похожего на полумесяц шрама, как память о тех драматических событиях...

Было и еще одно памятное событие, которое, собственно, и привело его сюда сейчас. За несколько минут до того, как на этой самой площадке возле здания школы приземлился «Ми-8», чтобы забрать раненых, включая гражданских лиц, — Протасов и еще четверо его бойцов, получивших ранения различной степени тяжести, лечились в военном госпитале в Моздоке, — кто-то из местных доставил на машине одного из старейшин, который ради короткого разговора с зеленым летехой приостановил даже такое важное дело, как миротворческие переговоры с соседями-ингушами.

Это был тот самый крепкий старик, с «иконостасом» на груди.

«Спасибо тебе огромное от всех нас, сынок, — сказал он, крепко пожав руку смутившемуся спецназовцу. — Меня зовут Грис, по-вашему — Григорий. Григорий Дзамболов, запомнил? Когда вылечишься, ждем тебя всем селом в гости! И запомни... Здесь, в поселке Ир, отныне тебе всегда будут рады, у нас ты всегда и при любых обстоятельствах можешь рассчитывать на помощь, защиту, пищу и кров!»

Дом был добротный, двухэтажный, вдобавок с летней мансардой, с примыкающими к нему хозпостройками — он явно был построен для совместного проживания двух, а то и трех семей. Вместо кирпичной ограды участок был обнесен по периметру живой изгородью. В окнах первого этажа и на застекленной веранде горел свет. Когда Протасов ступил на выложенную плиткой дорожку, ведущую к небольшой площадке перед домом, послышалось звяканье цепи, и тут же подала голос собака, призванная стеречь это хозяйство.

Протасову не оставалось ничего иного, как ждать, оставаясь на месте, пока кто-нибудь выйдет к нему из дома. Не факт, конечно, что старик все еще жив. Или, даже если он, несмотря на довольно преклонный возраст, находится в добром здравии и способен узнавать окружающих, не факт, что он сможет признать человека, который пожаловал в его дом в этот неурочный час...

Впрочем, ожидать ему долго не пришлось: из дома вышел какой-то молодой мужчина, а на веранде вдобавок проявился женский силуэт.

Мужчина остановился, чуть не доходя до него, и, вглядываясь в незнакомца, произнес несколько слов с вопросительной интонацией. Протасов не знал осетинского, поэтому он ничего из сказанного не понял.

— Добрый вечер, уважаемый, — сказал он негромко. — Мир вашему дому! Могу я увидеть достопочтимого Григория Дзамболова?

Мужчина, которому было примерно столько же лет, что и Протасову, бросил на него удивленный взгляд. Протасов подумал было, что хозяин скажет сейчас: «Старик, к сожалению, умер...» Или выскажется по-другому: «Проваливай-ка ты отсюда!» Но вышло все по-другому.

— А кто вы, собственно, такой? — поинтересовался осетин. — И что вам нужно от дедушки Гриса?

— Так вы его внук?

— Да, я его внук, — подтвердил мужчина. — А вы что, знакомы с моим дедом?

— Ваш дедушка сейчас дома?

— Где же ему еще быть? Ну так что ему сказать? И как мне вас представить?

Протасов задумался лишь на короткое мгновение.

— Скажите, что к нему пришел тот самый лейтенант, который оборонял вашу поселковую школу.

...Молодой осетин вернулся неожиданно быстро.

— Ну что же вы, уважаемый! — скороговоркой сказал он, одновременно жестом приглашая пройти в дом. — Надо было сказать, кто вы есть! Грис меня ругает, что я вас сразу в дом не впустил...

Старик за эти годы почти не изменился. Только пиджак на нем был другой, домашний, без наградных планок. Сохраняя молчание, он серьезно осмотрел нежданного визитера, буквально от макушки, залепленной большим куском пластыря, и до разношенных коричневатых туфель.

Его изборожденное морщинами лицо вдруг разгладила добрая улыбка.

— Ну, здравствуй, сынок! — сказал он, обняв за плечи дорогого гостя. — Наконец... А я уж думал, ты к нам так никогда и не приедешь.

Глава 16

Ильдас Хорхоев, руководствуясь своим богатым жизненным опытом, в котором наряду с удачными свершениями имели место также крупные провалы, не стал с первых минут их знакомства давить на свою гостью. Большой соблазн — попытаться решить все одним махом... Но что прикажете делать, если девушка вдруг упрется? Если она напрочь откажется выполнять предъявленные ей требования? Кромсать на куски ее молодое, красивое, цветущее тело? Пытать самым безжалостным образом, благо опыт такой имеется? Ломать ее психику? Сдирать с нее лоскутами не только кожу, но и саму человеческую оболочку, играя на обнаженных, пульсирующих болью нервах? Добиваясь при этом от нее тупой, рабской покорности?

Но сколько на это может уйти времени?

И где гарантия, что самые безжалостные методы принуждения, если попытаться применить их к этой молодой женщине, способны дать нужный Хорхоеву результат?

Человеческая психика — дело темное, до конца никем не понятое. Раз на раз не приходится... Одного чуть припугнешь, придушишь малость, так он сразу на все подписывается. Другой тихо скажет «нет», и ты хоть на куски его режь, все равно того, что нужно, от него не добьешься.

Вот так они с Бекмарсом, к примеру, обожглись на Рассадине, самом близком приятеле покойного старшего брата. Сначала по-хорошему пытались решить с ним «вопросы», но терпения на долгие уговоры не хватило, поэтому взяли его в крутой оборот. И что же? Пока ни черта не добились... Николай уперся на своем, все застопорилось, результат всей этой возни — нулевой.

Конечно, долго сюсюкать с этой девушкой он не собирается. На это у него просто нет времени. Но и с кнутом не стоит спешить. Не для того был устроен спектакль с ее мнимым освобождением, чтобы вот так сразу, не перепробовав других, бескровных технологий принуждения, брать ее в крутой оборот.

Девушка после всех этих пертурбаций выглядела не

просто подавленной... она была в состоянии простра-
ции. Складывалось даже впечатление, что она лиши-
лась дара речи. Но если она все же играла, намереваясь
выиграть время, то следует признать в ней большой
актерский талант.

Ильдас попытался вкратце объяснить ей ситуацию,
попутно выставив себя в роли благородного спасителя.
Но его слова, кажется, падали в пустоту: Тамара в ответ на все его речи не произнесла ни единого слова.

Тогда, сохраняя участливый вид, он предложил
«племяннице» принять душ, поужинать и отправиться
отдыхать в выделенные для нее покои — после всех этих
потрясений самое лучшее лекарство для нее — сон.

Отказавшись от ужина, Тамара тихим голосом
спросила, может ли она отсюда позвонить. Ильдас поинтересовался: «Куда ты собираешься звонить, кому и
на какую тему?» Поскольку девушка не спешила с ответом, он счел нужным кое-что ей объяснить. Он сказал, что ее похищение организовали люди, желавшие
получить огромный выкуп не только с нее, но и с клана Хорхоевых. Эта акция была тщательно спланирова-
на, а люди, пытавшиеся ее осуществить, были предельно терпеливы, раскидывая вокруг нее свою невидимую сеть на протяжении последних нескольких
недель. Заказ, насколько известно Ильдасу, исходит от
крайне влиятельной персоны, известного супербогача,
он давно зарится на прибыльный нефтяной бизнес
Хорхоевых. Семья, располагая лишь отрывочной информацией, приложила максимум усилий для того,
чтобы установить точное местонахождение «племянницы», над головой которой к этому времени уже
стали сгущаться тучи. Не хватило буквально нескольких часов, иначе удалось бы вовсе избежать столь пе-
чального поворота событий. Но, по счастью, наличие
давних, надежных контактов на грузинской стороне, а
также среди влиятельных людей из братского ингуш-

ского народа позволило в кратчайшие сроки установить место, где похитители намеревались удерживать какое-то время свою пленницу. Учитывая всю сумму обстоятельств, Семья, которую представляет здесь Ильдас Хорхоев, приняла рискованное, но все же единственно возможное решение: освободить «племянницу» силой, немедленно, не привлекая к этому сотрудников местных правоохранительных органов...

Сейчас, сказал Ильдас, они находятся в безопасном месте, у друзей, издавна связанных с Семьей. Но не все так просто... У клана Хорхоевых имеются недоброжелатели, и у одного из них, этого самого супербогача, в этих краях есть большие возможности. Они пробудут здесь еще сутки или двое, после чего, с соблюдением повышенных мер безопасности, перевезут «племянницу» в другое, более надежное место, где ей уже не будет грозить никакая опасность.

Учитывая все вышесказанное, следует на время ограничить контакты с внешним миром. Поэтому он и спрашивает, кому она собирается звонить и какую информацию намерена о себе сообщить.

Тамара выслушала все это, не проронив ни слова. Ильдас, внимательно посмотрев на нее, сказал, что у нее чрезвычайно утомленный вид и ей следует хорошенько отдохнуть. Это был единственный совет Хорхоева, которому Тамара решила последовать. В остальном она по-прежнему ощущала себя несвободной.

Теперь, после увиденного и услышанного здесь, она окончательно поняла, что угодила в самую настоящую западню.

До десяти часов утра Ильдас свою гостью не беспокоил, давая ей время полностью прийти в себя. Завтракали они вдвоем, в гостиной. Прислуживал им мужчина лет тридцати пяти, с которым Хорхоев разговаривал по-чеченски. Женщин в доме, кажется, не было. Охраны тоже не видать, но это не означает, что ее нет. Тамара ведь толком еще не осмотрелась и пока не знает, в каком месте она сейчас находится.

— Почему так мало кушаешь, Тамара? — поинтересовался Ильдас, еще раз оглядев уставленный яствами стол. — Клюешь, как птичка...

— Я не голодна.

— А может, тебе не нравится наша кавказская кухня? Так ты скажи, не стесняйся! В Англии люди питаются по-другому, верно? Ты за все эти годы привыкла к другому питанию... Скажи, что тебе приготовить? Попросить нашего повара поджарить яичницу с беконом? Или сварить овсянку на молоке?

— Я предпочту сидеть на диете, — глядя ему прямо в глаза, сказала Истомина. — Так будет продолжаться до тех пор, пока я не пойму, чего вы все от меня добиваетесь.

За ночь с девушкой произошла разительная перемена, и Хорхоев успел это заметить. На лице Тамары было написано спокойствие, пожалуй, даже чрезмерное в данной ситуации. При этом вид у нее был довольно отстраненный: Хорхоев буквально физически ощущал невидимую глазу преграду, которую возвела между ними эта особа.

— Я всегда знал, Тамара, что твой отец большой оригинал. Отправить дочь в чужую страну? Да еще в возрасте двенадцати лет? Гм... Он все так запутал, что едва не случилась беда. Впрочем... Теперь я ни в чем не склонен его винить. Мы одна кровь, мы части единого целого, и что бы ни случилось, мы обязаны помогать друг другу.

— Не понимаю, о чем вы говорите.

— Я говорю о том, что ты родная дочь Руслана Хорхоева... Пусть Аллах будет милостив к нему на небесах!

Он внимательно посмотрел на сидящую напротив него девушку, подумав про себя, что дочь Руслана — настоящая красавица. Но почему она никак не реагирует на его слова? Надо же... В ее лице ни один мускул не дрогнул!

— Тамара, я все понимаю, — сказал Хорхоев, нарушив повисшую в гостиной тишину. — Пусть я не все знаю пока о тебе, но твоя настороженность мне понятна. Расслабься, тебя никто не обидит... Кстати, можешь звать меня по имени. Если назовешь меня «дядя Ильдас», я тоже не обижусь.

— У меня нет «дяди», — сухо произнесла Истомина. — Нет такого человека, которого я могла бы признать родным дядей.

— Но ты ведь не будешь отрицать, Тамара, что мой покойный старший брат Руслан — твой родной отец?

— Полагаю, вы меня с кем-то спутали. Не знаю, о какой Семье вы говорите, но лично вы к числу моих родственников не принадлежите.

Ильдас Хорхоев мягко улыбнулся, так, словно сделанное только что заявление лишь немного позабавило его. Он неторопливо промокнул губы матерчатой салфеткой. Затем вытащил из внутреннего кармана пиджака фотографии и, отставив в сторонку чашку с остывшим кофе, разложил их на столе перед Тамарой.

Всего снимков было три, два черно-белых и один, групповой, в цвете. Сделаны где-то в начале восьмидесятых. На одном снимке запечатлен Руслан Хорхоев, на другом молодая красивая светловолосая женщина, с которой он жил в гражданском браке. Третий, цветной, представлял собой некий синтез: двое взрослых, мужчина и женщина, а также пятилетняя девочка с огромным бантом на светлой головке на руках у отца...

Тамара лишь мельком посмотрела на эти фотоснимки. Ильдас подумал, что не все так просто будет с этой девушкой. Она, конечно, очень молода. Многого о жизни еще не знает, особенно о ее темных сторонах. Но уже сейчас заметно, что сделана она из твердой породы... Да, именно так. Внешностью она почти в точности скопировала свою мать, а вот характер у нее определенно отцовский.

Ильдаса так и подмывало предъявить ей ультиматум. Поговорить с ней предельно жестко, раскрыть карты, какие у него есть на руках, затем произнести вслух или же написать на бумажке заветную цифирь:

50 000 000.

Именно такую сумму она должна вернуть в семейную кассу клана Хорхоевых.

Ильдас собрал со стола фотографии. Он сунул их обратно в карман и собрался было продолжить этот нелегкий для него разговор, но в этот момент в гостиную вошел его помощник, в руке у которого был включенный сотовый телефон.

Хорхоев удивленно вскинул брови. Дело, видно, не пустяковое, ведь он просил своих вайнахов не беспокоить его сейчас без крайней нужды...

— Хан звонит, — наклонившись к самому его уху, шепнул помощник. — Он откуда-то знает, что ты здесь, Ильдас.

Хорхоев едва заметно поморщился, но тут же упрятал свои эмоции глубоко вовнутрь. Он не хотел при Тамаре разговаривать с отцом. Сделав извиняющий жест, он взял мобильник в левую, неповрежденную, руку и вышел из гостиной, оставив девушку наедине с ее мыслями.

Миновав коридор, он вышел на крылечко, спустился по ступеням и только здесь, оказавшись во внутреннем дворике, поднес трубку к губам.

— Здравствуй, отец. Я тебя внимательно слушаю.

— Ильдас? — долетел до него твердый, отнюдь не старческий голос Хана. — Ты где сейчас находишься? В Осетии?

— Да. У меня тут есть кое-какие дела.

— До меня долетел слух, что ты ищешь одного человека... Какую-то девушку, которая постоянно живет в Англии. Это так?

Ильдас чертыхнулся про себя. Откуда старик мог пронюхать об этом? Неужели Бекмарс рассказал? Нет, быть такого не может... Они ведь с братом договорились, что отца пока не будут посвящать в эти дела, потому что Хан — личность непредсказуемая.

Мгновенно сориентировавшись в ситуации, он решил, что отец, так некстати пытающийся влезть в их с Бекмарсом дела, должен и впредь оставаться вне игры.

— Не понимаю, отец, о чем ты говоришь. Я занят, и у меня нет времени на то, чтобы отвлекаться на каких-то девушек.

— Ты ее уже видел? — донеслось из трубки после небольшой паузы. — Ты разговаривал с ней? Где она сейчас находится?

— О ком ты говоришь, отец?

— О девушке из Англии.

— Наверное, ты что-то напутал... Кто это такие слухи обо мне распускает?

— Значит, ты ее еще не видел?

— Нет, конечно. Откуда? Кто она хоть такая, эта девушка? И почему она тебя интересует?

— Поговорим об этом, когда вернешься. Московский рейс из Владикавказа, я узнавал, в три пополудни. Я распорядился, чтобы для тебя забронировали место. Как только прилетишь в Москву, сразу же, не заезжая никуда, ко мне!

— Но... А что стряслось, отец?

— Мы с твоим братом ведем сейчас очень важные переговоры. А теперь, Ильдас, поторопись, иначе ты не успеешь на самолет!

Закончив разговор, Хорхоев-младший на несколько секунд погрузился в глубокие раздумья. Разговор с Ханом, равно как и тон отца, ему сильно не понравился.

Хан, несмотря на свою мирную профессию и преклонный возраст, все еще был способен, когда хотел этого, заставить нервничать любого из ближних. Говорил отец вроде спокойно, никаких угроз, ни явных, ни скрытых интонацией, и все же по окончании их телефонной беседы у Ильдаса на лбу даже испарина выступила...

«Спокойно, Ильдас, — сказал он себе. — Нет никаких оснований для беспокойства. Хан давно уже не тот, что был прежде. Гибель Руслана вдобавок его сильно подкосила. Ему уже восемьдесят один. Он — старик, думающий лишь о том, как скоро его приберет к себе Аллах. Тебе ли, матерому волку, бояться дряхлеющего на глазах н о х ч у, который все еще тщится быть вожаком всей разрозненной стаи?»

Но срочный вылет в Москву отменять не стоит. У него и без того непростые отношения с отцом, поэтому не нужно усугублять положение. К тому же, Бекмарс, с которым он вчера вечером также имел телефонную беседу, намекал на какой-то прорыв в их нефтяных делах, заметив, правда, что это не тема для телефонного разговора.

Что же касается Тамары, то после небольшого перерыва работа с ней будет продолжена, до того момента, пока не будет получен нужный результат.

Вернувшись в дом, Хорхоев бросил взгляд на часы. Времени у него действительно было в обрез. Он вначале проинструктировал своего помощника, затем вызвал к себе Ваху Муталиева.

Когда Ваха вошел в комнату, в рука Хорхоева был коричневатый кейс, который он, впрочем, не спешил открывать.

— Ваха, мы с тобой знакомы уже десять лет...

164

— Двенадцать, Ильдас, — уточнил вайнах. — Я был среди тех ребят, которых ты вызывал к себе в Тольятти.

— Да, я помню те времена, — покивал головой младший из братьев Хорхоевых. — И я, признаться, рад, что ты опять работаешь на меня.

Муталиев бросил почтительный взгляд, но не на него, а на кейс, который Ильдас выложил на стол.

— Ваха, мы договаривались, что я заплачу тебе за работу сразу, как только ты доставишь Тамару в место, которое тебе будет указано дополнительно.

— Да, Ильдас, мы так договаривались.

— Я говорил тебе, что Владикавказ в нашем деле — это лишь транзитный пункт?

— Да, был такой разговор. Но... Я полагал, Ильдас, что раз ты сам прилетел в Осетию, то, значит, ты решил так, чтобы я передал эту девушку тебе. Ведь именно для этого, как я понимаю, мы разыграли «спектакль»?

— Не получается, Ваха. Я ведь не могу взять ее с собой в аэропорт, верно? Мне нужно срочно возвращаться в Москву, но с тобой останется мой помощник Казбек. Доставьте девушку в Подмосковье, Казбек там все покажет. Продумайте все хорошенько и уже завтра, не позднее полудня, отправляйтесь с Аллахом в путь!

Он раскрыл «дипломат», показав Муталиеву несколько пачек «зеленых», которые лежали в его чреве. Затем, закрыв его, передал вайнаху.

— Здесь треть оговоренного нами гонорара. Остальное, Ваха, получишь, когда привезете девушку — целой и невредимой! — на мою базу в Подмосковье.

На улице уже дожидался джип, который доставит его в аэропорт, когда он решил напоследок заглянуть к «племяннице».

— Тамара, к сожалению, у меня появились срочные дела. Я должен ехать... Мои помощники позаботятся о твоей безопасности и обеспечат должный комфорт. Но я не прощаюсь, племянница! Мы очень скоро опять увидимся, и тогда, уверен, у нас будет о чем с тобой поговорить.

Глава 17

— Туго бинтуй! — скомандовал Протасов. — Натягивай бинт! Еще сильнее... Вот так хорошо!

Дзамболова-младшего звали, как и его деда, Григорием. Вначале осетины, узнав, что Протасов ранен и вынужден был сбежать из госпиталя, настаивали на том, чтобы немедленно вызвать к ним на дом поселкового врача. Человек он надежный и будет держать язык за зубами. Но Александр заверил хозяев, что рана на груди у него пустяковая, поэтому максимум, что потребуется, это сменить на следующий день повязку, — ну а с этой задачей они как-нибудь сами справятся.

Проговорили они вчера до полуночи. Протасов рассказал о том, что с ним стряслось прошедшей ночью, но в детали особо все же вдаваться не стал. Он спросил, могут ли они найти ему надежное укрытие, где он сможет пересидеть денек-другой, а заодно поразмыслить над тем, как ему выйти из этого трудного положения: у него при себе нет ни документов, ни денег, а тут еще и местная милиция наверняка его разыскивает...

Но эти люди и не подумали его отпустить, предоставив гостю, как и обещал когда-то Григорий Дзамболов, «пищу и кров». За помощью, как понял Александр, дело тоже не станет. Во всяком случае, старик заверил Протасова, что «уважаемому гостю», пока он находится в их поселке, ничего не грозит. Здесь никто не сможет его достать — ни бандиты, ни милицейское руководство. И он может жить в доме Дзамболовых так долго, как ему заблагорассудится.

По понятным причинам от идеи устроить грандиозное пиршество пришлось отказаться. Протасов знал, что осетины, впрочем, как и большинство людей, населяющих Кавказ, очень гостеприимный народ. Он заверил хозяев, что они непременно «отметят» и как следуют «гульнут». Но не сейчас, а при более благоприятном случае.

Гостя сытно накормили, заставили выпить рюмку крепкой араки, после чего уложили спать.

К собственному изумлению, Александр проспал в этом гостеприимном доме почти до полудня...

За обедом Протасов узнал, что сын Дзамболова, отец его внука Григория, погиб спустя пару недель после тех памятных событий. У старика еще две дочери, обе они со своими семьями живут в республиканской столице. Он не стал рассказывать, кто убил его сына, где и как это случилось, но из его интонации Александру самому многое стало понятно...

Накормили гостя так сытно, что он едва встал из-за стола. И хотя он не выпил и капли араки — вот здесь Протасов твердо держал оборону, — его сразу же стало опять клонить в сон.

Но он все же заставил себя встряхнуться. Оцарапанная в двух местах шкура да несколько синяков и мелких ссадин — это еще не повод для того, чтобы, жалея себя, бездействовать.

На этот вечер у Протасова имелись свои планы.

Осмотр раны после обеда удовлетворил всю троицу. Пуля кусанула неглубоко, пройдя по касательной. В госпитале хорошенько почистили ранку, наложили швы, которым даже внезапный «прыг-скок» особо не навредил. «След» едва заметно покраснел, но это нормально, так и должно быть. Главное, нет следов воспаления; остальное пустяк — до свадьбы заживет.

Обработав заново рану антисептиком, Дзамболов-младший, руководствуясь указаниями не только Протасова, но и своего бывалого деда-фронтовика, наложил тугую повязку. Таким же макаром он обработал повреждение на темечке. Покончив с обязанностями медбрата, он вышел в другую комнату, а когда вернулся через пару минут, в руке у него был обернутый в непрозрачный целлофан сверток.

Но прежде, чем развернуть этот сверток, он достал из кармана пачку денег, передал их старику. Тот положил их на стол перед гостем.

— Александр, тебе нужно сменить гардероб, — сказал старейшина. — Грис послал за одеждой женщину, она скоро вернется, принесет все необходимое под твой размер.

Протасов поблагодарил старика и его внука за проявленную ими заботу.

— Тебе понадобятся деньги, — глава семьи кивком указал на пачку долларов, по-прежнему лежащих на столе перед Протасовым. — Бери, они твои. Если этого мало... Скажи, достанем столько, сколько потребуется.

Александр взял со стола пачку стодолларовых банкнот. Стандартная упаковка, десять тысяч баксов... Задумчиво посмотрев на старика, он положил деньги обратно.

— Мне не нужно столько. Только бы до Москвы добраться, там у меня с наличностью никаких проблем не будет... Десятой части этого вполне достаточно, да и то в рублевом эквиваленте.

— Зачем так говоришь, сынок? — Дзамболов-старший сердито посмотрел на него из-под кустистых бровей. — Мы все твои должники по гроб жизни! Разве такое можно измерить деньгами?! Восемь с лишним лет назад здесь все на волоске держалось! Если бы не ты и твои солдаты, то меня и многих других осетинских мужчин, наших односельчан, давно не было бы в живых! А здесь, в этом доме, на этой улице, сидели бы ингуши!

Протасов легонько вздохнул.

— Послушайте, дорогие мои... Я искренне тронут, но мне и вправду не нужно столько денег.

Он перевел взгляд на внука.

— Грис, если не трудно, проконвертируй тысячу долларов в рубли. Остальное, пожалуйста, убери! Гм... Не знаю вот, как мне быть с документами. Говорите, без паспорта сейчас не стоит передвигаться? Эти черти обобрали меня до нитки, все до последней бумаженции выгребли!

Дзамболовы переглянулись. Внук унес доллары, а спустя короткое время вернулся в комнату уже с пачкой рублей.

— Передвигаться без документов крайне рискованно, — сказал он, передавая Протасову деньги. — Ты хоть и не кавказец, Александр, но тоже можешь нарваться на проверку. Время сейчас беспокойное, поэтому милиция бдит...

— Грис, мы можем помочь нашему гостю выправить документы? — спросил старик.

— Я уже консультировался у одного знающего человека, — кивнул тот. — Можно сделать паспорт, причем документ будет практически подлинный. Но на это уйдет как минимум четыре дня.

— Вот и хорошо, — кивнул дед. — А ты, Александр, поживешь это время у нас. Ну, а если понадобится, то я попрошу кого-нибудь из наших ребят, и тебя сопроводят до самой Москвы.

— Решение проблемы с документами давайте отложим до утра, — подумав, сказал Протасов. — На этот вечер у меня есть одно дельце... Я вам уже рассказывал, что эти негодяи, которые напали на нас прошлой ночью, увезли с собой девушку. Я почти уверен, что ее похитили с целью получения выкупа. Ну, а я, кажется, единственный, кому удалось выжить в той заварушке... Я знаю, к кому она хотела обратиться здесь. И я надеюсь, что информация, которой я располагаю, как очевидец событий, поможет выйти на след похитителей.

— Это так важно для тебя, Александр? — поинтересовался старейшина. — Ведь ты говорил, что оказался в той компании случайно.

Протасов вспомнил черную «Тойоту», которую он видел по дороге в урочище и потом еще раз, уже на КПП, а также того вайнаха, которого он заметил в компании таможенника и которого запомнил по переговорам в Алхан-Кале, обещание вырезать всю семью Протасова... Он не забыл еще, как впервые увидел девушку купающейся под струями водопада и как еще раз неожиданно столкнулся с ней в очереди на перевале. Как их вдруг потянуло друг к другу, хотя они не были еще даже знакомы... Он помнил, как отважно она вела себя на погранпереходе, хотя вокруг были подвыпившие, обозленные из-за недавнего обстрела мужики. И хотя он не разделял ее отношения к чеченцам, даже к беженцам, которым она искренне хотела помочь, что-то в этой молодой женщине было такое, что не могло не вызывать к ней симпатию.

— Да, уважаемый старейшина, — негромко сказал он. — Я думаю, это — важно.

Молодой осетин осторожно развернул сверток, в котором, к изумлению Протасова, оказалась «беретта».

— Неплохо, — хмыкнул он. — Где взяли такой «ствол», даже не спрашиваю.

— Правильно делаешь... Но ты для нас дорогой гость, поэтому тебе полагается все самое лучшее.

«Ствол» новый, фабричный, я его сам пристреливал. Есть и запасная обойма.

— «Пальчики» только свои не оставляй на нем, Грис.

— Обижаешь, Александр, — усмехнулся внук. — Мы тут тоже кино смотрим, в особенности про ментов.

Действительно, он только развернул сверток, а к оружию не притронулся.

— Кобуру принести? — спросил он.

— Не стоит, я его за пояс засуну.

Старик, молча наблюдавший за ними, в этот момент подал голос:

— Скажи мне только одно, Александр... Ты хочешь кому-то отомстить? Если да и если ты собираешься этой ночью наведаться к нашим соседям ингушам, то я должен знать, что ты задумал.

Протасов ответил после продолжительной паузы:

— Нет, я не собираюсь никому мстить. Я хочу переговорить с человеком, к которому направлялась эта девушка. Думаю, ее уже ищут. И хочу надеяться, что моя информация может поспособствовать ее скорейшему освобождению.

— Зачем тогда берешь с собой оружие?

Протасов невесело усмехнулся.

— Я не хочу больше чувствовать себя беззащитным, когда на меня нападают из-за угла.

— Ответ настоящего мужчины, — одобрительно крякнул старик. — Ну что ж, сынок... Делай так, как считаешь нужным. А ты, Григорий, окажи нашему гостю в этом деле необходимую ему поддержку.

Глава 18

Осетин Григорий, внук осетина Дзамболова, отличался поистине немецкой педантичностью. Еще в ранних сумерках он ушел из дому, пообещав гостю, что вернется обратно в десять вечера, но уже на «колесах».

Когда через прогал в зеленой изгороди на участок въехала серая «Нива», на часах Протасова было ровно 22.00.

Дзамболовы жили зажиточно, поэтому собственный транспорт у них, конечно же, имелся: в просторном гараже стояли «ГАЗ-2410» и джип «Паджеро». Ингушское село, куда собирался наведаться Протасов, находилось километрах в восьми от поселка. Выяснилось, что прямого автобусного сообщения между двумя этими населенными пунктами нет. Дзамболов-младший взялся подбросить Протасова до нужного ему места. Но заметил при этом, что использовать свой транспорт не следует: люди здесь весьма наблюдательны, а обе дзамболовские машины в этой местности уже примелькались. Если кто-то из ингушей распознает одну из их машин у себя в родовом селе, да еще в столь позднее время, то этот факт повлечет за собой ненужные пересуды — это как минимум.

— Я поставил ингушские номера, — сказал молодой осетин. — Ну что, Александр, поехали?

Протасов крепко пожал старику руку, поблагодарив его и еще женщину, жену внука, за радушный прием. Случайно или нет, но вышло так, будто он прощается с этими людьми, словно не уверен в том, что через несколько часов сможет вернуться в этот гостеприимный дом.

Когда они миновали окраину поселка, Дзамболов проехал пару километров по гравийному шоссе, вдоль лесопосадки, затем свернул на грунтовую проселочную дорогу.

— С нашей стороны, если двигаться по шоссе, на окраине села оборудован КПП, — пояснил осетин. — Там постоянно несут дежурство ингушские милиционеры. Я думаю, нам лучше воспользоваться дорогой в объезд. Расстояние ненамного больше, но зато — безопасно.

— Ты местный, Грис, тебе виднее. Но учти, с собой я тебя не возьму! Покажешь мне дом Иссы Яндиева и сразу отправляйся обратно, в поселок.

— Там будет видно, — уклончиво заметил Дзамболов. — Послушай, Александр...

— Что?

— У нас про человека, с которым ты хочешь переговорить, ходят разные слухи...

— Ты имеешь в виду Иссу Яндиева? Ну и что о нем рассказывают в ваших кругах?

— Он скользкий человек. Я бы не сказал, что он бандит или местный мафиози... Но такой, знаешь — и нашим, и вашим.

Опустив стекло, Протасов закурил. Дорога была тряской, как стиральная доска. Из зарослей кустарника выскочил заяц; несколько десятков метров косой несся по дороге, загипнотизированный светом фар, затем соскочил и стреканул обратно в зеленую чащу.

— Сейчас полно таких людей, Грис. Весь мир стал скользким, поэтому бывает трудно удержаться на ногах.

— Он только наполовину ингуш. У него имеется родня и среди чеченцев. Кстати... Ты, наверное, не в курсе? В этом селе, куда мы едем, кроме ингушей, проживают еще десятка два чеченских семей. Есть обычные переселенцы, которые имеют один дом на две или три семьи. Но есть и «крутые» чечены — эти отгрохали себе домины в три этажа.

Информация, какую счел нужным сообщить ему осетин, помогла Протасову увидеть картину событий более отчетливо. То, что «юная леди», спонсировавшая доставку гуманитарной помощи из Грузии в лагеря беженцев в Ингушетии, имела контакты с посредниками из числа ингушей и чеченцев, было вполне объяснимо. К тому же один из чеченцев, которого зовут Ахмад Бадуев, входил в небольшую свиту Тамары. То есть само по себе упоминание чеченов или ингушей в связи с деятельностью этой молодой женщины еще не свидетельствовало о криминале. Но, с другой стороны, если верить собственным впечатлениям, — пара субъектов, которые намеревались прикончить его, говорили меж собой по-вайнахски, — получается, что в нападении на них, закончившемся похищением девушки, участвовали как минимум двое чеченцев.

Протасов щелчком отправил окурок в окошко.

— Кто бы он ни был, этот Исса Яндиев, я все равно должен попытаться с ним переговорить.

Проехав по невысокой насыпной дамбе и оставив позади заросший камышами пруд, «Нива» свернула в одну из окраинных улочек ингушского села. Фонари горели лишь кое-где в центре села — до него было километра два. Но Дзамболов прокладывал курс в нужном направлении безошибочно: по всему чувствовалось, что молодой осетин знает эту местность как свои пять пальцев.

— Еще с полкилометра осталось, — сообщил Григорий. — Сначала я тебе покажу площадку возле магазина, где я тебя буду дожидаться. Потом высажу возле дома Яндиева: Исса построил новый большой дом, в самом центре села.

Почти перед носом у них из открытых ворот частного домовладения — за высокой кирпичной оградой угадывалась громада трехэтажного особняка — на улицу выкатил черный джип. Водитель «Нивы» вынужден был даже сбросить скорость, чтобы ненароком не тюкнуть чужую машину в корму. В свете фар виден был не только сам джип, но и его дорожные номера...

Прошло еще несколько секунд, прежде чем Протасова озарило.

Это был тот самый джип, который он видел в заповедном урочище в Казбеги и чьи дорожные номера врезались ему в память чуть позднее, когда он засек этот джип «Тойота» — разглядев также его водителя — на погранпереходе Верхний Ларс.

— Грис, впереди нас идет джип, — произнес он полушепотом. — Отпусти его немного, потом следуй за ним! Смотри не потеряй из виду эту тачку.

Осетин, не выказав ни малейшего удивления, выполнил его просьбу.

— Ты не знаешь, кто живет в том доме, откуда выехала эта тачка? — спросил Протасов.

— Один из местных «крутых» чеченцев. Кстати, мы сейчас отклоняемся от цели.

— Не суть важно. Все равно двигай за джипом.

Впрочем, ехать им далеко не пришлось. Миновав с десяток домов, «Тойота» свернула на другую улочку и тут же затормозила. Дом был несколько меньших размеров, чем тот, из ворот которого она выехала несколькими минутами ранее. Но тоже был обнесен каменной оградой.

Мгновение спустя джип въехал через распахнутые настежь ворота на участок. И тут же кто-то не видимый Протасову свел воедино металлические створки ворот, будто хотел как можно скорее опять отгородиться от внешнего мира.

— Проезжай чуть дальше, Грис, — негромко сказал Протасов. — Так... Хорошо, давай здесь тормознемся.

Несколько секунд они сидели в полной тишине. У Протасова возникло ощущение, что его планы теперь могут претерпеть некоторые изменения. Поэтому о том, чтобы Дзамболов дожидался его на площадке возле магазина, сейчас не могло быть и речи.

Эти люди и так сделали для него много, так что не стоило подвергать молодого осетина повышенной опасности.

Он спросил Дзамболова, как ему добраться отсюда до особняка Иссы Яндиева, — от намерения нанести визит этому человеку, пусть даже в неурочный час, он вовсе не отказался. Получив необходимые разъяснения, он предупредил осетина, что о его кратковременном пребывании в их доме не следует никому рассказывать, даже близким друзьям. Григорий, очевидно, что-то уловил в его голосе, потому что настаивать на своем не стал, пообещав сразу же отправиться в родной поселок.

Крепко пожав руку Дзамболову, Протасов выбрался из «Нивы», которая, прощально мигнув габаритными огнями, вскоре скрылась из виду.

Ваха Муталиев, выбравшись из «Тойоты», мрачно посмотрел на двух своих помощников. Хотя ему обломилось сегодня восемьдесят с лишним «кусков», он все равно был не в настроении. Признаться, он рассчитывал получить весь гонорар. Но Ильдас Хорхоев не тот человек, с которым можно спорить. Раз он сказал, что заплатит остальное в Москве, когда они привезут туда девушку, то уже ничто не заставит его изменить свое решение.

Ваха вытащил из салона джипа коричневый кейс. Этот дом, в котором сначала держали Тамару, записан на одного его дальнего родственника. Сейчас нужно хорошенько спрятать деньги. А потом можно завалиться спать, чтобы набраться сил перед поездкой.

В доме, где сейчас удерживают девушку, остались Казбек и двое вайнахов Муталиева. Ваха рассудил так, что нечего им всем там толкаться. Хотя вокруг них дружественно настроенное население, все же им следует проявлять в этом деле повышенную осторожность.

Поэтому он еще раньше выпроводил оттуда Саита и Беслана, предупредив их, что и сам будет ночевать в этом доме, но приедет сюда уже ближе к ночи.

Двое вайнахов сразу заметили, что амир вернулся не в духе. Он, правда, привез какой-то чемоданчик, но это ровным счетом ничего не означало. Беслан и Саит одновременно подумали про себя, что Ваха все еще злится на них. Из-за того, что они прокололись с проклятым кяфиром, который вдобавок потом сбежал из госпиталя.

Определенно, Ваха недоволен ими, потому что именно им двоим, Саиту и Беслану, он приказал по ходу «спектакля» прикинуться дохляками, вылив на них предварительно по полкружки крови, — барашка, что зарезали в честь приезда Ильдаса Хорхоева, приготовили в тот же вечер и съели всей компанией...

— Почему не спите? — угрюмо спросил Ваха.

— Тебя ждали, амир.

Муталиев кивнул Саиту, чтобы он загнал «Тойоту» в гараж, и только сейчас обратил внимание на то, что во дворе все еще стоит микроавтобус «Форд», который вайнахи использовали во время «наезда».

— Почему фургон не поставили в гараж? Не нужно, чтобы он стоял вот так, на виду.

— Там есть место только для твоей машины, амир, — сказал Саит. — Некуда ставить.

— Я думаю, «Форд» надо перекрасить, — решил проявить инициативу Беслан. — Потом сможем опять использовать фургон в каком-нибудь деле.

— Некогда заниматься покраской, — сказал Ваха, поднимаясь в дом. — Накройте фургон тентом! Потом отправляйтесь спать, потому что завтра нам предстоит неблизкий путь.

177

...Обзору мешал двухметровой высоты забор, поэтому Протасов, покрутив головой вокруг, не видит ли кто его, вскарабкался на одно из деревьев, росших в проулке, неподалеку от ограды.

Площадка перед домом была освещена довольно мощным фонарем, поэтому люди, собравшиеся там и устроившие какое-то короткое совещание, были хорошо видны ему.

Человека, выбравшегося из «Тойоты», он узнал сразу же: все тот же вайнах, с которым его дорожки пересекались и прежде.

А эт-то что такое?..

Не сразу, но он все же обратил внимание на грузовой микроавтобус, стоявший во дворе. Кирпичного цвета, марки «Форд». Совпадение? Нет, не похоже... Протасов готов был поклясться, что он сейчас разглядывает тот самый фургон, что принимал участие в ночном нападении.

Рядом с водителем джипа стояли еще каких-то два кавказца. Один из них обладал двухметровым ростом и богатырской комплекцией. Не эта ли часом парочка не так давно намеревалась отправить его на тот свет?

Осторожно, стараясь не шуметь и в то же время не разбередить рану, он спустился на землю. И тут же замер настороженно, плавно потянув из-за пояса «беретту»...

Та часть улицы, где он схоронился, находилась как бы в тени. Обнаружив всего в нескольких метрах от себя едва угадываемый в темноте силуэт, он отступил за ствол дерева и снял пистолет с предохранителя.

Как и положено, в крови мигом закипел адреналин.

Силуэт переместился еще ближе, потом послышался шепот:

— Тихо, Протасов... Свои!

178

Глава 19

«Своим» назвался не кто иной, как Ахмад Бадуев.

Соображать Протасову пришлось очень быстро. С одной стороны, Ахмад, как и те трое, за которыми он только что наблюдал, — чеченец. Но, с другой стороны, если бы он действовал с ними заодно, то на фига, спрашивается, ему потребовалось сигать, на манер каскадера, вместе с «Шевроле» в овраг?

Опять же, Александр слышал своими ушами, как Бадуев пытался отговорить девушку от этой ночной поездки, за что она даже на него рассердилась.

Результатом этого молниеносного анализа ситуации явилось то, что он поставил пистолет обратно на предохранитель и сунул «ствол» за брючный ремень.

Бадуев показал ему большой палец, затем жестом пригласил следовать за ним. Придерживаясь затененной части улицы, они прошли по ней примерно полторы сотни шагов, после чего Ахмад, шедший впереди, свернул в какую-то щель меж высокими заборами. Вскоре он опять свернул, и какое-то время они шли по тропинке вдоль устроенного в этой местности неглубокого ирригационного канала, кое-где поросшего ивняком. Частные домовладения выходили на берег канала тыльной стороной, своими садами и огородами. Бадуев, кажется, видел в темноте, как кошка... Так это или нет, но шел он очень уверенно, и Протасову требовалось лишь не выпускать из виду его спину.

Но какого лешего, спрашивается, он вообще увязался за этим чеченцем?

— Здесь уже можно говорить, — чуть понизив голос, сказал Бадуев. — Но не очень громко... Бревно видишь? Садись.

179

Протасов вслед за чеченцем уселся на толстую корягу.

— Что ты здесь делаешь, Протасов? — не сразу, а после довольно продолжительной паузы спросил Бадуев.

Александр криво усмехнулся. Он бы и сам хотел получить внятный ответ на этот вопрос.

— Да так... Дышу тут свежим воздухом.

— Я думал, ты погиб. Они убили Григория, ты знаешь об этом?

— Не только знаю, но и видел, как это произошло.

— Я рад, что ты не умер, Александр.

— Ты даже не представляешь себе, Ахмад, как я сам этому рад...

Они оба невесело рассмеялись.

— Признаться, Ахмад, я тоже предполагал, что тебя нет в живых. Уж больно круто ты улетел на своей тачке в овраг...

— Зато удачно приземлился, — хмыкнул Бадуев. — Отделался разбитой бровью и сломанным пальцем на левой руке...

— Как ты вообще решился на такой трюк?

— В самый последний момент сообразил... Если бы я остался тогда на дороге, то меня, наверное, они тоже захотели бы порешить. И что тогда? Кто бы стал искать Тамару? Кстати, Протасов... Пока не приехала милиция и «Скорая», я успел немного пошарить там, в этом овраге. Пришлось, правда, обождать, пока оттуда уберутся двое бандитов, один из которых спускался к «Шевроле». Я мог бы его убить, как и другого, что ждал его на шоссе. Но я не стал этого делать...

— Почему?

— Боялся, что если я их убью, то друзья этих боевиков могут отыграться на Тамаре. Так вот... Я обшарил склон и нашел тело Григория. А вот тебя так и не смог обнаружить.

180

— Я сам как-то выкарабкался, Ахмад. Хотя и ни черта не помню. Пуля попала, кстати, в «ладанку». Помнишь, ты держал ее в руках, еще там, у озера?

— Так, так... Теперь ясно. А то я не мог понять, как тебе удалось выбраться из этой передряги. Ну а потом что?

— Потом? — Протасов поскреб пальцами подбородок. — Привезли меня в больницу...

— Ты ранен?

— Да так, пустяки... В больнице ко мне приставили милицейскую охрану. Но я, как только малость очухался, решил, что все эти ментовские расследования мне на фиг не нужны.

— Так ты сбежал из-под охраны?

— Да, что-то типа этого.

— Я вижу, Протасов, ты резкий мужик. Даже оружие где-то успел раздобыть.

В словах чеченца прозвучало явное одобрение.

— Подожди-ка, Ахмад... Ты что-то говорил про Тамару... Ты хочешь сказать, что они спрятали девушку где-то здесь, в этом селении?

— Хорошо соображаешь, Александр. Теперь я знаю, что ты не только резкий, но и умный.

Протасов покачал головой.

— Нет, Ахмад, если бы я был умным, то не вляпался бы в это дерьмо... Тамару держат в том доме, за которым я наблюдал?

— Держали там, но вчера перевезли в другой. Я здесь уже вторые сутки, дожидаюсь вот удобного момента...

— Ты здесь один?

— Сейчас — да.

Ахмад подумал, что не стоит рассказывать в деталях, чем он занимался двое последних суток. Вовсе не потому, что он не доверял этому русскому парню. Просто незачем Протасову забивать голову ненужными сведениями.

По этой же причине он не упомянул о том, что с другой стороны границы, получив печальную весть от Бадуева по телефону, во Владикавказ уже приехали родственники кахетинца Григория, чтобы забрать его тело и отвезти на родину, где он и будет похоронен.

Но столкнула их здесь счастливая случайность, потому что они могли не встретиться. Ахмад, наблюдавший с некоторого расстояния за домом, где сейчас держат Тамару, хотел забрать оружие из тайника, который он устроил на своей прежней позиции. Заметив подкативший к дому джип «Тойота», решил тоже понаблюдать за дальнейшим развитием событий. И только тогда обнаружилось, что Вахой Муталиевым и его вайнахами интересуется еще один человек, которого, по правде говоря, он не ожидал здесь увидеть.

Хотя Протасов для себя ничего пока не решил, он все же поделился с Ахмадом кое-какой информацией, включая ту, что касалась владельца черной «Тойоты». Единственное, о чем он не стал рассказывать, так это у кого провел последние сутки и кто его привез сюда, в это ингушское село, а заодно помог с оружием.

— У-у, шакал! — выругался Ахмад, имея в виду Ваху Муталиева. — Это он все организовал! Но он, Александр, только главный исполнитель, а есть еще и заказчики...

— Тебе лучше знать, Ахмад. Раз ты кружишь здесь вторые сутки, значит, сразу допер, кто стоит за этой подлой акцией.

— Что собираешься дальше делать, Александр?

— Не знаю... Сижу вот, думаю.

— Когда надумаешь, дай знать.

Бадуев прикинул про себя, что помощь Протасова была бы сейчас не лишней. Человек он не только сметливый, но и хладнокровный. Во время внезапного на-

182

лета сумел выжить, а потом еще и умудрился сбежать из-под ментовского надзора. Фартовый, кажется, парень... Опыта и умения ему не занимать, все ж таки спецназовец со стажем, да еще и в Легионе несколько лет прослужил. Но захочет ли он опять рисковать своей шкурой? Да еще ради малознакомых, по сути, чужих ему людей?

Протасов вроде бы нацеливается на Муталиева и двух его подручных. Ахмад и сам был не прочь жестоко наказать эту троицу, но не хотел рисковать, потому что любая неудача, какая-нибудь заминка, могла бы повредить его основному замыслу: он намеревался глубокой ночью проникнуть в дом, где сейчас содержится Тамара, и еще до рассвета увезти девушку из этого осиного гнезда.

Несколько минут они провели в полном молчании, потом Протасов неожиданно поинтересовался:

— Скажи мне, Ахмад, такую вещь... Зачем вы меня вытащили из плена? Осень девяносто четвертого года, вспомнил? Чертанов тогда поступил подло, бросив меня и еще троих спецназовцев во дворе Института нефти и газа! Пока они закидывали в грузовик какие-то ящики, которые доставали из подвала, мы стояли в охранении. Ночью это было, перед рассветом... Потом они тихо снялись и под прикрытием двух «бэпэх» куда-то убрались, но уже без нас, понимаешь? Чуть позже я узнал, что обе БМП были сожжены на выезде из города, и люди, которые там были, погибли...

— Зачем ворошить прошлое, Александр?

— У меня просто возникло подозрение, что гэбисты, вернее сказать, Чертанов, нас элементарно подставили.

Он заметил в темноте, как Бадуев повернул к нему голову.

— Не нужно тебе было в этом участвовать. Зачем согласился?

Протасов неопределенно хмыкнул.

— Можно подумать, кто-то спрашивал мое мнение... Моя часть стояла в Моздоке. Вызвал к себе командир, а у него в кабинете уже этот Чертанов сидит... Лично мне никаких «контрактов» не показывали и никаких бумаг, как потом другие ребята рассказывали, кто вместе с Лабазановым «попал» в Грозном, подписывать не давали... Меня и еще с полдюжины спецназовцев доставили сначала в Ищерскую, а уже оттуда в Знаменскую. Ну а на следующий вечер мы махнули прямиком в Грозный...

— Чертанов вернулся целым и невредимым. И ящики с ценной документацией сумел доставить. Ты это хотел узнать, Александр?

— Вот же сволочь, — процедил Протасов. — Я еще тогда заподозрил, что дельце это тухлое... Значит, это была «левая» работа? Кто-то заплатил ему за это деньги? Из ваших, что ли, из чеченов?

— Операцию проплатил один богатый еврей. Но у нас в этом деле тоже был свой интерес, потому что несколько ящиков из того хранилища, что выпотрошил Чертанов, предназначались моему... скажем так, начальству.

— Я тебя видел рядом с этим... Русланом. Когда меня в Толстой-Юрт привезли.

— Рядом с Лабазановым?

Протасов полез в карман за сигаретами, но затем передумал, потому что приучен был обходиться в «деле» без курева.

— Кончай темнить, Ахмад! При чем тут Лабазанов? Это был другой чечен, но тоже крутой. Он как-то к моему отцу приезжал, они были знакомы. Хорхоев, кажется, его фамилия?

— Все-то ты знаешь, я вижу...

— Так кто меня все-таки вытащил из плена? Нас тогда чичики... извини, чеченцы возле здания института повязали. Штыков пятьдесят их было, куда, думаю, рыпаться... Мы ж еще не сильно пуганные были, не знали, как ваш брат измывается над пленными... Мне сразу дали по репе прикладом, но потом, правда, больше не били. А к концу того же дня закинули в тачку и отвезли прямиком в Толстой-Юрт.

— Руслан не знал, что ты участвуешь в этой акции. Он в твою жизнь никогда не вмешивался; но если бы был в курсе, что сын Дмитрия Протасова включен в состав спецгруппы, то сделал бы так, чтобы тебя из нее тут же исключили.

Протасов удивленно покачал головой.

— Интер-ресные вещи ты мне говоришь, Ахмад... Ты хочешь сказать, что это Хорхоев вытащил меня из того дерьма?

— Дело случая, — пожал плечами Бадуев. — Один полевой командир, у которого вы «гостили», вышел на радиоволне... Вы ведь назвали свои звания и фамилии, верно? Ну так вот. Он спросил у Лабазанова, не хочет ли тот выкупить четверых федералов... Перечислил фамилии и звания. Ты в этом списке шел первым. А при этом разговоре, так получилось, присутствовал Руслан Хорхоев — он просто находился в той же комнате, что и Лабазанов. Услышал знакомую фамилию и попросил узнать подробности... О дальнейшем, думаю, ты и сам способен догадаться.

— Ты хочешь сказать, что меня выкупил... Руслан Хорхоев? Ну и сколько назначили за мою голову?

Ахмад криво усмехнулся.

— Сколько назначили, он столько и дал. А просили за тебя, Александр, пятьдесят тысяч долларов.

Некоторое время Протасов переваривал эту ошеломляющую новость. Бадуев, бросив: «Жди меня здесь», куда-то исчез. Отсутствовал он четверть часа, а когда вернулся, сообщил:

— В том доме, где держат Тамару, свет горит только в одном окне... Во дворе по цепи гуляет собака. Нужно выждать еще час, и потом можно будет действовать.

— Ахмад, а кто такая эта твоя Тамара? И на какую тему эта публика ее прессует?

— А ты еще не догадался? — В голосе Бадуева прозвучали какие-то странные нотки. — Нет? Знаешь... Если она захочет, то сама тебе об этом расскажет.

— Хорошо, я понял... Оружие у тебя есть, Ахмад?

— Полный комплект, включая «бесшумку».

— Займемся сначала Вахой и его джигитами?

Бадуев отрицательно покачал головой.

— Нет, этих трогать не будем. Слишком большой риск... Я до них доберусь, но — потом. Сейчас нужно Тамару освободить, да?

Протасов задумчиво почесал в затылке.

— Хорошо, Ахмад, я с тобой. Хочу тоже поучаствовать в этом деле. Может, получится девушку освободить.

— Если вытащим отсюда Тамару, кунак, я буду твоим вечным должником...

Глава 20

Страшный человек по имени Ильдас уехал. Но даже после его отъезда, когда все эти скользкие разговоры на время прекратились, Тамара не захотела принимать условия игры, которые пытались навязать ей окружающие.

Мало того, в знак протеста она объявила голодовку.

Со стороны кухни доносились дразнящие обоняние ароматы. Девушка была голодна, потому что в последний раз она нормально поела еще перед отъездом с виллы в Казбеги. Но выйти к обеду Тамара отказалась.

Тогда в ее «апартаменты» вошел мужчина, исполняющий здесь обязанности повара и стюарда, — а по совместительству, видимо, и охранника, — который собрался было накрыть на стол в ее комнате. Тамара, особо не стесняя себя в выражениях, прогнала вайнаха вон, строго наказав ему, чтобы он не смел более появляться без спросу на «женской половине».

После этого мелкого, в сущности, происшествия к ней заявился некий Казбек, представившийся помощником «дяди» Ильдаса.

Этот стал корчить из себя джентльмена, пытался вешать ей лапшу на уши, сладенько улыбался и т. д.

Когда Тамаре надоело его слушать, она послала этого долбаного Казбека так далеко, как его еще никто и никогда, наверное, не посылал...

В отличие от «повара», для которого что ее английский, что язык племени мумба-юмба — все едино, этот был образован, по крайней мере, в части матерного «лэнгвиджа», а потому — понял. Это было заметно хотя бы по тому, как он вдруг побледнел, как на лице у него заходили желваки, как он сжал свои кулачищи — даже костяшки пальцев побелели...

Однако, как он напрягся, так тут же и расслабился... Опомнившись, мигом разжал кулаки, убрал с лица злобную маску и, припрятав ее для более подходящего случая, вернул на место радушную вывеску.

Надо так понимать, что «дядя», прежде чем уехать, строго наказал своим нукерам, чтобы те вели себя с девушкой предельно учтиво. Чтобы никто из них не смел обижать «племянницу» ни словом, ни делом — пусть даже сама Тамара Истомина покамест не признает себя таковой и не торопится влиться в состав некой Семьи.

Тамара прекрасно понимала, что отношение к ней может резко измениться. Причем в самом скором времени. Все зависит, наверное, от Ильдаса. От его доброй, хотя правильнее было бы сказать, недоброй воли — в том, что «дядя» действует с самыми недобрыми намерениями, она почти не сомневалась.

От ужина Тамара также отказалась.

Она плохо знала язык вайнахов. Одно время пыталась самостоятельно овладеть хотя бы «грозненским» диалектом, занимаясь по изданному еще в семидесятые годы учебнику. Но очень скоро выяснилось, что Ахмад Бадуев и другие чеченцы говорят меж собой на каком-то ином наречии, нежели то, каким она хотела овладеть по самоучителю.

Но ее знаний хватило, чтобы понять смысл реплик, которыми обменялись после ее отказа — в очередной раз — принимать пищу эти двое опекавших ее вайнахов. Наверное, они не предполагали, что она может хоть что-то понимать по-чеченски. Или же, наоборот, догадывались, что она немного знает чеченский, а потому специально затеяли при ней этот разговор.

Казбек сказал «повару», что если их гостья будет по-прежнему отказываться от приема пищи, то уже утром, во время завтрака, «придется кормить девушку с ложечки»... Иными словами, они не остановятся даже перед тем, чтобы кормить ее принудительно, — интересно, как они себе это представляют?

Вечером, когда на землю опустились густые сумерки, ей разрешили выйти во внутренний двор, чтобы она могла немного подышать кислородом. Усадьба, площадью примерно в десять соток, была окружена каменным, почти трехметровой высоты забором. Определенно, хозяин сего домовладения не был стеснен в средствах, потому что, по ее расчетам, на сооружение ограды ушло почти столько же кирпича и бетонных блоков, сколько потребовалось для сооружения всего трехэтажного особняка.

Она спросила у Казбека, почему ее держат взаперти. Тот, во-первых, не согласился с ее формулировкой, а во-вторых, пояснил, что некоторые ограничения и неудобства, которые действительно имеют место быть, продиктованы исключительно заботой о сохранности ее драгоценной жизни.

Помощник Ильдаса заверил ее, что неудобства эти носят временный характер: вскоре ее перевезут в другое место, более безопасное, и тогда Тамара Истомина сможет обрести прежнюю степень свободы.

«Повар» и еще один вайнах, третий, кого она могла видеть в этом доме, следили, чтобы она во время вечернего «моциона» не подходила слишком близко к металлическим воротам, в одной из створок которых имелась калитка. К вечеру оба охранника прицепили «сбрую» — у одного была наплечная, у другого поясная кобура, откуда торчала рукоять пистолета. Казбек, обладающий более европеизированной внешностью, нежели двое его соплеменников, оружия при себе не носил.

Около десяти вечера ее попросили вернуться в дом. Вещи, которые она брала в поездку, не предполагая, чем это может для нее закончиться, все уцелели и находились в ее полном распоряжении.

За исключением двух сотовых телефонов, которые первым делом изъяли у нее те бандиты, что напали на них на ночном шоссе.

Чтобы хоть немного отвлечься от тяжелых дум, Тамара достала из сумки томик стихов Бернса, на языке оригинала, в карманном формате. Но как ни старалась, сосредоточиться на стихотворных строках не смогла.

Девушка, сняв туфли, с ногами уселась в кресло, совсем по-детски поджав коленки и положив на них подбородок.

Да, она ни разу не видела Ильдаса вот так, воочию, как сегодня. Но знала о существовании такого человека; к тому же не раз видела Хорхоева-младшего на фотоснимках и на видеокассетах, что имелись в ее распоряжении.

Когда она столкнулась здесь нос к носу с Ильдасом, ей поначалу было так страшно, что она едва не грохнулась в обморок.

Особенно страшно ей было смотреть на его изувеченную правую руку, на которой не хватало двух пальцев — большого и указательного.

Прошло уже почти четыре месяца с тех пор, как Тамаре Истоминой стала известна прежде тщательно скрываемая от нее тайна: человек с покалеченной правой рукой является виновником гибели одной молодой, цветущей, очень красивой женщины, в которую до беспамятства был влюблен его старший брат.

Глава 21

Вплоть до недавнего времени Тамара не знала всех подробностей того, что же случилось с ее мамой двенадцать лет назад. Почему мама Лариса так рано ушла из жизни? Смерть мамы — это трагическая случайность? Или был чей-то злой умысел? И если да, то кто виноват в том, что двенадцатилетняя девочка осталась без матери, а затем вынуждена была жить на чужбине, под присмотром людей, которые хоть и заботились о ней, но все же родную маму заменить ей не могли?

Все эти вопросы мучили ее долгие годы, но ответа на них не было.

Когда она чуть подросла и стала задавать окружающим, и прежде всего отцу, эти и другие интересовавшие ее вопросы, то выяснилось, что получить правильные ответы ей будет нелегко. Единственное, что не скрывал от нее отец, так это то, что у него есть враги. Позже, когда Тамара достигла совершеннолетия, он сказал, что уже несколько лет почти не контактирует со своими близкими; в семье все, кроме разве что Хана, считают его «инородцем» — причем зачастую получается так, что опасность исходит от тех, кто либо близок ему по крови, либо по гроб жизни должен быть обязан Руслану Хорхоеву за оказанные прежде услуги и всяческую поддержку.

Это признание она едва не клещами вытащила из отца. Папа был человек чрезвычайно щедрый и отзывчивый, хотя в своем бизнесе, если того требовала ситуация, действовал жестко, а порой и жестоко. Он не хотел «грузить» дочь своими проблемами, поэтому избегал подобных тем. Но, с другой стороны, ему как-то надо было объяснить своей девочке, почему она живет в Англии, отдельно от папы, и зачем понадобилось поменять не только страну проживания, но и фамилию, а также целиком всю «родословную», внеся изменения в биографию девочки, оставив нетронутым, пожалуй, лишь одно — имя Тамара, данное ей при рождении.

После трагической смерти Ларисы, с которой Руслан Хорхоев почти полтора десятка лет счастливо прожил в гражданском браке, Тамара осталась для отца самым близким человеком. В прошлом жизнь преподала ему какой-то страшный урок. Только этим можно объяснить то обстоятельство, что он предпочел «спрятать» свою дочь, увезти ее в Англию, в эту благополучную страну, славящуюся своей лучшей в мире системой образования, подальше от людей, среди которых сам он вынужден был обретаться в силу очень многих причин...

Когда она еще была подростком, отец придерживался версии, что Лариса погибла в автомобильной катастрофе. Позже, когда она, повзрослев, обнаружила целый ряд нестыковок в этой версии, отец признался, что ее мать убили. Но не сказал, кто и зачем, заметив, что виновные в гибели Ларисы наказаны, каждый по мере содеянного, что же касается подробностей, то он сообщит их дочери, лишь когда сочтет это нужным.

И только нынешней весной, в самом начале апреля, отец, словно предчувствуя, что эта их встреча может стать последней, вдруг сам поднял эту тему, попутно рассказав ей о масштабном проекте, который он вынашивал долгие годы и который, не считая, конечно, обожаемой им дочери Тамары, является его любимым детищем, воистину делом всей его жизни...

Согласно первоначальной договоренности, она должна была встретиться с отцом в Париже, где он только в этом году успел побывать несколько раз, в связи с переговорами о предоставлении крупного кредита. Но отец вдруг переменил свои планы, так что Тамаре пришлось со своим новоиспеченным компаньоном Бадуевым лететь рейсом авиакомпании «КЛМ» в столицу Нидерландов.

Город Амстердам, куда отец завернул по делам и где он, закончив переговоры с голландскими поставщиками оборудования для новых буровых, намеревался хотя бы сутки-другие провести в компании дочери, был, казалось, целиком окрашен в оранжевые цвета. Жители Нидерландов праздновали День Королевы (день рождения королевы Юлианы, отрекшейся от престола в пользу дочери — королевы Беатрикс). Деревья, дома, городской транспорт были увиты оранжевыми лентами, украшены смахивающими на апельсины шариками. Многие горожане, пожелавшие отдать дань традиции, в этот праздничный день также были одеты в яркие однотонные наряды — оранжевый цвет является символом Оранско-Нассауской династии, правящей в Нидерландах.

Отец, встречавший их в аэропорту, подарил дочери целую охапку оранжевых тюльпанов.

Они провели вместе в Амстердаме почти двое суток. В первый день, совпавший с местным праздником, они ходили по нарядному сказочному городу, чьи кварталы напоминали тесно выстроившиеся у портовых причалов огромные старинные фрегаты. В центре, вымощенном брусчаткой, в районе Королевского вокзала, над толпой витал неистребимый сладковатый запашок марихуаны. Тамара вместо с отцом вели себя как обычные туристы: глазели на праздничное действо, регулярно заглядывали в крохотные бары и ресторанчики и даже позволили себе по фужеру шампанского.

Вечером они ужинали в гостинице, в папиных апартаментах, при свечах. Третьим в их компании был Ахмад Бадуев, от которого у нефтяного магната Хорхоева, кажется, не было никаких секретов. Ахмад был едва ли не единственным соплеменником отца, кто входил в его самое ближнее окружение. С некоторых пор Руслан Хорхоев не доверял вайнахам; и это обстоятельство, учитывая его собственное происхождение, временами сильно омрачало его и без того довольно хлопотную жизнь.

Но Ахмад, выказав себя деликатным человеком,

менее чем через час покинул их и отправился к себе в номер.

Отец тогда ввел Тамару в курс событий, рассказав о планах расширения своего нефтяного бизнеса и прежде всего о «южносибирском проекте». Он показал ей кое-какие документы, взятые им с собой в Амстердам, а также подарил дочери новенький ноутбук с набором дискет — на них хранилась информация о тех зарубежных счетах Руслана Хорхоева, средства с которых, по договоренности с отцом, она могла перекачивать на счета созданного ею в Великобритании благотворительного фонда, нацеленного на оказание гуманитарной помощи беженцам из Чечни.

Во время этого затянувшегося за полночь общения между ними произошло то, что уже несколько раз случалось прежде, когда они встречались. В какой-то момент отец, потеряв нить разговора, взял Тамару за руку и уставился на нее странным, немигающим, будто направленным в бездонный космос взглядом. Руслан Хорхоев смотрел на нее так, словно молодая женщина, сидящая перед ним, не его родная дочь Тамара, а та, кого давно нет рядом с ним, — Лариса.

Иногда, забываясь, он так и звал свою дочь — Ларисой или же Ларой...

О том, как погибла ее мать и кто в этом повинен, Руслан рассказал дочери на следующий день.

Отец зафрахтовал небольшой прогулочный пароходик, и они вдвоем, уже без Ахмада Бадуева, отправились в путешествие по живописным амстердамским каналам.

Столица Нидерландов, избавившись за ночь от оранжевых лент и мириадов пустых пивных банок, вернула себе прежний облик. От праздничного настроения, царившего еще вчера в душе у Тамары, также не осталось и малейшего следа.

...Отец, щадя ее психику, не стал выкладывать дочери всех подробностей той давней трагической истории. Но то, что он решился открыть Тамаре, все равно потрясло ее до основания.

Руслан сказал, что не существует какой-то одной причины, которой можно было бы объяснить случившееся двенадцать лет назад. Здесь все смешалось воедино: зависть, злоба, непонимание того, как он может жить с русской женщиной, амбиции некоторых его близких родственников, копившиеся годами обиды и разные, зачастую противоположные, взгляды братьев на то, как следует вести себя, занимаясь традиционным для их тейпа нефтегазовым бизнесом.

Руслан Хорхоев, понимая, что эти его острые разногласия с частью агрессивно настроенных родственников добром не кончатся, — а ведь еще существовала и внешняя конкурентная среда, — решил отправить Ларису и дочь за границу, в Великобританию, где они были бы в безопасности, где иные стандарты жизни, неизмеримо более высокие, нежели те, что существовали в позднегорбачевском Союзе, и где Тамара со временем могла бы получить первоклассное образование.

Руслан, отчасти поддерживаемый самим Ханом, предугадав скорое наступление благоприятной конъюнктуры, разворачивал в то время семейный бизнес в сторону нефтяных залежей Тюмени и Западной Сибири. Он, как и его отец, некоторое время работал в главке нефтедобычи Миннефтегаза, поэтому располагал в самой перспективной российской отрасли крепкими связями. А в дополнение к этому не только водил знакомства, но и оказывал ценные услуги Борису и другим перспективным ребятам из еврейских кругов — вскоре многие из них выдвинутся на первые

195

роли в топливно-сырьевом бизнесе, почти в одночасье став немыслимо богатыми людьми.

Братья же, пытаясь действовать по старинке, предлагали подмять под себя Грознефть, некоторые нефтеперерабатывающие предприятия на Ставрополье и в Краснодарском крае, а также взять под контроль нефтетерминалы в порту Новороссийска. Их совершенно не смущало то, что в этом случае придется биться насмерть со своими же чеченцами, представителями других тейпов, которые к тому времени успели плотно присосаться к «трубе». У клана Хорхоевых на юге России уже имелся задел, но любая попытка расширить свой контрабандный бизнес за счет «чужих» была чревата пролитием крови, беспределом и длительной междуусобной войной, от которой не спастись ни в горных районах Чечни, ни в подмосковной резиденции, где обосновался почти отошедший от дел Хан...

Ларису и сопровождавшего ее охранника застрелили в подъезде многоэтажного дома в Черемушках, куда она наведалась попрощаться с подругой, вместе с которой проработала несколько лет в ведомственной библиотеке Миннефтегаза.

Тамара в это время была в школе. Для нее это было последнее занятие в английской спецшколе, потому что уже через неделю они с мамой должны были переехать на постоянное место жительства в Лондон.

Вероятно, это ее и спасло. Если бы мама взяла с собой дочь, когда отправилась к подруге в Черемушки, то в числе жертв могла бы оказаться и двенадцатилетняя девочка Тамара.

О том, что мамы больше нет, Тамара узнала не сразу. Из спецшколы ее забрал Николай Дмитриевич Рассадин, близкий друг отца. Вместе с ним было сразу четверо мужчин, причем двух из них Тамара знала как

папиных охранников. У школы всю их компанию под-
жидали две машины. Когда ее вызвали из класса, эти
взрослые люди сразу взяли хрупкую девочку в «коро-
бочку» и, прикрывая своими телами, сопроводили на
улицу, к машинам... Все происходящее тогда, помнится, ее сильно удивило.

Тамару привезли в папин офис. Вечером появился
отец — бледный, опустошенный, с покрасневшими глазами, — и с приближением ночи ее перевезли в другое
место, в Подмосковье, где она находилась около трех
недель, вплоть до того дня, когда Руслан Хорхоев отвез
ее в Лондон, откуда ее вскоре перевезли в закрытый
пансионат для девочек на юге Англии.

Отец не стал рассказывать ей, при помощи каких
методов дознания ему удалось установить всю цепочку
лиц. Он сказал, что сделать это было не так уж трудно,
потому что он сразу догадался, кто заказал это гнусное
преступление, — осталось лишь, не теряя времени,
быстро собрать доказательства вины этих людей.

Всего было наказано пять человек — все они оказались чеченцами, — причем четверо были убиты.

Заказчиком этого преступления являлся Зелимхан
Хорхоев, второй по очередности ребенок в семье Искирхана Хорхоева. Зелимхан был на два года младше
Руслана. Он обладал необузданным нравом, а кон-
фликтовать со старшим братом, которого он считал ве-
зунчиком и к успехам которого всегда относился рев-
ностно, он начал едва ли не с раннего детства.

После случившегося вот уже двенадцать лет о Зе-
лимхане в семье Хорхоевых, среди всех поколений
клана, не произнесено ни единого слова. Ни хорошего,
ни дурного. Зелимхана вычеркнули из списка семьи.
Так, будто всегда существовало не четверо, а только
трое братьев Хорхоевых. Причем инициатива здесь исходила не от Руслана, а от самого Хана.

Были также убиты один из ближайших помощников Зелимхана, имевший прямое отношение к преступлению, и двое непосредственных исполнителей, прибывших в Москву из Урус-Мартана, — этих удалось отловить прежде, чем их успели «зачистить» люди Зелимхана.

Неизвестно, на что рассчитывал Зелимхан, отдавая приказ убить женщину, которую его старший брат, как и свою дочь, любил больше всего на свете. Наверное, думал, что за жизнь русской женщины Ларисы, которую он иначе как «русская блядь» в своем кругу не называл, с него, чистопородного чеченца, не спросится... Он недооценил возможностей, какие к тому времени уже были сконцентрированы в руках у старшего брата, и не сумел правильно просчитать реакцию все еще авторитетного в семейном кругу Хана.

Последний, когда Руслан предоставил ему доказательства вины Зелимхана в смерти его женщины и охранника, вынес свой вердикт — Зелимхан виновен в тяжком преступлении, его следует покарать согласно суровым законам их общей родины.

Только Всевышний знает, чего стоило такое решение Искирхану Хорхоеву... Но даже если бы он рассудил по-другому, Зелимхана все равно это бы не спасло.

— Отец, почему ты не убил Ильдаса? — спросила Тамара, когда Руслан Хорхоев завершил свою страшную исповедь. — Он ведь тоже виноват в гибели мамы? Зачем ты оставил ему жизнь?

Отец заметно напрягся, но спустя мгновение сумел взять себя в руки.

— В свое время я пообещал Хану, что сохраню Ильдасу жизнь... Хотя и считаю его наряду с Зелимханом виновником гибели твоей мамы. Я выполнил свое обещание, но все же не оставил его проступок безнаказанным... И если ты, Тамара, вопреки моим желани-

198

ям, столкнешься когда-нибудь в жизни с чеченцем по имени Ильдас, у которого на правой руке не хватает большого и указательного пальцев, то знай, что он — один из виновников гибели твоей матери.

...Тамара застыла в кресле, обняв коленки руками, погруженная в свои невеселые мысли.

Двенадцать лет назад она осталась без матери.

Менее четырех месяцев назад, почти выпестовав свое любимое детище, погиб в южносибирской глуши ее отец.

Есть все основания считать, что двое суток назад, во время ночного нападения, погиб Ахмад Бадуев — необыкновенно верный и преданный вайнах, единственный человек, связывавший ее с прошлой жизнью.

Теперь, кажется, некому за нее заступиться. Одна она осталась на белом свете.

Совсем одна.

Глава 22

Скажи кто-нибудь Протасову еще месяц назад, что ему доведется участвовать в подобных затеях, как нынешняя, да еще имея в компаньонах чеченца, он бы ни за что не поверил.

Бадуев оказался предусмотрительным мужиком. Ему где-то удалось раздобыть «АКМ» с «фирменным» глушителем, снабженный прицелом ночного видения. Александр, конечно, предпочел бы сейчас иметь под рукой малошумный спецназовский «винторез». Но об этом оставалось только мечтать.

Кроме переоборудованного под «бесшумку» непритязательного, но достаточно надежного «калаша», в арсенале Ахмада сыскался еще и «марголин» с навинченным на дуло кустарным глушаком. Александру в свое время довелось расстрелять в училищном тире немало зарядов из этого малокалиберного пистолета, поэтому он хорошо знал, как обращаться с таким «стволом».

Посовещавшись, они не только распределили роли, но и сочли нужным поменяться оружием. Бадуев вооружился «береттой» без глушака. Помимо этого, у Ахмада имелся при себе внушительных размеров тесак, закрепленный в ножнах на бедре. Если получится, то чечен должен почикать своим ножичком дежурного охранника. Ну а если что-то пойдет не так, тогда они пустят в ход «стволы».

Обязанности снайпера автоматически перешли к Протасову. Ахмад спросил: «Александр, ты сможешь уложить пса с первого выстрела?» На что его новый напарник честно ответил: «А хрен его знает... Но попробую!»

Протасов нисколько не лукавил. Закончив учебу в городе Обань — это в сорока километрах от Марселя — и подписав трехлетний контракт с Легионом, он первым делом сдал норматив на классность по специальности снайпера, что принесло ему пятнадцатипроцентную прибавку к жалованью. Но откуда ему знать, как поведет себя непристрелянный «калаш», да еще в ночное время?

— Мне сказали, «калаш» б ь е т нормально, — заявил в ответ на его сомнения Бадуев. — Если сильно захочешь, то обязательно попадешь!

Протасову опять пришлось карабкаться на дерево. Не на то, с которого он наблюдал за Вахой и его джигитами, а на другое, растущее в окружении прочих деревьев на подступах к ирригационному каналу.

До ограды по прямой было около семидесяти метров. Чуть поодаль от нее виднелась крыша хозпостройки, за которой темнел массивный домина. Бадуев подсадил напарника, а потом, когда тот расклинился меж толстыми ответвлениями, передал ему «бесшумку».

Сердечники патронов, которыми был снаряжен магазин «АКМ», как смог убедиться Протасов, имели крестообразный пропил. Кто превратил обычные пули в «разрывные», Александр спрашивать не стал, потому что Бадуев на такого рода вопросы не реагирует.

Заняв снайперскую позицию, Протасов прикипел к окуляру ночной оптики. Он боялся, что элементы питания окажутся некачественными либо оптика откажет в последний момент, но все было на мази.

Несмотря на поздний час, а времени было уже два ночи, в особняке все еще горел свет — он был заметен в окнах первого этажа, причем освещение было включено, судя по всему, в двух помещениях.

Но основное внимание Протасов сосредоточил на сторожевой псине — кажется, это была кавказская овчарка. Полкан сидел на цепи, а его поводок, защелкнутый на карабин, свободно скользил по металлическому тросику — это позволяло собаке передвигаться практически по всему участку, от хозпостройки до самой ограды, в нескольких десятках шагов от которой находился поросший деревьями и кустарником берег ирригационного канала.

Хотя они с Бадуевым старались производить как можно меньше шума, псина все же вела себя довольно беспокойно. На месте ей никак не лежалось: чуть слышно погромыхивая цепью, собака все время перемещалась по участку, а иногда почти вплотную приближалась к тому участку ограды, который как раз намеревались преодолеть двое затаившихся в ночи людей.

Протасову это было на руку. Он сидел на дереве достаточно высоко, чтобы забор не препятствовал ему

держать на прицеле ночной оптики этого четвероногого охранника.

Выждав удобный момент, Протасов зафиксировал
цель в «рамке» и, на мгновение затаив дыхание, плавно нажал на спуск...

Выстрел попал точно в цель, то есть в собачью че-
репушку. Но сам звук, который издал при стрельбе
снабженный ПБС «калаш», показался Протасову довольно громким.

Полкана, похоже, он вырубил капитально — пес
рухнул, не издав ни малейшего звука. Но для верности
он все же всадил в него еще одну пулю.

После этого взял под прицел прогал между хозпо-
стройкой и особняком, откуда мог появиться кто-нибудь из охранников. Услышал кто-нибудь его «хлопки»
или нет? Судя по тому, что в некоторых окнах первого
этажа продолжал ровно мерцать мягкий свет, — на
этот раз обошлось.

Пока он держал под прицелом дом, откуда могли
появиться охранники, Бадуев, не теряя ни секунды,
оседлал стену, а затем приземлился уже на участке. Он
еще загодя, воспользовавшись тесаком, срубил дерев-
цо, чуть обчекрыжил ветки и таким кустарным образом превратил его в некое подобие штурмовой лестницы.

Вообще надо отдать должное чеченам. В такого рода затеях они — непревзойденные мастера. Правда,
следует заметить, что вайнахи гораздо чаще сами похи-
щают людей, нежели участвуют в подобных спасатель-
ных операциях.

Как только Протасов увидел через ночную оптику
Бадуева, уже достигшего хозпостройки, он тут же оставил снайперскую позицию и спустился на землю.

Автомат, который сейчас будет лишь сковывать его
движения, он оставил у «лестницы» — оружие они

подберут потом, в том случае, если все для них закончится благополучно.

Воспользовавшись кустарным изделием Бадуева, он взобрался на стену. Цепляясь за верхний край одной правой рукой — левую он старался поменьше пускать в ход, опасаясь, что разойдутся швы, наложенные на рану, — благополучно опустился по другую ее сторону.

Продвигаясь по выложенной плиткой дорожке к дому, вытащил из карманов «марголин» и глушитель, прикрутил одно к другому, не забыв взвести пистолет.

К парадному входу, понятно, соваться не стоило. Сделав пару кругов возле дома, они окончательно определились, найдя окно с приоткрытой фрамугой на первом этаже, со стороны, противоположной той, где через занавешенные окна наружу просачивался свет.

Протасов подсадил напарника. Тот завис на несколько секунд в неудобном положении, затем, быстро справившись с фиксатором, открыл окно пошире. В особняк он проник так легко и бесшумно, будто всю жизнь промышлял квартирными кражами...

Александр тоже забрался в дом — но не через окно, как Ахмад, а через летнюю террасу: чечен открыл ему изнутри дверь.

Бадуев показал ему два пальца, благо в коридор, где они оказались, попадала толика света через приоткрытую дверь одного из помещений, и потому Александр смог увидеть этот его жест. Ахмад показал на эту дверь — «в помещении двое охранников». Потом также жестом дал понять, что где-то здесь должен находиться еще кто-то из охраны — один, максимум два человека.

Неизвестно, как хотел поступить Бадуев, но случилась накладка: в коридор, прямо на них, выперся охранник. То ли на кухню направлялся, то ли шел в туалет...

Этот тип, у которого на поясе болталась кобура, вышел из комнаты, широко зевнул, сделал шаг или два и только после этого удосужился их заметить. Бадуев, к счастью, успел сблизиться с ним... Клинок, плотоядно чмокнув, вошел в человеческую плоть. Ахмад как-то изловчился и сумел перекрыть кислород беспечному вайнаху прежде, чем тот заорал бы или выдал их присутствие громким стоном. Но все же не получилось бесшумно почикать охранника... Александр, проскользнув мимо них к двери, — Ахмад в этот момент деловито резал горло своему соплеменнику, — не мог не слышать всей этой возни. Само собой, второй охранник, находившийся в комнате, тоже обратил внимание на подозрительные звуки.

Но пистолет у Протасова был уже в руке, а чечен еще раздумывал над тем, какова природа этих привлекших его внимание звуков. Александр не стал ждать, пока тот дотумкает, что это — предсмертные хрипы. Он шагнул в дверной проем и вогнал три пули в обтянутую сбруей грудь вайнаха.

«Марголин», как показалось ему, стрелял намного тише, чем переделанный в «бесшумку» «АКМ». Но весь эффект от такого сравнения пошел насмарку: охранник грохнулся на пол, опрокинув при этом стул.

Протасов, зная не понаслышке, что люди, которым метят в сердце, порой все же избегают смерти, счел своей обязанностью сделать контрольный выстрел в голову.

Едва он вышел обратно в коридор, как с лестницы, находившейся слева от него, донесся заспанный мужской голос. Говорил этот третий, внезапно объявившийся субъект, явно по-чеченски. Можно было, конечно, попросить Ахмада выступить в роли толмача. Вот только времени на эти процедуры не осталось.

Протасов находился ближе, чем Ахмад, к лестнице, по которой кто-то спускался. Он бы предпочел, чтобы Бадуев порезал своим ножичком еще одного чичика, но получилось так, что этот гад выпал на его долю.

Понятно, что по лестнице спускалась не Тамара: во-первых, голос мужской, а во-вторых, как уже стало заметно, комплекцией этот человек располагал отнюдь не женской.

Глушак еще не успел толком остыть, как из его отверстия вновь вырвался наружу раскаленный свинцовый комочек... На этот раз Александр произвел два выстрела. Сначала, снизу вверх, в грудь, а затем, когда этот тип попытался завалиться на него, отцентровал его положение выстрелом в голову.

После чего быстренько перезарядил «марголин», благо Ахмад дал ему запасную обойму.

Несколько секунд они стояли молча, прислушиваясь к звукам внутри дома. Ахмад, сместившись к нему, ногой перевернул труп третьего убитого ими чечена.

— Это Казбек, — сказал он полушепотом. — Жаль... Я хотел с ним переговорить.

Протасов пожал плечами. Лично ему по фигу, что Казбек, что Эльбрус... Сейчас главное — не зевать. Потому что если ты замешкаешься, кто-нибудь пустит тебе пулю в лоб, а затем, перевернув труп ногой, грустно поцокает языком: «Это ведь тот самый Протасов, да? Жаль, что так легко умер, я хотел намотать его кишки на руку...»

Не теряя бдительности, они принялись исследовать дом.

Но поиски оказались недолгими: Тамара обнаружилась в помещении, соседствующем с комнатой охранников.

Девушка дремала, почему-то сидя в кресле. Свет в комнате был включен. Несколько секунд она ошалело смотрела на человека, застывшего в дверном проеме, затем, сорвавшись с места, бросилась ему на шею.

— Ахмад, миленький... Живой?! Я так боялась за тебя...

Протасов стоял на стреме, в коридоре. Хотя уже было ясно, что наблюдения Ахмада оказались верными — в доме этой ночью находились лишь двое охранников и некий Казбек.

Когда Тамара увидела Протасова, то ее изумлению вообще не было предела. Не справившись с эмоциями, она и ему бросилась на шею, причем стиснула его так, что он едва удержался, чтобы не охнуть в голос от полоснувшей по мышцам в том месте, где находилась рана, режущей боли.

— И вы здесь, Александр?! Но... Как вы тут оказались?

Протасов улыбнулся сквозь эту боль.

— Вы же сами сказали, что у вас есть какое-то предложение ко мне, Тамара. Если помните, нас прервали на самом интересном месте...

Протасов остался на время с девушкой, а Бадуев быстро обыскал особняк. В комнате у Казбека он нашел протасовскую барсетку... Отсутствовала только долларовая наличность, все же остальное, включая оба паспорта, было на месте.

С транспортом у них проблем не возникло, потому что в гараже обнаружились две машины — они выбрали джип «Чероки».

— Я же говорил тебе, Тамара, что я не трус, но и не дурак, — сказал Бадуев, когда они уже знакомым Протасову маршрутом выбирались из мирно спящего ингушского села. — Считай, что твоя затея с «гуманитаркой» временно накрылась... Теперь, прежде чем хоть что-то предпринять, нам всем следует хорошенько подумать...

Часть II

Глава 1

Искирхан Хорхоев тем временем продолжал чудить.

Старик неожиданно назначил новую дату переговоров с представителями «Халлибертон». Это стало известно лишь утром того дня, когда, согласно прежней договоренности, должна была состояться конфиденциальная беседа Ричарда Дж. Нормана, директора российского департамента этой фирмы, с новым руководством нефтегазового объединения «Альянс».

Хан перенес переговоры на два дня.

Одно из соображений, каким руководствовался при этом старейшина рода Хорхоевых, было следующим: если американцы действительно настроены на серьезное сотрудничество, то подобный поворот событий их не смутит. Они воспримут сие как небольшую заминку в делах, как мелочь, на каковую не стоит обращать внимания.

Ну а если американцы вдруг решатся выказать свой супердержавный гонор или же, воспользовавшись предлогом, вообще надумают исчезнуть с горизонта... Ну что ж. Придется искать других, более компетентных и менее обидчивых деловых партнеров, благо выбирать в Штатах и в Европе есть из кого.

К удивлению Бекмарса, Фейгелевич, с которым он немедленно связался по телефону, воспринял данную новость хотя и без энтузиазма, но и без особого неудовольствия. Он лишь попросил не сдвигать переговоры на более поздний срок. Норман, сказал он, чертовски занятой человек. К тому же в конце нынешней недели его ждут неотложные дела в Штатах.

Когда Бекмарс выбрался к отцу в его подмосковную резиденцию, он был не только взволнован, но и сильно раздражен:

«Старик точно выжил из ума, — думал он, наблюдая за тем, как отец и живущий в его доме парень, преклонив колени, творят полуденную молитву. — «Халлибертон» в данной ситуации — спасительная соломинка... А что, если бы из-за нелепой причуды Хана американцы хлопнули бы дверью, отказавшись от всяких переговоров?! Вот же старый шайтан... Лучше бы он продолжал молиться целыми днями своему Аллаху и не лез в дела сыновей, коих его стариковские советы давно не интересуют!»

— Я тебя решительно не понимаю, отец, — сказал Бекмарс после того, как старик завершил очередной сеанс общения с небесными силами. — Наш бизнес на грани банкротства... К счастью, по воле Аллаха, на нас вышли серьезные люди, при помощи которых мы могли бы решить свои финансовые проблемы. В наших ли интересах затягивать переговоры, рискуя сорвать спасительную для нас сделку?

Хан посмотрел на сына спокойным ясным взглядом.

— Главная беда нынешнего поколения чеченцев заключается в том, Бекмарс, что вы хотите получить много и все сразу. К сожалению, вы забыли, о чем гласит мудрая поговорка наших предков: «Слишком быстро бегущая река никогда не доходила до моря...»

Желание прояснить для себя серьезность намерений потенциальных заокеанских партнеров было не единственной причиной тому, чтобы сдвинуть переговоры с представителями «Халлибертон» на более поздний срок. Как это уже случалось раньше, внутри семьи стали нарастать острые разногласия. Но если в прежние годы младшие братья конфликтовали со старшим, глава же семейства вынужден был выступать в этих спорах третейским судьей, то теперь, после гибели Руслана, Хану самому все чаще доводилось сталкиваться с непокорностью и своеволием своих давно выросших сыновей.

Прежде чем договариваться о чем-то с американцами, Хан хотел еще раз серьезно переговорить с Ильдасом. Похоже, его младшего сына жизнь так ничему и не научила. Если Ильдаса не остановить сейчас, он может наделать таких дел, что прямо беда... Младший сын, который своими наклонностями во многом напоминает покойного Зелимхана, принадлежит к той породе амбициозных и неуправляемых людей, что погубили Ичкерию, втянув свой народ в череду нынешних разрушительных войн.

Помимо этого, Хан с нетерпением ожидал возвращения из Лондона своего ближайшего помощника: Абдулла провел в Англии четверо суток, и у него, судя по телефонной беседе, состоявшейся этим утром, найдется что показать и о чем поведать своему Учителю...

Ильдас, выполняя требование отца, намеревался еще вчера вечером навестить Хана в его загородной резиденции. Когда он уже выехал из аэропорта, отец позвонил ему на сотовый. Выяснилось, что Хан в последнюю минуту все переиграл. Старик сказал, чтобы Ильдас ехал к себе домой, а к нему явился на следующий день, в два часа.

В самом тоне, каким были отданы эти распоряжения, было нечто такое, что Ильдас не осмелился нарушить предписания Хана, хотя странное, непоследовательное поведение старика вызвало в нем волну бешенства.

Как и было ему велено, Ильдас появился у ворот загородного дома Искирхана Хорхоева ровно в два пополудни. Его «шестисотый» «мерс» сопровождал джип с охраной. Хан распорядился, чтобы в дом впустили одного Ильдаса, прочих же оставили за закрытыми воротами.

Вид у Ильдаса был хмурый, как у грозовой тучи.

— Ассалам алейкум, отец! — угрюмо процедил он, найдя Хана в беседке. — Ты велел не пускать в свой дом моих людей?! Но двое из них мусульмане! Где же твое хваленое горское гостеприимство?

Он все же заставил себя подойти к отцу и поцеловать его в плечо. Старик внешне был спокоен и холоден, как лед. Ильдасу даже почудилось, что он только что облобызал не живого человека, а кусок выстуженной горной породы.

— Ты кого-то боишься, Ильдас? — Хан кивком головы велел сыну присаживаться на скамейку. — Зачем ты возишь за собой столько охраны? Да еще заявился вместе с этими вооруженными людьми ко мне, своему отцу!

— Это всего лишь мера предосторожности.

— Может, ты меня опасаешься, Ильдас? Скажи мне правду, что у тебя на душе? И чем заняты сейчас твои мысли?

Ильдас, чтобы не смотреть старику в глаза, отвернул голову в сторону.

— Я тебя не понимаю, отец. Чего ты от меня хочешь?

— Для начала я хотел бы услышать от тебя правду.

Ильдас, как ни старался сдерживать себя, все же взорвался.

— Правды тебе захотелось?! — Он продемонстрировал отцу изувеченную руку. — Вот! Ты еще не забыл, кто это сделал?! Я однажды сказал тебе всю правду, и что? Ты отдал меня Руслану, а тот, вместе со своим головорезом Бадуевым, отхватил мне два пальца!

— Ты заслуживал даже большего наказания. Я с трудом упросил Руслана не лишать тебя жизни. Я не хотел терять сразу двух сыновей, хотя вы оба, ты и Зелимхан, заслуживали смерти. Я надеялся, что эта история послужит тебе уроком на всю оставшуюся жизнь.

Ильдас, не без труда справившись с приступом гнева, убрал с виду свою покалеченную руку.

— Ну, так зачем ты меня позвал, отец?

Хан бросил на сына проницательный взгляд.

— Расскажи мне, Ильдас, чем ты занимался последние двое суток в Осетии.

Проговорили они около получаса, но Ильдас, кажется, так ничего и не понял.

— Не знаю, отец, с чего ты взял, что эта девушка, которая предположительно является дочерью Руслана, находится у меня в руках...

— Не находится, а была...

— Что за глупости!

— Я знаю, что говорю, Ильдас.

Хорхоев-младший криво усмехнулся.

— Где доказательства, отец?

— Если понадобится, Ильдас, доказательства твоей лжи будут представлены, — заверил его старик. — Кстати... Где сейчас твой ближайший помощник Казбек?

Ильдас чуть заметно побледнел.

— Остался в Осетии. А что?

— Набери номер его сотового телефона.

— Зачем?

— Не спрашивай «зачем», а просто набери его

номер. Если до тебя иногда бывает трудно дозвониться, то Казбек всегда «на связи».

Ильдас шумно процедил воздух сквозь стиснутые зубы.

— Откуда тебе стало известно о том, что случилось с Казбеком?

Хорхоев-старший поднял глаза к небу.

— Там, наверху, все про всех знают... Человека еще можно обмануть, но Всевышнего — никогда.

«Сумасшедший старик! — выругался про себя Ильдас. — Иногда просто хочется взять... и убить!»

— Мне не нравится наш разговор, отец, — сказал он, выдержав паузу. — Я вижу, ты не в духе. Встретимся позже, когда у тебя переменится настроение.

Ильдас Хорхоев поднялся со скамейки.

— Я еще не закончил, — сказал старик. — Ты кое о чем забыл, Ильдас... Однажды я заставил тебя поклясться на Коране, что ты не будешь мстить Руслану, его близким и тем, кто связан с той памятной тебе историей.

Ильдас хмуро смотрел на отца.

— Если с головы девушки упадет хоть один волос... Если это случится по твоей вине, Ильдас... Я уже говорил тебе однажды, что бывает с теми, кто нарушает данные на Коране клятвы.

Хан удостоил сына долгим взглядом.

— У меня все, Ильдас. Теперь можешь идти.

Абдулла приехал из аэропорта, куда он прилетел самолетом компании «Бритиш аэровэйз», в восьмом часу вечера.

Адрес адвокатской конторы «Симпсон энд партнерс», чья штаб-квартира находится в британской столице, был прекрасно известен Искирхану Хорхоеву и его воспитаннику Абдулле. Юристы этой фирмы, специализирующиеся на решении правовых вопросов в международной нефтегазовой отрасли, уже десять лет обслуживали юридические интересы российской ОАО «Альянс» не только в Великобритании, но и в других странах Западной Европы. Хорошо знавшие президента компании Руслана Хорхоева, юристы теперь переключились на работу с его правонаследниками, хотя на первых порах обе стороны столкнулись с целым рядом трудноразрешимых проблем, возникших после внезапной кончины Руслана.

Адвокаты, как и следовало ожидать, зная технологии, которые применял Руслан, ничего не ведали о судьбе пятидесятимиллионного кредита; хотя о том, что такая сделка имела место быть, они были в свое время извещены. Точно так же лондонские юристы не ведали о местонахождении некой девушки, предположительно являвшейся родной дочерью нефтяного магната.

В архиве Руслана, оставшемся после его смерти, обнаружились кое-какие любопытные сведения о двух юристах, занимающих высокие должности в этой известнейшей адвокатской фирме.

Иными словами, Руслан, верный своей методе — каждому свой «крючок», — подсобрал на этих двух британцев компромат. Для того, наверное, чтобы эти спецы, участвовавшие в оформлении многих важных сделок, вели себя покладисто и не пытались «слить» кому-либо информацию о его бизнесе.

Вот через этих двух, через их связи и возможности, удалось выйти на другую, более скромную адвокатскую контору в том же Лондоне, куда иногда захаживал по своим секретным делам Руслан Хорхоев, — в бумагах Руслана не было даже упоминания об этой фирме. Ну а затем, проведя кое-какую подготовительную работу, узнали о том, что клиентом конторы был не только Руслан Хорхоев, но и некая Тамара Истомина — фирма опекает девушку вот уже двенадцать лет.

В данном случае Бекмарс и Ильдас, проводившие собственное «независимое» расследование, прокрутились быстрее, чем Абдулла, причем братья, кажется, уговорились скрыть от отца многое из той информации, какую им удалось добыть в Англии.

Хан и его воспитанник переместились в библиотеку, которая использовалась ими как служебный кабинет.

Уяснив из рассказа своего воспитанника самое важное, старик жестом остановил Абдуллу — «все подробности потом, сейчас я хочу посмотреть фото».

Абдулла передал своему учителю объемистый пакет с фотографиями, сообщив, что он также привез с собой несколько видеокассет.

Несмотря на солидный возраст, зрение у Хана все еще было прекрасным. Во всяком случае, очками он не пользовался. Разглядывая фотографии, на которых одна либо на групповых снимках была запечатлена дочь Руслана, — а следовательно, его, Искирхана, внучка, — он даже не заметил, как Абдулла вышел из библиотеки, оставив учителя наедине с его мыслями.

Некоторое время Хан сидел недвижимо, смежив тяжелые веки. Затем, на время оставив свое прежнее занятие, взял со стола письмо, адресованное главой лондонской адвокатской конторы «Симпсон энд партнерс» Искирхану Хорхоеву и переданное последнему через уполномоченное им лицо — то есть через того же Абдуллу.

Вскрыв послание, он пробежал глазами текст.

Из содержания этого письма он узнал, что его, Искирхана Хорхоева, либо уполномоченное им лицо, приглашают двадцать третьего августа сего года, то есть через неделю, посетить центральный офис адвокатской фирмы в Лондоне, где ему будут переданы документы, оставленные на хранение господином Русланом Хорхоевым.

Отложив письмо в сторону, Хан понимающе покивал головой.

Вот теперь, получив известие из Лондона, он может вступить в переговоры с людьми из «Халлибертон».

Глава 2

Переговоры с американцами проходили в московском офисе компании, в примыкающем к кабинету президента фирмы малом зале, приспособленном для совещаний в узком кругу.

Кресло во главе недлинного стола пустовало: в знак памяти о покойном основателе компании президентское место никто не занимал.

Позади президентского места, там, где обычно помещают эмблему компании либо, что стало входить в моду, вешают портрет главы государства, на стене висел увеличенный фотоснимок Руслана Хорхоева, заключенный в траурную рамку.

Чеченцы, номинальные пока владельцы более двух третей акций объединения, но фактические владельцы компании, вместе с разрабатываемыми «Альянсом» нефтяными месторождениями и производственными мощностями унаследовавшие активы и долги своего родственника, сидели рядышком по одну сторону стола. Напротив них расположились американцы Норман и Фейгелевич. Поверхность стола была свободна от бумаг. По обоюдному согласию запись стенограммы переговоров не производилась. У Нормана, правда, имелась при себе маленькая записная книжица, с записями в которой он периодически сверялся, но это, понятно, не в счет.

Ричарду Норману, англосаксу с представительской внешностью и цепким, просвечивающим взглядом, было пятьдесят два года. Искирхан Хорхоев знал об этом человеке, занимающем второй по значимости пост в структурах «Халлибертон», если не все, то вполне достаточно, чтобы можно было вести с ним предварительные переговоры. Он не располагал компрометирующими материалами на Нормана — собирать таковые, если их вообще можно добыть, не было необходимости, — но досье, собранное на него Русланом, было исчерпывающим.

Американец, заранее проинформированный Фейгелевичем об этих сидящих напротив него людях, в свою очередь ненавязчиво рассматривал главу клана Хорхоевых. С Бекмарсом ему было более или менее все ясно. Хотя внешне похож на старшего брата, в том, что касается деловой хватки, опыта масштабных сделок и глубоких специальных знаний, сильно проигрывает Руслану. Ключик к этому субъекту подобрать будет не так уж сложно.

Что же касается старика...

Искирхан Хорхоев одет в скромный костюм темных тонов. На голове серая папаха, которую он не снял даже в помещении. Седые кустистые брови, нависающие над прозрачными, с прищуром, глазами. Усы белые, как перо лебедя. К лацкану пиджака прикреплена Звезда Героя Соцтруда. В узловатых пальцах перетекают бесконечной чередой темно-вишневые косточки янтарных четок.

Норман знал, что, кроме Звезды, Искирхан Хорхоев награжден еще множеством правительственных наград: двумя орденами Ленина, тремя Красного Знамени, орденами «Знак Почета» и Дружбы народов, множеством медалей. Большую часть своих наград он получил в годы Второй мировой (русские называют

216

эту войну Отечественной) и в первые послевоенные годы.

Нет, Хорхоев не воевал на фронте. Он добывал грозненскую нефть. В возрасте неполных двадцати четырех лет он обеспечивал ежесуточную поставку двух тысяч тонн нефти и продуктов ее переработки, направлявшихся прежде всего на нужды действующих фронтов. Над ним стоял русский начальник, не считая комиссаров и особистов. Но именно Хорхоев как специалист отвечал за добычу и переработку нефти на грозненских промыслах, до которых армия вермахта так и не смогла дотянуться в самую кризисную фазу войны.

Хорхоев был не единственным чеченцем, кто трудился или воевал на стороне извечного недруга горцев — России. Но большинство его соплеменников не только отказывались служить в Красной Армии, но еще и устроили резню в тылу у воюющей армии, фактически подняв массовое восстание против Советов.

В то время, когда диверсанты из 804-го полка специального назначения «Бранденбург-800» свободно разгуливали по чеченским городам и селам, не снимая даже немецкой военной формы, грозненские промыслы были едва ли не единственным островком советской власти в республике.

В феврале 1944 года, по личному указанию «отца всех народов», органы НКВД СССР в ходе спецоперации «Чечевица» выслали горские народы, прежде всего чеченцев и ингушей, к черту на кулички.

Существовало очень небольшое количество людей чеченской национальности, кого эти репрессии не затронули.

Среди «неприкасаемых» — Искирхан Хорхоев.

Но и этого человека позднее, вопреки всем его многочисленным заслугам, выслали из Чечни в Казахстан, вместе с семьей переведя нефтяника в ранг «спец-переселенца» (за какие провинности был выслан Хорхоев, Норману и тем, кто собирал досье на Хана, в точности выяснить не удалось). Уже летом 48-го его с семьей доставили в Кустанайскую область, откуда он, спустя несколько месяцев, задействовав какие-то свои связи, сумел перебраться гораздо южнее, в почти граничащий с Узбекистаном Чимкент.

Хорхоев и его близкие провели в ссылке чуть более десяти лет. Хан занимался, в меру возможностей, преподавательской и научной деятельностью в провинциальных институтах — власти, учитывая глубокие знания и немалый практический опыт Хорхоева, закрывали глаза на его происхождение.

Осталось добавить, что Искирхан Хорхоев и по нынешнюю пору пользуется непререкаемым авторитетом в российской нефтегазовой отрасли, — многие, занимающие сейчас руководящие посты в различных фирмах, бывали на его лекциях и практических занятиях еще в студенческую пору. Безусловно, в том, что его сыну Руслану, вопреки «неправильному» происхождению, удалось выстроить в России свой перспективный бизнес, есть большая заслуга и этого почтенного, находящегося уже в преклонном возрасте человека...

Норман, хотя и мог изъясняться на русском (ломаном русском, надо уточнить), учитывая важность разговора, предпочел родной английский; используя Фейгелевича в качестве толмача.

— Господа Хорхоевы... Я уполномочен руководством моей компании еще раз принести вам соболезнования в связи с трагической гибелью многолетнего президента вашей компании господина Руслана Хорхоева.

Фейгелевич перевел слова своего шефа.

— Можете сразу переходить к делу, — бросил нетерпеливый Бекмарс. — Михаил заверил меня, мистер Норман, что у вашей фирмы есть к нам серьезное коммерческое предложение.

Норман кивнул ему, затем перевел взгляд на пожилого мужчину в серой папахе, занятого, казалось, лишь своими янтарными четками.

— Как вам должно быть известно, господа, — продолжил американец, в синхронном переводе Фейгелевича, — мы уже проводили конфиденциальные переговоры с Русланом Хорхоевым. В декабре прошлого и марте нынешнего года. Обе встречи, напомню, состоялись здесь, в этом офисе.

Бекмарс, который слышал о таком впервые, хотел было открыть рот, но, заметив кивок отца, решил не показывать свою неинформированность.

— На нашей мартовской встрече с мистером Хорхоевым была достигнута предварительная договоренность об участии компании «Халлибертон», оперирующей на российском рынке посредством совместных с Тюменской компанией структур, в освоении вновь открытых в регионе Южной Сибири перспективных нефтяных залежей... Мы договорились провести следующий тур переговоров 1 сентября текущего года, но уже в Соединенных Штатах...

— Но сегодня только пятнадцатое августа, — подал реплику Бекмарс.

— Совершенно верно, — сказал американец. — Действительно, мы сочли нужным выйти на вас раньше оговоренного срока. На то имеются веские причины, о которых, господа, я полагаю, вы и сами догадываетесь. Сейчас, насколько нам известно, ваша компания испытывает... гм, некоторые трудности. И это, учитывая столь внезапный уход из жизни многолетнего руководителя фирмы, — вполне объяснимо. К тому же мы действуем четко в рамках прежних конфиденциальных соглашений. Мистер Хорхоев предупреждал нас, что при определенном раскладе вашей компании может понадобиться крупный кредит. Руководство моей фирмы, в свою очередь, пообещало, коль такая необходимость возникнет, предоставить через наши возможности и на определенных условиях кредит для нужд объединения «Альянс»... Имелось в виду, что необходимость в средствах может возникнуть еще до наступления даты финальной фазы переговоров, то есть до 1 сентября.

У Бекмарса, крайне заинтригованного таким поворотом событий, маслянисто заблестели глаза.

— Уточните, мистер Норман, о какой сумме идет речь?

— Да, конечно... В такого рода делах нужна сугубая точность.

Хотя Норман наверняка держал нужную цифирь в памяти, он заглянул в свою книжицу и лишь затем произнес:

— Верхний потолок кредита, о предоставлении которого через наши возможности договаривался мистер Хорхоев, составляет... двести пятьдесят миллионов долларов.

В воцарившейся ненадолго тишине было отчетливо слышно, как Бекмарс, потрясенный услышанным, шумно сглотнул.

— Порядок цифр, названный вами, мистер Норман, совпадает с нашими сведениями, — не поднимая голову, сказал Хорхоев-старший. — Теперь изложите, каким вы х о т е л и бы видеть участие «Халлибертон» в доразведке и освоении открытых н а м и месторождений в республике Т...

Расставив интонацией ударения в нужных местах, старейшина вновь предоставил инициативу заокеанским дельцам.

Несмотря на замкнутый, несколько отрешенный вид, Искирхан Хорхоев очень внимательно слушал речи одного из руководителей «Халлибертон». Норман, чтобы избежать неясностей и возможных недоразумений, счел необходимым заново сообщить о тех предварительных договоренностях, каковые были достигнуты в ходе секретных контактов с прежним руководителем «Альянса».

Хан не стал торопить американца, подобно тому, как это попытался сделать Бекмарс. Хотя понимал, что в ближайшие несколько минут вряд ли услышит что-нибудь новое для себя.

Руслан постоянно держал его в курсе своих переговоров с людьми из «Халлибертон». Старший сын почти не общался в последние годы с братьями — Бекмарса он терпел в своей компании в роли некрупного акционера, но не более того. С отцом же, вопреки всем невзгодам, сотрясавшим их семью, он неизменно поддерживал ровные отношения.

Руслан, с младых ногтей привыкший к полной самостоятельности, обладал сильным, независимым характером. Он не всегда посвящал отца в свои замыслы, полагая, что у Хана и без того хлопотная жизнь, поэтому нечего его «грузить» какими-то проблемами. Но вместе с тем не гнушался обращаться к авторитетному родителю за советом, когда того требовали интересы бизнеса. Что же касается «южносибирского проекта», то Хан был в курсе всех перипетий — он только не знал до недавней поры о судьбе взятого Русланом пятидесятимиллионного кредита.

Осознавая, каковы будут результаты переговоров с американцами, глава семейства Хорхоевых испытывал сейчас двойное чувство: гордость за своего сына, умевшего мыслить масштабно, стратегическими категориями, и острую печаль из-за того, что сын немного не дожил до времени, когда его ждал настоящий триумф.

Руслан Хорхоев прекрасно понимал, что наличие богатейших залежей нефти в недрах захолустной республики Т. сколь-нибудь долго скрывать не удастся и уже в ближайшее время можно ожидать «наезда» на оперирующих в таежных окрестностях Кызыла «дочек» компании «Альянс», да и на руководство самой компании — «наезда» как со стороны государственного Минтопэнерго и нефтегазовых лоббистов, так и самих нефтебаронов. И придумал поистине гроссмейстерский ход.

Он решил обзавестись «крышей».

Но само по себе желание обзавестись «крышей» еще не есть гениальное решение. Особенно в России, стране криминальных, чиновничьих, милицейских и гэбистских «крыш».

Фокус здесь заключался в другом. В том, чтобы обрести таких покровителей, которые окажутся не по зубам ни «Лукойлу» в паре с «ЮКОСом», ни Борису с его друзьями из московской «синагоги», ни даже первым лицам Российского государства.

В качестве «крыши» Руслан Хорхоев надумал использовать не кого-нибудь, а второго по величине занимаемого поста человека в США, каковым является вице-президент Америки.

То есть фактически в лице этого самого высокопоставленного государственного деятеля он получил бы покровительство всего контролируемого республиканцами административного аппарата, управляющего мощью единственной в мире сверхдержавы.

Именно вице-президент США, многие годы умело совмещающий бюрократическую и коммерческую деятельность, является фактическим основателем и нынешним теневым руководителем растущей как на дрожжах компании «Халлибертон». Заняв нынешний высокий пост, этот человек передал свой пакет акций в «слепой траст». Но предполагать, что он полностью отстранился от дел, что он не уделяет более никакого внимания своему любимому детищу, было бы наивно.

Идея выйти на руководство «Халлибертон» на предмет совместного участия в реализации «южносибирского проекта» принадлежала самому Руслану. Предварительно он счел нужным проконсультироваться с отцом. Хан полностью одобрил его выбор. Потому что оба они, не сговариваясь, именно в лице этой американской компании видели надежного перспективного партнера, при помощи которого «Альянс» мог бы впредь решать и свои собственные задачи.

Дело не только в том, что стратегичсскос сотрудничество с «Халлибертон» могло бы обезопасить владельцев объединения «Альянс» от наездов нефтегазовых «баронов» или же, учитывая чеченские корни Хорхоевых, от недоброго внимания российских спецслужб. Не менее важно и то, что сам профиль американской компании как нельзя лучше подходит для участия в совместном проекте. «Халлибертон» специализируется на разведке нефтяных месторождений, на поставках соответствующего оборудования, а также на освоении нефтяных залежей в труднодоступных местах (в субарктических регионах, например, или на морском шельфе).

В России и странах СНГ эта фирма действует с начала девяностых годов. Тот же Ричард Норман регулярно принимал участие в самых серьезных акциях, проводимых его компанией на территории бывшего СССР. На его счету разведка дальневосточного шельфа России. (Российские правительственные инстанции так и не дождались извлеченных в ходе этой работы данных. Сотрудники «Халлибертон» вывезли всю документацию в Штаты, а «совместное» предприятие «Полар Пасифик» скоренько растворилось в густом сахалинском тумане.) Этот же бизнесмен, наряду со своим шефом, нынешним вице-президентом Америки, продавил крупнейший, в 489 миллионов долларов, кредит по совместному с российской ТНК контракту, под гарантии возврата самого респектабельного «Экспортно-импортного банка США».

Именно эти три обстоятельства — крепкие связи с власть имущими, умение держать язык за зубами и способность пробивать крупные кредиты для себя и своих партнеров из «криминальной страны», России — и обусловили выбор, сделанный еще прежним президентом «Альянса» Русланом Хорхоевым.

Хан, внимательно следящий за происходящим, включился в разговор в нужном месте.

— Мистер Норман, вы человек чрезвычайно информированный, — сказал он. — Зачем вы говорите, что удаленность вновь открытых в республике Т. месторождений и местные условия могут превратить добычу нашей нефти в низкорентабельное, малодоходное дело? Полагаю, вам известно о заключенном несколько месяцев назад десятимиллиардном российско-китайском контракте? Так вот... Магистральный трубопровод, это тоже уже известно, пройдет рядом с административной границей республики Т. Не позднее, чем через два с половиной года, будет обеспечена «смычка» с китайской трубой «Восток — Запад». Да, придется дополнительно проложить полторы сотни километров трубопровода, чтобы подключиться к магистрали. По меркам той же Западной Сибири — пустяк... Уже вскоре для российской нефти откроются рынки «азиатских тигров», не говоря уже о таком гиганте, как Китай. Разве я неправильно обрисовал картину, мистер Норман?

— Кхм... — американец, хотя и был предупрежден, что старик этот не так прост, как кажется, бросил на него озадаченный взгляд. — Ну что ж... Это уже деловой разговор, господа! Итак, каковы все же разведанные вашей компанией запасы нефти на юго-восток от Кызыла? Меня интересуют р е а л ь н ы е цифры, а не те, что отражены в отчетах ваших поисковиков.

Бекмарс принялся чесать затылок, но, прежде чем он проронил хоть слово, Хорхоев-старший окончательно взял инициативу в переговорах с американцами на себя.

— Полагаю, господа, — сказал он, — эти данные вам уже известны от моего сына.

— И все же, — Норман решил настоять на своем, — назовите данные, которые способны подтвердить точными, повторяю, скрупулезно точными результатами проведенных в республике Т. геолого-разведочных работ.

На какое-то мгновение янтарные бусинки приостановили свое круговое перемещение.

— Пожалуйста, — сказал Хан. — По предварительной оценке, запасы разведанных нами месторождений составляют три целых и две десятых миллиарда тонн нефти.

Американцы прекрасно знали, что это не блеф. Эти люди, особенно Норман, ели свой хлеб не даром. В противном случае они не удостоили бы этого пожилого мужчину в папахе ни словом, ни даже взглядом.

Далее затеялся обычный в таких случаях торг. Пока на уровне устных договоренностей, от которых, впрочем, до заключения трехстороннего контракта рукой подать.

«Халлибертон» предложил следующую схему. Дружественная американцам Тюменская компания берет на себя решение проблем с «горящим» кредитом, переводя необходимые для этого средства в «Суисс Агрикол бэнк». А также доплачивает компании «Альянс» еще пятьдесят миллионов долларов в качестве отступных.

Взамен руководство «Альянса» передает ТК — а фактически фирме «Халлибертон» — полный контроль над своими «дочками», оперирующими в республике Т. и располагающими легальными лицензиями на разработку недр в этой захолустной российской автономии. А также предоставляет непосредственно фирме «Халлибертон» исчерпывающие данные касательно всех без исключения разведанных там месторождений.

Эти предложения сильно отличались от тех, что обговаривались при жизни Руслана Хорхоева. Но это и не удивительно. После гибели президента компания находится не в лучшем состоянии. Если кредит не будет возвращен вовремя, то Хорхоевы вообще потеряют свой бизнес. С учетом вышесказанного, Норман объявил прежние требования Руслана Хорхоева «нереальными». И даже намекнул, что он пытается договориться с Хорхоевыми не в последнюю очередь потому, что в случае потери ими контрольного пакета акций ему будет уже гораздо сложнее договариваться с новыми владельцами компании.

Иными словами, Хорхоевы получали обратно свою же компанию плюс пятьдесят миллионов сверху, но должны были расстаться с южносибирскими «дочками», а также с видами на разработку вновь открытых богатейших месторождений.

— Нет, — сказал Хан. — Ваше предложение нас не устраивает.

Бекмарс едва не взвился со своего кресла.

— Но... Отец?!

— Гм... — Норман бросил на старика удивленный взгляд. — Я вас не понимаю... По существу, мы пытаемся спасти вашу компанию. Нам выгодно, чтобы вы оставались ее собственниками. Мы поможем вам вернуть кредит! Само собой, в этой пиковой для вас ситуации вы получите меньшую прибыль, нежели рассчитывали. Это же элементарно, господа!

Сказав это, он переглянулся с Фейгелевичем. Как бы спросил того мысленно: «Это точно, что у чеченцев «горит» кредит и они не смогут сами вытащить «залог» из банка?» Тот едва заметно кивнул: «Точнее не бывает».

У Бекмарса в голове крутилась мысль, посещавшая его уже неоднократно: «Старик окончательно выжил из ума!»

Что касается Хана, то он думал о письме из адвокатской конторы, которое привез ему из Лондона Абдулла. Он знал, какие документы намерен передать ему владелец этой конторы. А потому был уверен, что компания, основанная его сыном, сможет самостоятельно, без этой отягченной невыгодными условиями помощи, предложенной американцами, решить все проблемы с возвратом кредита.

Он также думал о том, что Руслан несколько занизил данные, которые он конфиденциально сообщил людям из «Халлибертон». Разведанные запасы нефти составляли не 3,2 миллиарда тонн (Россия, кстати, добывает в год чуть более 300 миллионов тонн), а почти четыре. Руслан намеревался оставить за собой «озерное» месторождение, где, по оценке Николая Рассадина, подтвержденной прикидками самого Хана, можно было добыть в ближайшие десять лет не менее пятисот миллионов тонн нефти. Все же остальные богатые нефтью и газом угодья должны были отойти американцам и их партнерам из Тюменской компании.

В любом случае, та информация, прежде всего данные многолетней нефтеразведки, которой располагают Хорхоевы, поможет их новым партнерам сэкономить как минимум четверть миллиарда долларов США.

— Предложение, сделанное Русланом вашей фирме, господа, остается неизменным, — твердо сказал Хан. — Свои проблемы мы решим самостоятельно. Благодарю вас за желание помочь нам, но это лишнее. Дату окончательных переговоров предлагаем оставить прежней — первое сентября текущего года. Затягивать заключение сделки, полагаю, никто из нас не хочет. Если наше предложение целиком вас устроит, можете подключать к переговорам ваших партнеров из Тюменской компании...

— Отец, ты с ума сошел! — прошипел Бекмарс, когда американцы покинули офис. — А если все сорвется?!

— Не сорвется, — спокойно сказал Хан. — Сделка обязательно состоится, причем на наших условиях. Но меня очень беспокоят некоторые люди...

— Назови их имена, отец! — тут же встрепенулся Бекмарс. — Я с ними разберусь! Думаю, Ильдас тоже со своими вайнахами в стороне не останется!

Хан бросил на него задумчивый взгляд.

— Меня сильно тревожит твой брат Ильдас. А также возможная реакция Бориса, к которому ты ездил недавно в Париж... Я уверен, Борис и его московские друзья с некоторых пор положили глаз на нашу компанию. Они не будут сидеть сложа руки, Бекмарс. С этой стороны мы должны быть готовы к любым, даже самым неприятным, сюрпризам...

Глава 3

Сергей Чертанов и двое его помощников появились в станице Слепцовской, что находится в Ингушетии, поздним жарким утром, незадолго до полудня.

Передвигались они по дорогам Северного Кавказа на джипе «Рэнджровер» с североосетинскими номерами, принадлежащем тому человеку, в чьем доме они провели последние несколько суток.

Так получилось, что им пришлось, поднявшись очень рано, сопровождать три грузовика «Вольво», нагруженных «гуманитаркой», от КПП Верхний Ларс и до самого места выгрузки...

Водители грузовиков о наличии еще одного, нештатного, транспорта сопровождения, понятно, не догадывались. Впереди небольшой колонны по трассе катила милицейская тачка. Но ментов, нанятых охранять грузы, о своем интересе к «тракам» Чертанов и его помощники тоже не стали оповещать — каждый должен заниматься своим бизнесом.

Чертанов знал изначально, что это глупая затея — ехать в Ингушетию за тремя грузовиками «Вольво». Ну так что из того? Других идей, сулящих нужный ему результат, попросту не существовало... А так есть шанс, правда, призрачный, что интересующая его особа, первоначально находившаяся при грузовиках с «гуманитаркой», может объявиться в пункте назначения, проставленном в путевых документах водителей «Вольво».

Если числить точкой отсчета ту ночь, когда неизвестные буквально из-под носа у него увели девушку, то пошел уже шестой день поисков. Выйти на ее след удалось лишь на третьи сутки... В одном из селений Пригородного района, отстроенного ингушами, в ночное время состоялась какая-то крутая разборка. Давно прикормленный мент Бортко — свой последний гонорар, сволочь, так и не отработал — наутро сообщил Чертанову об этом ЧП. И подсказал, что именно в этом селении проживает некий Исса Яндиев, который, по предварительной информации, выступал в истории с доставкой «гуманитарки» в роли посредника.

Исса Яндиев, как выяснилось уже на месте, оказался здесь ни при чем. Возможно, он и имел какое-то отношение к похищению девушки, кто знает. Но если да, то косвенное. Потому что до сих пор этот посредник находится в Назрани, а его сотовый отключен.

Разборка произошла в доме одного из чеченцев. Чичик, на которого оказалось записанным сие домовладение, оказался бедным, как церковная мышь. Полтора года назад он перебрался с семьей в это селение из Чечни. Проживал он с женой и детьми у небогатых родственников, а отнюдь не в «своем» доме.

Стоило взглянуть на этого «собственника», как все стало понятно: у такого не только трехэтажной домины, но и трех рублей в кармане никогда не было. Хотя кто ему сделал такой «подарок», говорить бедный, но гордый чечен напрочь отказался — били его, пытали, все оказалось без толку.

Соседями оказались сплошь чечены. У этих тоже рот на замке. Если бы местный патруль, объезжающий криминогенные точки, не обнаружил случайно настежь раскрытые ворота и троицу оприходованных кем-то вайнахов в самом доме, то данный криминал, не исключено, вообще не вылез бы наружу.

Эти трупы, кстати, кто-то быстренько прибрал. Еще до прибытия на место майора Бортко и его бригады сотрудников криминальной милиции. Ингушские милиционеры, проворонившие это дело, лишь тупо разводили руками — сами, мол, не понимаем, как такое могло произойти...

Но следы крови в доме остались. Дохлая собачка во дворе обнаружилась с разнесенной вдребезги башкой. И еще кое-что удалось отыскать при осмотре особняка — надо отдать должное Бортко, он тут же, подобно натасканному охотничьему псу, сделал «стойку».

В одной из комнат особняка, где минувшей ночью кто-то порешил трех вайнахов, возле кресла, на полу, отыскался томик стихов шотландского поэта Бернса.

Книга была не подписана, а на ее страницах отсутствовали какие-либо пометы. Но она была издана в Великобритании и к тому же пахла изысканным женским парфюмом. Само собой, томик стихов был на английском языке.

Бортко, сообразив что к чему, передал находку Чертанову. Действительно, трудно себе представить, что кто-то из чеченцев, перед тем как его грохнули, читал на ночь стихи Бернса в оригинале. Да еще предварительно надушившись дорогим парфюмом...

В местной библиотеке таких книжек тоже не держат.

А вот в багаже Тамары Истоминой томик стихов Бернса был бы на своем месте...

В два пополудни они приехали в лагерь беженцев «Северный». Две машины, «Рэнджровер» и пятнистый «уазик», остановились на взгорке метрах в двухстах от границы палаточного лагеря. Проехав с полста метров дальше, застыл и «ПАЗ» — из автобуса наружу стали вытряхиваться распаренные духотой омоновцы. Два десятка бойцов удалось позаимствовать на расположенном неподалеку «блоке». Они неторопливо закуривали, вяло перебрасывались репликами, досадливо морщась в предчувствии того ора, той озлобленной ругани в свой адрес, что им вскоре предстоит услышать, — ичкерийских женщин, за их способность производить оглушительный шум, переходящий в истошный визг, не зря прозвали «чеченскими «катюшами»...

Из «уазика» вышли двое сотрудников Северо-Кавказского РУОПа. Людей этих, как и майора Бортко, Чертанов знал немало лет. Конечно, в свои планы он ментов посвящать не стал, — то есть не стал рассказывать, кто такая Истомина и зачем она ему сдалась. Но попросил под видом паспортной проверки «пробить» тех, кто будет выступать в роли получателей «гуманитарки» — все три «Вольво» находились уже на территории лагеря, вот-вот должна была начаться выгрузка. А чтобы не вдаваться в долгие объяснения, отправил вместе с ментами и омоновцами двух своих помощников — мужики они глазастые и сообразительные.

Сам он остался на прежнем месте, в компании с одним из омоновцев, которого временно выделили для охраны транспорта.

Ваха Муталиев, появившийся в «Северном» в связи с прибытием туда грузовиков «Вольво» с гуманитарным грузом, был зол даже сильнее, чем обычно.

Ильдас, когда он сообщил ему по телефону о гибели Казбека и двух вайнахов, а главное, об исчезновении девушки, был вне себя от ярости. А Муталиев, между прочим, не слишком-то виновен в случившемся. Он захватил девушку и предъявил ее самому Ильдасу. Кто ж виноват, что тот не захотел сам увезти девицу в Москву, а предоставил решение этой задачи Вахе и своему помощнику Казбеку...

К тому же Вахе удалось вынести из дома трупы, и

232

тем же вечером, по мусульманскому обычаю, всех троих, включая Казбека, предали земле.

А все из-за того, что упустили из виду Бадуева. Кто ж еще мог подписаться на такое дело? Наверняка подсуетился этот проклятый Ахмад.

Девушка как под землю провалилась! Трое суток впустую занимались поисками. В аэропорту Владикавказа ни ее, ни Ахмада не видели. Вернуться обратно на грузинскую сторону она тоже не могла — случись такое, Муталиев был бы об этом немедленно извещен. Ну и куда, спрашивается, она — или же они? — могла подеваться?!

Поэтому, получив весточку от Иссы Яндиева — о том, что перед «Вольво» с «гуманитаркой» кто-то зажег зеленый свет, — Муталиев от безысходности отправился в станицу Слепцовскую.

Может, здесь ему удастся перехватить выскользнувшую у него из рук добычу?

Тут, в лагере, он переговорил кое с кем из вайнахов. Если в «Северном» или же в самой станице вдруг объявится Тамара Истомина, «бизнесвумен», снарядившая этот караван с продовольствием, одеждой и медикаментами, то он, Ваха, будет об этом немедленно извещен.

В палатку, где он дожидался докладов своих информаторов, а также посланных им к грузовикам с целью наблюдения людей, вошли двое — Саит и Беслан.

Вид у обоих был возбужденный до чрезвычайности.

— Ну что, нашли ее? — встрепенулся Муталиев. — Где она?

— Ваха, в лагере кяфиры! — торопливо произнес Саит. — Десятка два омоновцев и еще какие-то в штатском!

233

— Кажется, их тоже интересуют грузовики, — добавил Беслан.

Ваха, сокрушенно покачав головой, уселся обратно на скрипучую кровать, застеленную лоскутным одеялом.

— Что будем делать, амир? — сказал Саит. — Они и в палатки заглядывают тоже.

— У вас оружие есть? — хмуро спросил Ваха. — Нет. Документы у нас надежные. С местным начальством я немного знаком. Чего же нам бояться?

Когда эти двое вышли, успокоенные его заявлением, Муталиев задумчиво потеребил подбородок. С чего это вдруг менты полезли к машинам с «гуманитаркой»? Груз уже тщательно досматривался, им об этом должно быть известно... Хотят отломить от «гуманитарки» и себе кусочек? Но тогда они поздно спохватились: «посылка» уже доставлена в лагерь. Здесь и без них найдется кому «отломить кусок». Свои же чеченцы из «крутых» наложат лапу на «гуманитарку». Хорошо, если хотя бы половину привезенного раздадут людям бесплатно...

Чертанов посмотрел на часы. «Шмон» в лагере длился уже два часа. Его глаза, защищенные от солнца притемненными линзами очков, в очередной раз вобрали в себя всю эту унылую, обожженную солнцем местность, с длинными рядами выцветших, обтерханных палаток. Весь этот людской бедлам, который он, будь его воля, сровнял бы с землей, убрав прежде под землю всю эту черножопую мразь.

Нельзя сказать, чтоб Чертанов ненавидел чеченцев. Ему было на всех них наплевать. Он знал, что с этой публикой желательно не иметь никаких дел. И этого знания, подкрепленного личным опытом, ему было вполне достаточно.

В принципе, он даже за людей их не считал.

234

Чеченцы рождаются, живут и умирают по каким-то своим, нечеловеческим, недоступным для рационального осмысления законам.

Вот здесь, например, в этом лагере, как и в других лагерях, как и в обгрызенных войной и зачистками родных селах и аулах, практически все чеченские бабы, находящиеся в детородном возрасте, ходят брюхатые. Он бы ни за что не поверил в такое, если бы не видел своими глазами — и неоднократно! — целые стаи щенят, вернее, волчат, которые, мал мала меньше, ползают в пыли или же носятся сломя голову подле любой из палаток. Про всходы все уже сейчас ясно, но откуда, спрашивается, семена? Мужиков у многих из них давно могильные черви съели, а они все рожают, рожают, рожают...

Просто уму непостижимо.

Нормальная женщина девять месяцев плод вынашивает. А эти, волчицы, кто через восемь месяцев рожает, а кто и через семь! Племя, вечно живущее по законам военного времени? Настроенное на то, чтобы на место каждой погубленной кяфирами души на свет появились сразу две? Нас, мол, не вытравишь и зачистками пополам с огненным «градом» не изведешь?! Имеющее своей целью расплодиться, как крысы, и уничтожать все человеческое вокруг себя?!

Нет, никому не понять чеченцев. Все они, разбойники и жертвы, герои и насильники, воины и их женщины, — суть необъяснимый, с инфернальным запашком феномен, аномальное явление, не имеющее по всем законам права на существование, но все же существующее — вопреки всему...

Чертанов недовольно поморщился. Не о том он сейчас думает, не о том...

Косвенным подтверждением того, что Тамара Истомина не только жива, но и уже находится на свободе, служит появление здесь этих трех грузовиков «Вольво». О том, кому эта девушка позвонила или же отправила факс с инструкциями, Чертанову оставалось лишь гадать. У него здесь силенок маловато, чтобы «пробивать» подобные цепочки. Из Тбилиси кто-то нажимал, вроде даже как английское посольство подключалось. Не исключено, что кто-то из крутых таможенных или пограничных генералов счел нужным вмешаться... Так это или не так — не суть важно. Важно то, что не удалось отследить, откуда, из какого места пошел первый импульс. Иными словами, нынешнее местонахождение Истоминой — неизвестно.

Бойкая, однако, женщина: не успела от чеченов сбежать, как тут же разблокировала задержанные на границе грузы... И что характерно, вопреки случившемуся с нею не отказалась от своей идеи оказывать помощь чеченским беженцам.

— Ну как результаты? — спросил он у возвратившихся из лагеря помощников. — Нашли хоть какую-нибудь зацепку?

Но еще не дождавшись подробных отчетов, по лицам сотрудников он понял: в Слепцовскую они приехали совершенно напрасно.

Муталиев и его вайнахи вернулись в станицу с наступлением вечерних сумерек. Они остановились в доме, где жил один давний знакомый Вахи, посредничающий в поставках самопальных сортов бензина из Чечни.

Ничего полезного для себя в «Северном» они не почерпнули.

Ваха, не дожидаясь ужина, прошел в выделенную ему комнату, развернул портативный телефонный терминал и позвонил в Москву Ильдасу Хорхоеву. Тот, по-видимому, уже успокоившись, воспринял все эти неутешительные новости без раздражения. После того, как Ильдас снабдил его новыми инструкциями, Ваха вышел к Саиту и Беслану, которые не начинали трапезу, дожидаясь возвращения амира.

— Отложите ножи, вайнахи, — распорядился Ваха. — Доставайте паспорта с подмосковной пропиской! Мой старый кунак просил меня, чтобы мы как можно скорее приехали в эту проклятую Аллахом Москву!

Чертанов и его помощники находились всего в нескольких домах от комфортабельного убежища вайнахов. И, по странному совпадению, экс-гэбист, решивший вместе со своими сотрудниками остаться здесь на ночевку, тоже в эти минуты звонил в Москву.

— Очень хорошо, — неожиданно сказали на другом конце линии. — Мы как раз собирались вас побеспокоить... При первой возможности вылетайте в Москву! Есть основания считать, что «объект» либо уже в столице, либо появится здесь в ближайшие часы...

Глава 4

Ахмад оказался далеко не прост. Поначалу Протасов думал, что их ночная акция, в ходе которой была освобождена Тамара, — чистой воды импровизация. Но это было не так. Вернее, не совсем так.

После того, как они втроем посреди ночи уехали из ингушского села на реквизированной у Казбека машине, им пришлось завернуть во Владикавказ.

Но ненадолго.

Во дворе четырехэтажного дома, чей первый этаж целиком занимало контролируемое выходцами из Грузии кафе, их прибытия ожидал подержанный микроавтобус «Мерседес» с осетинскими номерами. А также двое мужчин, один из которых сильно смахивал на покойного кахетинца Григория.

Один из встречавших — судя по выговору, тоже грузин — взял у Ахмада ключи от угнанной машины. Он сказал, что этот джип возле кафе оставлять нельзя. Его нужно перегнать в другое место и оставить во дворе какой-нибудь жилой многоэтажки. Безусловно, то была разумная мысль.

Другой мужчина, тот, что внешне походил на Григория, жестом пригласил всю троицу занимать места в поджидавшем их микроавтобусе. Говорил он только по-грузински — вероятно, на кахетинском диалекте. Поэтому общался он в дороге лишь с Бадуевым — Ахмад до семнадцати лет проживал в одном из сел Панкисского ущелья, где чеченцам-кистинам и грузинам вот уже более полутора веков приходится существовать бок о бок.

Наверное, эти двое, грузин и Ахмад, все специально так придумали. Чтобы пассажиры, то есть Тамара и Протасов, не вздумали приставать к водителю с расспросами. Достаточно того, что Бадуев хорошо знает людей, которые им сейчас помогают. Девушке же и приблудному экс-легионеру располагать такими сведениями совершенно ни к чему.

Но они могли бы и не играть в такие игры. Протасову было по фигу, кто их водитель. Главное, что он куда-то их везет. Что же касается Тамары, то она, кажется, больше всего на свете хотела спать.

Хотя в салоне было восемь кресел, кроме водительского, Тамара уселась рядом с Протасовым. Окунувшись в сладкую дрему, она привалилась к своему соседу, беспечно положив ему голову на плечо. Александр, испытывая неловкость, метнул взгляд на Ахмада, сидевшего впереди, рядом с водителем. Не возбухнет ли чечен? Не заставит ли он невольного попутчика пересесть в другое кресло, подальше от опекаемой им девушки?

Но нет... Ахмад лишь раз обернулся в их сторону, а затем целиком сосредоточился на дороге.

Протасов, как и другие двое мужчин, так и не смежил век. Давало знать о себе нервное перевозбуждение. К тому же, воспользовавшись гостеприимством осетинов Дзамболовых, он капитально выспался в их доме. Так что сна у него сейчас не было ни в одном глазу.

Зато «юная леди», притомившаяся и сильно напереживавшаяся за последние несколько суток, постепенно погрузилась в глубокий сон. Привалившись к соседу бочком, она вдобавок еще протиснула свою сухую горячую ладошку в его сильную мужскую ладонь.

Так и держал он ее за руку, как маленькую испуганную девочку, по дороге до самого Моздока...

В Моздоке они тоже не задержались надолго, проведя лишь чуть более двух часов в частном доме на окраине этого города, куда их привез немногословный грузин. Здесь они умылись, переоделись и плотно пообедали. Заодно Ахмад осмотрел рану Протасова и сам сделал, причем весьма умело, перевязку.

Только сейчас Тамара узнала, что Протасов был ранен той ночью и что он сбежал из больницы, где ему сделали несложную операцию. Ахмад, хотя и соорудил новую повязку на грудь, назвал полученную Протасовым рану царапиной. Александр был того же мнения. Но Тамара теперь и вовсе смотрела на него как на героя — Протасов даже стал опасаться, что такое отношение к нему молодой женщины может вызвать ревность у Бадуева.

239

Последний и вправду пригласил своего компаньона по завершившейся тройной мокрухой акции выйти на крылечко, «поговорить». Протасов думал, что чечен скажет: «Держись от девушки подальше!» И порекомендует идти своей дорогой...

Но разговор, затеявшийся между ними, принял неожиданный оборот.

— Ты, кажется, в Москву собрался ехать, Александр? — сказал чеченец, бросив на него странный взгляд. — Надеюсь, твои планы не переменились?

— Мои планы остаются прежними. А что?

— Нам по пути, Протасов. Как ты смотришь на то, чтобы продолжить путешествие вместе с нами?

Протасов как-то сразу не нашел, что ответить. Воспользовавшись этой заминкой, Бадуев вытащил из нагрудного кармана пачку зелененьких купюр. Александр бросил на него удивленный взгляд.

— Что это?

— Американские доллары. Здесь десять тысяч. У тебя, кажется, столько было при себе? Возьми эти деньги, Александр, они твои.

Но Протасов не торопился взять у него пачку «зеленых».

— Ахмад, ты что-то путаешь, — сказал он. — Мои деньги забрали бандиты. Ты же сам нашел барсетку с документами. Значит, в курсе, что негодяи присвоили мои баксы.

— В любом случае я тебе должен.

— Ни черта ты мне не должен. Наоборот, это я должен тебе и Руслану Хорхоеву за то, что внесли за меня выкуп и не позволили чеченам отрезать мне голову. Гм... Ничего, что я твоих соплеменников так называю? Забываюсь, однако... Но мне вашего брата, Ахмад, особо любить не за что.

— Я знаю, Александр.

— Ни черта ты не знаешь... Убери деньги, Ахмад! Не ты их у меня забрал, не тебе и отдавать.

— Ты меня не понял, Александр. Так получилось, что ты пострадал как бы по нашей вине. Это всего лишь компенсация за понесенные тобою убытки. Понимаешь?

— Компенсацию я буду спрашивать с других людей, — усмехнулся Протасов. — Если, конечно, эти негодяи попадутся мне на глаза... Поэтому спрячь бабки! Вот так... Теперь можем продолжить разговор... В принципе я не против того, чтобы ехать с вами до Москвы. Но что на это скажет Тамара?

— Она просила меня поговорить с тобой, Александр. Она тоже хочет, чтобы ты ехал с нами.

Протасов удивленно взглянул на него:

— Вот как? А почему сама мне не сказала?

Чеченец неопределенно пожал плечами:

— Стесняется...

Протасов удивился еще сильнее. «Юная леди», которая крыла отборным матом ватагу пьяных вэвэшников... и вдруг — стесняется? С какой стати она сделалась такой стеснительной?

— И вообще, Александр... — Бадуев задумчиво почесал кончик носа. — Не все в нашей истории так просто... Кстати, тут и твои предки каким-то боком припутаны.

— Не трогай моих предков, Ахмад!

— Ладно, не кипятись... Оставим этот разговор до Москвы.

Протасов недоумевающе покачал головой.

— Что-то я тебя не совсем понимаю, Бадуев... То ты меня гонишь, как тогда, у озера, то, наоборот, липнешь ко мне! Да еще намекаешь, что у тебя есть какая-то важная информация для меня.

— В Казбеги я не сразу сориентировался, — усмехнулся Бадуев. — Ты ж свалился как снег на голову! Я не сразу сообразил, что твое появление там, в урочище — дело случая...

— Ну а когда сообразил?

— Послал Григория в Казбеги, — хитро посмотрев на него, сказал Бадуев. — Чтобы он навел справки, где ты остановился. Ну и так далее...

— Что значит — «и так далее»?! — озадаченно спросил Протасов. — Ты хочешь сказать, что вы меня не случайно подобрали на границе?

Чеченец опять пожал плечами.

— Я здесь ни при чем... Как говорят у вас, русских? Судьбу не обманешь...

Протасов, малость ошарашенный такими речами, остался на крылечке перекурить. Бадуев же вернулся в дом, в ту его половину, что была выделена гостям. До отъезда — а их путь лежал в Ставрополь — осталось около получаса. Тамара успела помыться, переодеться, привести себя в относительный порядок. После беседы с Протасовым Ахмад решил переговорить также и с девушкой, потому что по дороге в Ставрополь возможности «посекретничать» может и не подвернуться.

— Как я выгляжу, Ахмад? — спросила Тамара, убрав в косметичку зеркальце.

— Отвратительно, — усмехнувшись, сказал чеченец. — Ни один мужчина на тебя, такую некрасивую, не посмотрит...

— Ладно тебе врать! — поняв, что он шутит, рассмеялась Тамара. — Ты уже поговорил с Александром? Ну?! Не тяни резину!

— Он поедет с нами.

Услышав эту новость, девушка почему-то покраснела. Наблюдательный Ахмад сразу отметил это. Он

242

покачал головой. Что было замечено, в свою очередь, Тамарой.

— Что?! — спросила она. — Что качаешь головой?

— Раньше я не замечал, чтобы ты краснела.

— Тебе показалось!

— Неужели?!

Девушка подошла к нему вплотную и ущипнула за предплечье.

— Ты плохой, злой, коварный чечен!

— Я знаю. Но я — не слепой чеченец. Я все вижу...

— А вот этого не надо! — Тамара погрозила ему пальчиком. — Занимайся своими делами! Понял?!

— Хорошо, — неожиданно легко согласился Бадуев. — Я как раз хотел поговорить с тобой о «делах».

— Если ты хочешь отговорить меня от поездки в Москву, то это — бесполезно. То, что произошло с нами, моих планов не меняет. Хотя, если честно, я немного побаиваюсь...

Бадуев вздохнул.

— Тамара, я звонил в Москву...

— Когда? — встрепенулась девушка. — А почему ты мне ничего не сказал?

— Ты была у этих... заложницей, — поморщившись, сказал Бадуев. — А звонил я не сегодня, а еще позавчера. Знаешь, кого я побеспокоил?

Тамара пожала плечами.

— Нет. Откуда мне знать, что у тебя на уме?

— Искирхана Хорхоева.

Девушка, переваривая это известие, несколько секунд стояла с открытым ртом. Потом, взяв себя в руки, внешне спокойным тоном поинтересовалась:

— О чем ты с ним разговаривал?

— Говорил в основном я. Сказал, что ты попала в беду. Что Ильдас приехал в то село, где держат тебя... Я подумал, что если Ильдас пошел на такое, то просто так он тебя не отпустит. И отцу будет врать, если он о тебе спросит. Я Ильдаса хорошо знаю...

— Тогда зачем звонил?

— Сказал Хану, чтобы он убрал оттуда своего сына под каким-нибудь предлогом... И еще попросил, чтобы он не передавал этого разговора никому, включая своих сыновей.

— Ты не хотел, чтобы Ильдас пострадал?

— Тамара, я к этому человеку отношусь плохо, и для тебя это не секрет. Но я не хотел убивать родного сына Хана. Я ему об этом прямо не сказал, но он меня понял. Он пообещал сделать так, как я прошу. И еще спросил, нужна ли мне помощь... Но я сказал, что справлюсь сам.

— Еще о чем вы говорили?

— Больше ни о чем, Тамара. Как только я понял, что Хан отзовет своего сына, я тут же дал отбой.

Тамара несколько раз пересекла комнату из угла в угол, потом задумчиво произнесла:

— Вот видишь, Ахмад, мое «инкогнито» уже раскрылось... Похоже, за нами следили еще в Грузии. Это означает, что кто-то, тот же Ильдас, не только узнал о моем существовании, но и проследил наш маршрут из Англии, через Грузию, в Северную Осетию... Но зачем они это сделали, Ахмад? Зачем я понадобилась тому же Ильдасу?

— Пока не знаю, но постараюсь выяснить, — подумав немного, сказал Ахмад. — Думаю, это как-то связано с бизнесом твоего отца. Но выяснить все можно будет только в Москве.

— Вот видишь! — встрепенулась Тамара. — Я тоже говорю, что такая поездка необходима! Ты же не можешь прятать меня целую вечность?! Особенно сейчас, когда с нами больше нет моего отца. В конце концов, мне надоело жить в маске! Пора поставить точку в той давней истории...

Чуть помрачнев, Бадуев покачал головой.

— Не все так просто, Тамара... Я не в курсе всех дел в компании твоего отца, но знаю, что там начались какие-то неурядицы. Есть сведения, что пару месяцев назад бесследно пропал Рассадин. Двое людей из службы безопасности тоже куда-то исчезли... Есть основания считать, что они уже мертвы... Я не знаю, какие мысли в голове у Хана. Про Ильдаса даже не говорю... А еще есть Бекмарс, реакцию которого на твое появление лично я просчитать не берусь.

— Так что ты предлагаешь, Ахмад?

— В Ставрополе переночуем в гостинице, потом сядем на поезд... Я знаю одно неплохое местечко в Подмосковье. Ты побудешь там какое-то время... Ну а я кое с кем встречусь и постараюсь все хорошенько разузнать.

Глава 5

До поселка Мозжинка, что в Московской области, Тамара и двое сопровождавших ее мужчин добирались из Моздока около трех суток.

С поезда они сошли в Кашире, поэтому до места им пришлось ехать на такси. Дом, к которому они подъехали уже в сумерках, был деревянный, двухэтажный, возведенный не менее полувека назад. Хотя у Бадуева были при себе ключи от этого дома, он ненадолго зашел в соседний дом, выглядевший точно так же. Там жила профессорская пара, приглядывавшая за пустующим домовладением. Ахмада, хотя тот и не был здесь почти год, они сразу же признали. В свое время этот человек, который почти не бывает в купленном им пару лет назад доме, присылал к ним рабочих, чтобы те отремонтировали мезонин и протекающую крышу — причем денег за это не взял.

Ранее в этом поселке, возведенном в сороковых годах, жили сплошь крупные ученые, включая таких знаменитостей, как Ландау, Лысенко и Кржижановский. Его строили еще немецкие пленные, быстро и аккуратно собравшие с полсотни домов, доставленных из Финляндии в счет погашения долгов СССР. Мозжинку поэтому так и называли — «поселок ученых». Но времена изменились, всемирно известные академики повымирали, как мамонты, а многие дома сменили своих владельцев — не говоря уже о новых особняках, появившихся здесь в последние годы.

Поэтому пожилые люди, осколок старого мира, не слишком удивлялись тому, что их сосед — кавказец. Вел он себя скромно, незаметно, а в последнее время вообще отсутствовал, лишь несколько раз позвонил откуда-то из-за границы.

Поблагодарив стариков за присмотр, а заодно оставив им объемистый пакет с деликатесными продуктами — в его содержимое также входил конверт с двумя зелененькими сотенными купюрами, — Бадуев вышел к своим спутникам, дожидавшимся его на улице.

— Это твой дом? — спросил Протасов, когда они прошли на застекленную веранду. — Или кого-то из твоих знакомых?

— Мой, — сказал Ахмад. — Но ты не бойся, Александр, он оформлен не на меня, а на другого человека. Никто не знает, что это собственность Бадуева. Я тут вроде арендатора...

«Никто, кроме Руслана, — подумал он. — Но его, к сожалению, уже нет в живых».

— А я и не боюсь, Ахмад. Мне-то чего бояться?

Они вдвоем сняли чехлы с мебели в гостиной. Поскольку окна были плотно закупорены, пыли в комнатах почти не собралось. Открыли воду и газ, проверили, все ли в порядке. Открыв щиток, Ахмад щелкнул рубильником — начало темнеть, пора включать свет.

— Хотел снести этот дом и построить кирпичный. Но все как-то недосуг...

— А мне здесь нравится! — сказала Тамара, которая уже успела обозреть окрестности с резного балкона второго этажа. — Просто прелесть, что за место! Старинная дача... подмосковный лес... даже не верится, что я здесь!

Спали они в разных местах: Тамара наверху, на широкой, массивной, антикварного вида кровати, Протасов в гостиной на диване, а Бадуев, подобно сторожевому псу, охранял их сон — устроился на раскладушке, которую он вынес на веранду.

Встали все рано и уже в восьмом часу утра уселись завтракать. Потом Протасов вышел на воздух покурить, а спустя минуту к нему присоединился Бадуев.

— Ну так что, Александр? Ты согласен?

— Согласен — на что? — усмехнувшись, спросил Протасов, который прекрасно понимал, куда клонит вайнах.

— Ты побудешь здесь пару-тройку дней? Надо, чтобы кто-то присмотрел за девушкой в мое отсутствие. Так получилось, что, кроме тебя, Александр, возле меня сейчас нет крепких и надежных ребят.

— Благодарю за комплимент.

— Я подумал, что деньги тебе предлагать бесполезно... Еще драться полезешь.

— Точно. Сразу, Ахмад, получишь в торец!

247

— Вот видишь?! — Чеченец развел руками. — Резкий ты парень, Протасов. Но это — хорошо.

— Пойми меня правильно, Ахмад... Я хоть и служил в Легионе, по характеру — не наемник! Я не дурак и понимаю, что деньги вещь полезная. Но не все измеряется деньгами... Ладно, не о том говорим. Я бы и так остался, если бы ты... или Тамара... попросили... Ахмад, ты хочешь куда-то уехать?

— Да. Мне нужно кое с кем встретиться, навести справки. Но Тамару я одну не хочу оставлять.

— Тогда тебе придется рассказать мне, хотя бы вкратце, что за люди за вами охотятся. И каких действий, не дай бог, конечно, от них можно ожидать.

Через четверть часа они вернулись в дом. Ахмад показал Протасову, где у него припрятан «ствол» — это был старый добрый «стечкин». На всякий пожарный случай. «Надеюсь, оружие тебе не пригодится», — сказал Бадуев. «Я тоже на это крепко надеюсь», — ответил Александр.

Бадуев подключил к розетке телефонный аппарат. Пообещал вскоре позвонить из города и сообщить номер сотового, по которому с ним можно будет связаться. Больше никому отсюда звонить не следует, сказал он.

Перед тем как уйти, он подозвал к себе Тамару.

— Веди себя прилично, девушка, — сказал он. — Я видел, как ты целовалась в поезде с Протасовым...

— Ты опять за свое, Ахмад?! — грозно, но со смеющимися глазами произнесла Тамара. — Разве я должна спрашивать у тебя разрешения на такие вещи?

Она чмокнула чеченца в щеку.

— Ладно, проехали, — махнул тот рукой. — Взрослые люди, как-нибудь сами разберетесь.

Глава 6

После ухода Ахмада на некоторое время в доме воцарилась неловкая тишина. Тамара, высушив после
душа волосы, вышла на балкон. Александр некоторое
время бесцельно слонялся по гостиной, в которой пахло деревом и кожей. Вытащив пистолет из тайника,
устроенного в кухне, проверил, в каком состоянии ба-
дуевский «стечкин», снаряжена ли обойма. Потом
ополоснулся, вышел на крыльцо, покурил. Как вести
себя в нынешней ситуации, он решительно не знал.

Но зато понимал, что между ним и Тамарой что-то
происходит. Есть одна древняя как мир игра, в которой участвуют двое: мужчина и женщина...

Вернувшись в гостиную, он увидел, что девушка
спускается к нему (сначала на виду показались босые
ноги, а затем и стройная фигурка, облаченная в длинный халат из черного атласного шелка). Она посмотрела на него своими темно-ореховыми, чуть влажными
глазами и неожиданно поинтересовалась:

— Как твоя рана, Саша? Не беспокоит?

— Absolutly no.

Она подошла к нему почти вплотную. Он тут же
ощутил приятную волну запахов, смешанный аромат
духов и молодого чистого женского тела.

— Ты знаешь английский?

— Довольно слабо. А вот французский мне так вте-
мяшился в голову, что одно время я на нем даже думал...

— У тебя было прозвище в Легионе?

— Да.

— Какое?

— Руско́. С ударением на «о».

— Это означает «русский»?

— Да, Тамара. Так меня там многие звали.

— Ну-ка, Р у с к о, дай я посмотрю на твою рану.

249

Повязку с груди Протасова сняли еще позавчера. В том месте, где пуля, отбитая «ладанкой», прочертила кожу, виднелся сейчас лишь багровый рубец. Александр в последние сутки даже не вспоминал об этой пустяковине.

Она сама расстегнула рубашку, затем провела пальчиком — осторожно, почти невесомым движением — по его груди чуть ниже заживающего рубца.

— Больно?

Протасов отрицательно качнул головой.

А про себя подумал: «Наверное, я веду себя неправильно. Я должен охранять эту девушку. Но голова моя забита совсем другим. Ахмад, если бы увидел нас сейчас, был бы сильно недоволен...»

— А так?

Она коснулась губами этого рубца.

«Глупенький... Если бы мне действительно нужны были охранники, то вокруг бадуевской дачи уже отиралось бы с десяток «шкафов».

Александр вначале осторожно отстранил девушку, заглянул ей в глаза, затем крепко прижал к себе. Под тканью халата его пальцы ощутили гладкую, как мрамор, но и теплую, как солнечный луч, кожу... Ахмад, конечно, сейчас был бы не слишком доволен происходящим. Но какое им дело до Бадуева?

Не отрываясь от ее губ, Александр решительно потянул за поясок уже знакомого атласного халата.

Они оказались ненасытными любовниками. Оба. Нежные по отношению друг к другу, но сильные, страстные; умеющие отдавать всего себя, умеющие и взять свое...

Не заметили даже, как стало смеркаться.

— Тамара, у меня аппетит прорезался, — сообщил Протасов. Он поцеловал вначале одно полушарие с набухшим коническим соском, затем уделил такое же внимание и другой груди. — Ты же не хочешь, чтобы я съел тебя?

— Хочу! — Девушка гибко, по-кошачьи, выгнула спину. — Съешь меня, ненасытный волчара! Я оч-чень вкусненькая...

Через полчаса они все же наведались на кухню — оба голодные, как черти.

— Ты, наверное, думаешь, Саша, — делая бутерброды, произнесла Тамара, — что я... Как бы это понятнее выразиться? Ну, что я, типа, такая вот... веселая девушка? Захотелось ей, думаешь, и р-раз! Затащила героя в постель!

— Не согласен! Это я затащил тебя в постель!

Протасов, улыбаясь, поставил перед ней чашку со свежезаваренным «Липтоном».

— А вот и нет! — Она выставила на стол блюдо с бутербродами, которые по привычке назвала «сандвичами». — По лестнице, на руках — да, тащил! Эх, мужчины... Вы хоть и умные, а все равно глупенькие.

— Ничего подобного! Я первый тебя заметил, между прочим! В Казбеги, когда ты купалась в озере...

— Саша, передай, пожалуйста, горчицу... Thanks! So... Итак, ты только что признался, что подсматривал тогда за мной.

Протасов, улыбнувшись, покачал головой.

— Не пытайся поймать меня на слове. Чтоб я подсматривал за кем-то? Еще чего! Я что, Тамара, похож на маньяка?

Он встал со своего места, подошел к ней сзади, изобразив, что собирается ее задушить. Но потом вроде как передумал и, приобняв за плечи, поцеловал ее в теплую пшеничного цвета макушку.

— Да, Протасов, — сказала она. — Ты самый настоящий сексуальный маньяк!

Проведя еще некоторое время в постели, они вернулись на кухню, к незаконченной трапезе. Разговор возобновился, причем с того самого места, где он по обоюдному желанию был приостановлен.

— Я оказался там случайно, — сказал Протасов. — Завернул в Казбеги по старой памяти... Когда-то, лет пятнадцать назад, я отдыхал с родителями на турбазе в урочище...

Не зная, что еще сказать, — начинать многословный рассказ не хотелось, — он махнул рукой.

— Короче, вспомнил о памятном для себя месте и решил сделать там по пути короткую остановку.

— А как ты вообще оказался в Грузии?

— Элементарно. Прилетел на самолете из Парижа с пересадкой в Стамбуле.

Тамара поцокала язычком.

— Нестыковочка выходит, Александр... Я так поняла, что ты, завершив службу в Легионе, решил перебраться на родину. Верно?

— Да.

— Кстати, сколько времени ты служил в Иностранном легионе?

— Пять месяцев учебки под Марселем, а затем два полных трехлетних контракта. Итого — почти шесть с половиной лет.

— Ты служил там... как это? Командиром, да?

Протасов невесело усмехнулся.

— Как бы не так, Тамара. Пришлось начинать рядовым необученным... Это здесь, в России, я был офицером армейского спецназа. А там я — никто. В лучшем случае, имя мне — Руско. Да и то такое прозвище еще нужно было заслужить.

— Пришлось начинать все сначала, — Тамара понимающе покивала головой. — Представляю, через что тебе пришлось пройти...

— Да нет, ничего, — Протасов пожал плечами. — В принципе, в самом Легионе отношения более или менее нормальные. Правда, стоит покинуть часть, как сразу чувствуется, что местное население, в значительной своей части, относится к легионерам недоброжелательно. Хотя мы защищаем их гребаную... извини... Республику Францию, относятся к нам многие как к отборным головорезам, которых не следует выпускать за пределы зверинца, то бишь военной части Легиона.

— Ахмад сказал мне, что у тебя в Легионе был офицерский чин.

Протасов хмыкнул:

— Ох уж этот мне Ахмад... Отчасти мне повезло, Тамара. Если ты инородец, то тебе особо ничего там не светит. Карьерный рост минимален. Капрал, сержант... Да и то, капрала можно получить после пяти лет безупречной службы. А офицеры — сплошь одни французы.

Про себя Протасов усмехнулся. Он получил чин капрала менее чем за три года службы в Легионе. Еще спустя полгода — звание сержанта. Отметился Протасов, когда его 1-я рота 2-го парашютно-десантного полка (место постоянной дислокации — остров Корсика) была переброшена в Африку, где обеспечивала эвакуацию французских граждан в ходе заварушки в Банги и Браззавиле. Так получилось, что Протасов с несколькими волонтерами охранял особняк посла в Браззавиле, — впрочем, самого дипломата уже и след простыл. Зато в стенах посольства укрылись десятка два французских граждан, которых не успели эвакуировать. И когда какая-то банда черномазых ломанулась в посольство, пришлось открывать огонь на поражение...

Еще один случай, где Протасову довелось отличиться, произошел два года назад. В Косове, откуда только что заставили уйти югов. Двумя «вертушками» взвод Легиона должны были высадить на одном из перевалов, вблизи македонской границы. Но то ли напутали что-то, то ли не с теми полевыми командирами договаривались, то ли сами косовары так наширялись наркотой, что натовскую разведку за «своих» отказались принимать... Короче, только сели в указанную начальством точку, как тут же, едва стали выгружать снаряжение, угодили под шквальный огонь. Одну «вертушку», ту, что села ближе к «зеленке», косовары, или кто там были эти черти, спалили двумя попаданиями из гранатометов «муха». Другой вертолет, на борту которого находился Протасов — он руководил выгрузкой снаряжения, — тут же взмыл в воздух. Пилоты явно намеревались дать деру, спасая собственную шкуру. Похоже, летунов мало интересовало, что будет со взводом волонтеров, который остался на земле, неожиданно угодив в мясорубку...

Протасов приставил к виску пилота ствол своего FAMAS (штурмовая винтовка, совершенное, кстати, говно). Тот понял все правильно и пошел на посадку. Подобрали всех людей — снаряжение пришлось бросить, — и только затем дали оттуда деру...

После этого случая Протасов пошел на повышение: сам он предполагал, что его за эту выходку отдадут под суд, но ему вышел офицерский чин.

— И все же нестыковка получается, Александр, — опять взялась за свое девушка. — Если тебе пришла в голову идея вернуться обратно в Россию, то почему из Парижа ты не вылетел сразу в Москву? А избрал кружной путь, через Грузию.

Протасов невольно вздохнул.

— У меня мама похоронена в Абхазии, в Гудауте... Вернее, была там похоронена, на территории российской военной базы. Сейчас войска выводят... Моя мама и еще несколько жертв грузино-абхазского конфликта — члены семей российских военнослужащих, почти все погибшие в течение одних суток, в конце 92-го, — по решению командования и с согласия родственников недавно были перезахоронены на территории православного Новоафонского монастыря. Вот я и решил посетить мамину могилу.

О том, что с базы в Гудауте вскоре выведут войска, Протасов узнал месяца четыре тому назад, в Косове, от российских миротворцев — некоторые из них ранее служили в 10-м парашютно-десантном полку. Кроме десантников и обеспечивающих служб авиаприкрытия, в Гудауте еще базировался небольшой филиал ведомства военной контрразведки, который возглавлял подполковник Протасов Дмитрий Анатольевич (звание полковника отцу присвоили в 93-м, с одновременным переводом на военную базу Вазиани, что недалеко от грузинской столицы). Но было это — почти десять лет назад...

Мама Протасова преподавала в гудаутской школе русский язык и литературу. Одно из подразделений, воевавших на грузинской стороне, — по сути, это была банда, занимавшаяся разбоем, грабежами, мародерством, — проникло глубоко на территорию Абхазии. Отряд этот состоял почти сплошь из чеченцев (хотя чеченцы, тот же Шамиль Басаев, в основном воевали на стороне абхазцев, какое-то количество их собратьев входило и в грузинское ополчение). Бандиты расстреляли из засады школьный автобус и спалили сопровождавший его на военную базу бронетранспортер... Одной из жертв этого подлого нападения и была мама Александра Протасова.

Отец два с лишним года вел свое расследование. Двое негодяев, верховодившие в этой банде, — они были братьями, — осели в Грузии. Возмездие свершилось в феврале 95-го года, когда пятерых чеченцев, включая этих двух, в упор расстреляли в одном из тбилисских кафе...

Спустя всего несколько дней армейский «уазик», в котором находились полковник Протасов и водитель-сержант, был расстрелян неизвестными лицами автоматным огнем из двух машин, по дороге из Тбилиси в Вазиани.

...Когда Протасов приобрел в Новом Афоне «ладанку», поместил туда горсть земли с могилы матери и добавил горстку земли, которую он взял с могилы отца, он и предположить не мог, что «ладанка» эта с родительским прахом вскоре сыграет роль оберега, отклонив в сторону пулю, направленную ему в сердце.

Все эти невеселые мысли Александр счел нужным оставить при себе. Но существовала все же одна деталь, о которой он не мог не сказать Тамаре.

— Тамара, я так понимаю, что твой бизнес — оказание помощи чеченским беженцам.

— Да. — Девушка тут же насторожилась. — А что в этом плохого?

— Плохого, полагаю, в этом нет ничего. Но... Наверное, я должен сказать тебе правду... Мою маму убили чеченские бандиты. В смерти моего отца, который все же сумел найти и наказать убийц, тоже, насколько мне известно, повинны чеченцы.

Девушка сильно побледнела.

— Мне искренне жаль, Саша... Я не знала, что твои родители погибли. Тем более я не могла знать, что они погибли от рук чеченцев.

Протасов тяжело вздохнул.

— Черт меня дернул за язык... Сказал, а теперь сам жалею.

— Ты, наверное, ненавидишь чеченцев? — тихо

произнесла она. — А как же Ахмад? Насколько я вижу, у тебя с ним нет никаких трений.

— Испытываю ли я жгучую ненависть к чеченцам? — Протасов задумался. — Гм... Даже не знаю, как сказать. Что же касается Ахмада... Мне сдается, он надежный, порядочный мужик. Тебе он вообще предан как пес. Но Ахмад — это исключение из правила. Согласно которому для меня, как и для многих других, о чем тебе должно быть известно, хороший чечен — это мертвый чечен.

Теперь на лице девушки сквозь восковую бледность проступили красные пятна.

— Александр, я тоже должна тебе кое-что сообщить.

— Давно пора, — кивнул тот. — Я ведь толком о тебе ничего не знаю: ни кто твои родители, ни чем ты занималась в прошлом...

Но все же в тоне девушки было что-то такое, заставившее его насторожиться.

— Ты знаешь, Александр, кто мой отец?

— Откуда? Я только подозреваю, что твой папа человек довольно состоятельный.

— Моего отца зовут Руслан Хорхоев.

Протасов бросил на нее до крайности изумленный взгляд.

— Да, Александр, — сказала она спокойным тоном. — Я дочь чеченца. А это означает, что я сама наполовину чеченка...

В бадуевском доме уже около получаса царила тишина. Протасов, который при этой новости даже в лице переменился, вышел покурить на балкон, да так там и остался. Тамара решила пока его не тревожить. Пусть успокоится, все хорошенько переварит, а уж потом они обсудят щекотливую ситуацию, в какой оказались. Если, конечно, после случившегося у них будет обоюдное желание продолжить их так хорошо начавшийся и казавшийся еще недавно безоблачным роман.

Хотя в доме, прогретом за день, было тепло, Тамару бил озноб. Мелкая нервная дрожь пронизывала ее всю от макушки до пальцев на ногах. Опять в душе у нее возникло это страшное чувство одиночества, которое обострилось после трагической гибели отца...

Сказать про Руслана Хорхоева, что он чеченец, или, если брать шире — пользуясь общеизвестной имперской терминологией — инородец... Это значит ничего о нем не сказать. Скорее уж здесь годится определение на английском — FOREING BODY. Чужие по крови воспринимали его как инородца, а свои, чеченцы, включая многих его родственников, как и н о - р о д н о е тело.

Но захочет ли Протасов разбираться в этих отнюдь не лингвистических тонкостях?

...Тамара вернулась на кухню, где установлен телефонный аппарат. Ахмад, правда, предупреждал, чтобы она никому отсюда не звонила. Кроме самого Бадуева, естественно. А-а, плевать...

Тот номер, который она сейчас пыталась набрать, Тамара узнала от отца. Его знают только члены Семьи. Она уже набирала как-то этот номер. Из Саутгемптона звонила раза два или три... Сразу после того, как Ахмад сообщил ей о гибели отца в южносибирской тайге... Ей отвечал мужской голос, говоривший на чеченском языке. У Тамары каждый раз перехватывало горло, и она, не в силах произнести хоть слово, тут же давала отбой.

Ждать пришлось недолго. Ей ответили. Произнесли какую-то фразу по-чеченски, смысл которой она не разобрала. Немудрено, что с ней пытаются говорить по-чеченски: по этому номеру могут звонить только чеченцы и только члены рода Хорхоевых.

Она стояла босыми ногами на теплом деревянном полу, ее била нервная дрожь, а в телефонной трубке воцарилась тишина.

— Тамара, это ты? — наконец прозвучало в трубке. — С тобой все в порядке? Девочка моя, где ты находишься? Не молчи...

В мужском голосе, доносившемся из трубки, ощущалась и бездна прожитых лет, и нотки беспокойства, и еще что-то, чему трудно сразу найти название.

Всхлипнув, она положила трубку на место.

Нет... Не сейчас. Она очень боится Ильдаса. И еще она не знает, как отнесется к ее появлению старик Искирхан, родитель ее отца Руслана Хорхоева.

Глава 7

Искирхан Хорхоев, сохраняя задумчивый вид, положил трубку сотового телефона на стол. В просторном помещении библиотеки, на стеллажах и в застекленных шкафах, хранилось чуть более двух тысяч томов книг, а также несколько сотен компьютерных дисков с информацией научного и прикладного характера. Книги здесь были преимущественно технического склада — по нефтедобыче, нефтехимии и смежным отраслям. Но имелось также немало книг, изданных на чеченском и других горских языках.

Это была уже третья по счету библиотека, которую он собирал. Книги из первого собрания пропали в сорок восьмом году вместе с большей частью нажитого к тому времени имущества. Несколько тысяч томов специальной литературы, которые он собирал более тридцати лет, были им подарены в восьмидесятых годах Грозненскому институту нефти и газа для пополнения научного и учебного фонда. Эти книги, вместе со всем библиотечным фондом, как и основное здание института, были уничтожены войной еще в конце декабря 1994 года.

Но он, несмотря ни на что, продолжал собирать книжный фонд. Он надеялся, что война когда-нибудь закончится. Тогда он или же Абдулла, если его к тому времени не будет в живых, передаст эти полезные книги тем, кто захочет учить людей не войне, руководствуясь корыстью или всесжигающей ненавистью, а мирному ремеслу.

Телефонный звонок раздался в тот момент, когда он и Абдулла, уединившись в библиотеке, обсуждали один крайне важный вопрос.

— Вы полагаете, Учитель, это звонила Тамара?

Хорхоев, сидевший в кресле, утвердительно кивнул.

— Позвольте, я возьму ваш сотовый... Я запишу номер, если он зафиксирован, и попытаюсь установить, откуда звонили.

Неожиданно для Абдуллы Хан отрицательно покачал головой.

— Дочь моего сына Руслана, — сказал он, — должна сама для себя определить, хочет она меня видеть или нет.

— Ну что ж, мудрое решение, — кивнул его помощник. — Этот звонок прервал наш разговор. Мы говорили о том, Учитель, что следует отправить во Францию одному человеку «черную метку».

— Да, причем немедленно, — кивнул старик. — Потому что время не терпит...

— Разбирая архив Руслана, я нашел там много полезной информации. Он собирал досье на Бориса почти двадцать лет.

— Борис не сильно опасается компромата, — глухо

260

сказал Хан. — Бестия не боится ни газет, ни телевидения, ни даже того, что могут всплыть документы о его прошлых аферах.

— Согласен, Учитель. Но у нас есть информация другого рода: адреса всех его жен, любовниц и шестерых детей. Известно местонахождение всех его близких. Мы знаем адрес школы в Швейцарии и колледжа в Англии, где учатся его отпрыски. Мы в курсе, в каких бутиках жены и любовницы Бориса транжирят его деньги... Руслан очень серьезно поработал в этом направлении. Нам осталось лишь отобрать нужные сведения и дополнить их самой свежей информацией.

— «Посылка» должна попасть прямо к Борису, — распорядился Хан. — Обратный адрес указывать не следует. Кто является отправителем, он способен догадаться сам.

Абдулла направился к выходу, но Хан остановил его у двери:

— Послушай, Абдулла... Скоро нам могут понадобиться услуги надежных людей. Тех, кто не связан с моим сыном Ильдасом. И кто способен всю жизнь хранить тайну.

Выдержав приличествующую случаю паузу, верный помощник сказал:

— Вы многим помогли в этой жизни, Учитель. Теперь для некоторых настанет черед оказать ответную услугу.

Абдулла, получивший важное задание, уехал в Москву, в офис скромной консультационной фирмы, руководителем которой он сам же и являлся — совмещая эту работу с обязанностями помощника Искирхана Хорхоева.

Помимо прочего, Абдулла сообщил еще одну серьезную новость. Около полудня ему на сотовый телефон позвонил Ахмад Бадуев. Давний помощник Руслана, который на некоторое время исчез из поля зрения Семьи, сообщил, что с девушкой все в порядке. Он также сказал, что вскоре готов будет встретиться с Абдуллой или даже с самим Ханом — если только этого захочет глава семьи Хорхоевых. Звонил он Абдулле из Москвы. И хотя он прямо этого не сказал, из его слов можно сделать вывод, что и дочь Руслана сейчас находится где-то поблизости, в Москве или Подмосковье.

После отъезда Абдуллы в библиотеке воцарилась привычная тишина. Хан редко слушал радио или смотрел телевизор: ничего хорошего для себя и своего народа он из новостных сообщений почерпнуть не надеялся. Женщины занимались своими извечными делами: готовка, стирка, глажка, уборка... Парень, которого он приютил вместе с матерью, возится, наверное, в гараже с машиной. Все, казалось бы, идет своим чередом... И все же он, Искирхан Хорхоев, чувствует себя одиноким в этом просторном доме, возводя который он надеялся, что доживать свой век будет в окружении детей, внуков и правнуков, — никого из тех, в чьих венах течет его кровь, рядом с ним сейчас нет.

Сидя в кресле, он смежил тяжелые веки. Но пальцы его и на секунду не прерывали привычного занятия: нить воспоминаний вилась из его не ослабевающей с годами памяти, четки лишь помогали читать причудливый рисунок собственной жизни, заново пересчитывать дни и годы, людей и события и даже целые эпохи, внутри которых ему довелось существовать...

Искирхан родился в чеченском селении Старый Юрт, переименованном впоследствии в Толстой-Юрт, в тяжелое, смутное, кровавое время, которое в самой России потом назовут Гражданской войной.

Он был третьим по счету ребенком в семье временно безработного Асланбека Хорхоева, в недавнем совсем прошлом служащего бельгийской фирмы «Ахвердов и К°» — одной из почти полусотни компаний, осуществлявших добычу и перепродажу грозненской нефти, пока бизнес не рухнул по причине Октябрьского переворота в России. Один из братьев Асланбека, работавший прежде помощником у нефтяного магната, знаменитого Талы Чермоева, был состоятельным вайнахом и помогал своим родственникам, пока его не ограбили и не убили бойцы из охраны Серго Орджоникидзе — Чрезвычайного комиссара, или же, как его прозвали на Северном Кавказе, Эржкинеза, «князя черных».

Когда Искирхан появился на свет, повитуха, принимавшая роды, сказала: «Третий мальчик подряд... Значит, быть большой войне».

Это не означало, что новорожденному были не рады. Просто люди тогда были проще, искреннее и свободно говорили то, что думали.

Женщина эта, что бы она ни имела в виду, оказалась провидицей: поколение, появившееся на свет в эти смутные времена, ждали новые испытания — мятежи и восстания, а также большая война, ближе к окончанию которой чеченский народ будет выслан за пределы своей древней родины.

Еще с дедовских времен в тейпе Хорхоевых повелось так, что в каждом поколении было от трех до пяти мальчиков; а затем, когда братья становились взрослыми, каждый из них оказывался на распутье. Перед Хорхоевыми всегда стоял выбор: либо заниматься созидательным трудом, копить имущество и растить детей, либо подаваться в лихие люди, а то и прямо в разбойники. Так и с детьми Искирхана получилось: Руслан и, с натяжкой, Бекмарс посвятили себя нефтяному бизнесу, а Зелимхан и Ильдас предпочитали добывать свое нахрапом, силой, зачастую переходя все дозволенные адатами границы, — точно так же вели себя некоторые из их предков.

Младший брат отца Искирхана принимал участие в одном из самых крупных восстаний против Советов, которые имели место между двумя войнами — в так называемом «бенойском» мятеже. Дядя, которого, кстати, также звали Зелимханом — не его ли беспокойная натура проявилась в сыне? — и ранее участвовал в подобных затеях, периодически примыкая к повстанцам со своим небольшим, до десятка вайнахов, отрядом. Но на этот раз все закончилось плачевно: он был казнен сотрудниками ОГПУ весной 1932 года, в районе аула Беной.

Это восстание было последним крупным мятежом. Вплоть до начала большой войны в Чечне сохранялось относительное спокойствие (насилие носило точечный, индивидуальный, но не массовидный характер). Именно в этот период относительного затишья Искирхан закончил семилетку, потом, совмещая работу на промыслах с учебой, через рабфак поступил в нефтяной институт.

Отец не раз говорил ему: «Хан, если ты не хочешь всю оставшуюся жизнь с желонкой бегать, иди учиться!»

Желонка — это кожаное ведро. Скважин раньше бурить не умели, а просто копали глубокие колодцы. А из них уже черпали нефть желонками — такая была у дедов метода.

Институт Искирхан закончил с отличием и с энтузиазмом взялся за работу на Старых промыслах — но

264

уже не оператором буровой вышки, чьи обязанности он давно освоил, а начальником.

Однако уже через год началась война.

Военные годы он вспоминал редко. Сверхнапряженный, изматывающий труд. Упреки от некоторых чеченцев, горячих, но с бараньими мозгами — «предатель!». Бешеный напор и угрозы со стороны краснозвездных «особоуполномоченных»: «Учти, Хорхоев, не дашь для фронта в срок столько-то нефти, соляра, мазута, смазочных масел — пойдешь под трибунал!»

Зато то, что происходило после войны, вернее сказать, с февраля 1944-го, постоянно всплывало в его воспоминаниях.

Когда его народ вывезли в теплушках, по сути вышвырнув из собственного дома, он — остался. И долгое время старался делать все возможное, чтобы как можно дольше оставаться на своей ответственной должности. Искирхан Хорхоев повышал добычу нефти на грозненских и малгобекских промыслах, бурил новые скважины, среди них и самую мощную в Союзе, знаменитую «пятьдесят восьмую», курировал строительство ГрозНИИ нефти и новых перерабатывающих мощностей. Гигантские «этажерки» технологических установок в Заводском районе росли, как грибы после дождя...

Но это была лишь видимая сторона его деятельности в ту трагическую, тревожную пору.

Теневая же сторона была тем, что сейчас принято называть «контрабандой в особо крупных размерах». И приговор в то лихое время мог быть ему, да и его молодой жене, лишь один — ВМН, «высшая мера наказания через расстрел».

Искирхан Хорхоев, впрочем, был предельно осторожен.

В своих незаконных торговых операциях он имел дело лишь с армянами и евреями, имевшими многовековой опыт подобной строго конспиративной деятельности. Хан действовал через двух посредников. Он создавал «излишки» продукции, и, пользуясь прорехами в плановом хозяйстве, толкал их налево. Случалось, подобным образом растворялись бесследно сотни тонн дефицитного топлива, пустели емкости цистерн и целых «топливных» эшелонов...

Нет, деньги в дом ему не приносили. Хорхоев и на своей государственной службе имел все, что хотел. И в зарубежные банки на секретные счета никто ему миллионов не клал. Потому что, если бы даже такое было возможно, деньги нужны были в другом месте, где никаких банков не было и в помине.

Деньги нужны были в громадном, пустынном, холодном Казахстане. Там, куда Сталин и его клика сослали его народ, который, если бы не звериная живучесть и клановость, основанная на взаимовыручке, мог бы целиком вымереть в этих тоскливых стылых просторах. Причем даже не деньги нужны были, хотя и они тоже, а стройматериалы, продовольствие, теплая одежда и медикаменты... И не разово, не для одного своего тейпа, выброшенного с поезда на метровый снег в голой степи, а для как можно большего числа соплеменников, в как можно большем количестве их временных поселений.

Нефть и нефтепродукты уходили на Северном Кавказе, а оплата, зачастую в натуральной форме, совершалась в Казахстане. Сейчас это назвали бы крупным мошенничеством, осуществляемым под видом бартерных сделок. А при Сталине за такое полагалось — пуля в лоб самому виновному, расстрел либо большой срок членам семьи репрессированного, включая братьев, сестер, свояков и невесток; а для малолетних детей, в лучшем случае, спецприют, и с двенадцати лет — в зону.

В Казахстане эту «гуманитарку» распределяли избранные старейшины родов и тейпов. Но даже они не знали, от кого именно приходит помощь и кого им следует за это благодарить.

Каким-то чудом этот механизм исправно действовал четыре с половиной года. Потому что ни евреи своих не выдают, ни чеченцы. Да, когда-то было так. Людьми можно оставаться и в самые страшные времена.

Но летом сорок восьмого над головой Хорхоева уже был занесен меч.

В одну из теплых, но безлунных ночей в дом Искирхана Хорхоева на Катаяме пожаловали трое гостей. Один из них был в форме полковника госбезопасности, остальные двое — автоматчики.

— Даю вам полчаса на сборы, — заявил гэбист. — И ни минуты больше, Хорхоев!

Чекист, что нагрянул в дом Искирхана Хорхоева, был не кто иной, как заместитель начальника Управления МГБ по городу Грозный и области (республика Чечено-Ингушетия в то время была упразднена, название ЧИАССР — вымарано отовсюду). Именно он по роду службы курировал грозненские и иные близлежащие промыслы. В почти обезлюдевший после тотальной высылки аборигенов край этот человек был переведен летом сорок пятого года — из оккупированной советскими войсками Австрии. Военный контрразведчик, на фронте с первых дней войны. После очередной сталинской реформы спецслужб, выразившейся в новой волне репрессий в стане самих чекистов, был переведен в ГУГБ НКВД СССР, трансформировавшийся вскоре в МГБ. И с переводом на Северный Кавказ назначен на свою нынешнюю должность.

267

— Скорее собирайтесь, Хорхоев! — нетерпеливо командовал гэбист, нервно наблюдая за сборами. — Оставьте свое барахло! Нет времени!!

Легко сказать — поторопитесь. У Искирхана и Зулеи Хорхоевых к этому времени уже было двое детей: Руслану не исполнилось и четырех годков, а Зелимхан вообще появился на свет весной, в дни праздника Курбан-Байрам. Отчасти выручило то, что часть вещей, включая детские пожитки, была собрана в два чемодана — Искирхан был готов к тому, что за ним и его семьей могут прийти в любой момент.

То, что гэбисты решили взять не одного его, а всю семью, могло быть как хорошим, так и плохим знаком. Они могли бы забрать ночью одного Искирхана. Или же их вдвоем с Зулейкой, оставив детей под присмотр русских соседей. Это означало бы допросы, жесточайшие пытки, и если бы не умерли от пыток, то — неминуемый расстрел. Если велели взять с собой детей, то маловероятно, что их повезут в здание грозненского управления, где обычно «работают» с опасным преступным элементом.

Но то, что гэбэшный полковник приказал взять с собой и детей, могло быть также плохим знаком. Если ему удалось что-то пронюхать о тех «контрабандных операциях», при помощи которых Хорхоев и его тайные агенты переправляют немалые средства своим нуждающимся соплеменникам в Казахстан, то он должен задуматься о последствиях. Причем лично для себя. Ведь если вскроется эта «афера» и сведения просочатся в центральные органы, то по головке его, человека, курирующего по своему ведомству промыслы, не погладят.

Поэтому Хорхоев подозревал, что этот высокопоставленный сотрудник МГБ, если ему действительно стало что-то известно о хищениях топлива и ГСМ, не захочет допустить, чтобы его же коллеги, гэбэшные дознаватели, получили возможность допросить Хорхоева.

В сущности, кто они такие, эти четверо: двое взрослых и их малолетние дети? Всего-навсего — чеченцы. Их можно вывезти на городскую окраину и там расстрелять. Написав затем в докладной, что они пытались бежать и были застрелены конвоем. Все четверо, включая трехмесячного младенца.

Да, могло случиться и так.

Но в голове гэбэшного полковника, которая тоже могла слететь с плеч в любой момент, к этому времени созрел совсем другой план.

Возле их дома стоял «Студебекер», приспособленный для перевозки людей, и две черные легковушки, включая трофейный «Опель-Адмирал», приписанный к грозненскому УМГБ.

Зулейку и двух детей отправили в кузов грузовика, оборудованный скамьями вдоль бортов, — там находилось уже десятка полтора людей, преимущественно чеченцев, тех, кто, как и Хорхоев, имел «бронь», кто был лоялен к властям и кто по каким-то причинам избежал участи своих соплеменников, высланных в Казахстан.

Подчиняясь приказу гэбиста, Хорхоев направился вместе с ним к «Опелю». Полковник сел за руль, указав Искирхану, чтобы тот занял переднее сиденье, рядом с ним. Его поведение показалось Хорхоеву странным. Если это арест, то почему они находятся в салоне черного «Опеля» только вдвоем? Почему рядом нет никого из охраны? А если это не арест, то куда и зачем они все едут на ночь глядя?

С гэбистом, который первые минуты, пока они не выехали из района Катаямы, вел машину молча, у Хорхоева сложились бесконфликтные отношения. Особой симпатии, конечно, они друг к другу не испытывали. Но на протяжении почти четырех лет, пока они вынужденно контактировали, между этими двумя — крупным чеченским нефтяником и крупным гэбистским чином — существовало некое взаимопонимание.

Заместитель начальника грозненского УМГБ был человеком неглупым. Местная нефтяная индустрия развивалась опережающими темпами, перекрывая даже те цифры, которые спускались из Москвы. Он не мог не понимать, поскольку видел ситуацию изнутри, что эти успехи в значительной степени связаны с фигурой такого блестящего специалиста, практика и организатора, каковым себя выказал за последние годы Искирхан Хорхоев, — за что, кстати, был удостоен множества правительственных наград.

Возможно, он догадывался, что в бухгалтерии Хорхоева не все чисто, хотя при проверках все сходилось до последней запятой. Наверняка подозревал, что имеются некие излишки, которые проходят мимо государственной казны. Но подозрения к делу не пришьешь, а поймать за руку Хорхоева не получалось.

Было и еще одно крайне важное обстоятельство, объяснявшее некоторую благосклонность местных чекистов к чеченцу Хорхоеву. Их служебная карьера, сама их жизнь, в силу понятных обстоятельств, зависела от результатов работы курируемых ими нефтепромыслов. Связан ли был нефтяник Хорхоев с «чеченским подпольем», и прежде всего, с засевшими в горах «повстанцами»? (Полностью очистить от местного «бандэлемента» горные районы органам так и не удалось.) Прямых доказательств такой связи не было. Но сам факт, что «партизаны», периодически спускающиеся с гор на равнину, вырезающие в селах активистов, учителей и простых колхозников, как-то обходили стороной нефтепромыслы, способен был навести такого неглупого человека, каковым выказал себя этот гэбэшный полковник, на вполне определенные мысли.

И хотя никакого сговора между двумя ехавшими сейчас в «Опеле» людьми не существовало, негласная договоренность, так никем и не озвученная, была: пока Искирхан Хорхоев занимает свой высокий пост, имея притом определенную свободу рук, местным гэбистам тревожиться не о чем. Но если с нефтяником произойдет что-то нехорошее, то чеченские партизаны, обходившие кое-какие объекты стороной, всенепременно туда наведаются.

Буровая скважина, да и любое предприятие по переработке нефти очень уязвимы для пожаров. А тушить их в короткие сроки, с минимальным убытком в то время еще не научились...

— То, что я вам сейчас скажу, Хорхоев, должно умереть вместе с вами, — произнес полковник, нарушив зыбкую тишину. — Даете слово?

— Я не болтун, гражданин начальник, — отозвался чеченец. — Если есть что сказать, говорите. Это останется между нами.

«Студебекер» и одна машина сопровождения свернули на шоссе Ростов — Баку. «Опель» же вначале притормозил, а затем и вовсе остановился на обочине дороги.

— Вчера во Владикавказе были арестованы двое людей из числа крупных снабженцев, — сказал гэбист. — Мне этот факт стал известен из поступившего оттуда запроса.

Полковник назвал фамилии арестованных. Он не стал спрашивать, знает ли Хорхоев задержанных, потому что понимал — чеченец все равно не ответит. Искирхан, услышав фамилии арестованных госбезопасностью соседней республики людей, почувствовал сосущую пустоту в желудке. Если любой из них даст показания, то тут же всплывет фигура Хорхоева, причем в качестве главного организатора «аферы».

— Есть и другие «звоночки», — продолжил полковник. — Складывается впечатление, что какое-то количество дефицитного топлива и горюче-смазочных материалов, выпускаемых нашей местной индустрией, уходило не по назначению...

Никаких других подробностей он не стал приводить. Но в этом не было необходимости. Хорхоеву и так было все понятно. Органы все-таки «пробили» один из каналов нелегальных поставок, и теперь за арестами дело не станет.

Он сейчас целиком находился в руках гэбиста. Но пока не мог понять, чего добивается от него этот человек.

— Сегодня в вашем управленческом здании найдены листовки, — сказал полковник. — Прокламации ушедших в подполье чеченских националистов найдены также в некоторых других районах города. Принято решение выслать в превентивном порядке, дабы другим был урок, для начала пять чеченских семей! Из числа тех, кто имел «бронь». В этот составленный нами список, Хорхоев, попали вы и ваша семья.

Он помолчал немного, затем добавил:

— Вас и других чеченцев доставят под конвоем в Моздок, где находится фильтрационный лагерь. И уже оттуда вы будете отправлены спецэтапом на поселение в Казахстан. Теперь вам все понятно, Хорхоев?

Хан, повернувшись к нему, попытался в темноте разглядеть выражение его лица. Только сейчас он осознал, что именно намеревается сделать этот гэбэшный полковник. Для него и его семьи.

Он понял, прокламации — лишь повод, чтобы убрать Хорхоева из Грозного в канун начинающегося расследования по факту обнаружившихся крупных хищений в местной нефтяной отрасли. Выслать одного только нефтяника с семьей было бы слишком подозрительно. Поэтому и придуман был этот ход с невесть откуда взявшимися листовками «чеченских националистов».

Значит, нужно выслать еще какое-то количество чеченцев, из числа заслуженных и лояльных. Увы, такова железная необходимость. Даже если бы их не отправили в ссылку сейчас, чтобы прикрыть тем самым персону Хорхоева, то после раскрытия «аферы», с ее явно чеченским происхождением, эти люди все равно были бы подвергнуты репрессиям со стороны органов.

— Спасибо, полковник, — сказал Хорхоев, хотя произнести эти слова благодарности стоило ему немалых усилий. — Если смогу, когда-нибудь отплачу взаимностью.

— Не стоит меня благодарить! — отмахнулся тот. — К тому же, одного «спасибо» недостаточно. У меня есть два условия... Первое. Держите рот на замке! Не только здесь и сейчас, но и среди своих, когда окажетесь в Казахстане!

— Что еще?

— Самое главное. После вашего отъезда нефтепромыслы должны работать, как прежде. Намек понятен?

Хорхоев криво усмехнулся... Куда уж понятнее. Гэбист опасается, что промыслы после отъезда Хорхоева могут быть превращены в головешки. Если это произойдет, то его нынешнему собеседнику, как и другим крупным начальникам, поотрывают головы.

Спустя четверть часа «Опель», миновав проходную, остановился у административного здания местного крекинг-завода. Производство функционировало круглосуточно, поэтому дежурные управленцы тоже были на местах. Понимая щекотливость ситуации, гэбист остался в машине. Он знал, что Хорхоев никуда не денется. Хотя бы потому, что в заложниках находится его семья.

Искирхан черкнул записку по-чеченски и передал ее надежному человеку, который наутро должен будет доставить послание по указанному ему адресу.

Хотя записка была адресована тем людям, кто мог бы при желании устроить ряд крупных диверсий, о необходимости избегать таких действий там не было сказано и полслова.

Хорхоеву еще раньше удалось убедить тех чеченцев, кто остался в республике фактически на нелегальном положении, что диверсий на нефтепромыслах совершать не следует. Сталин, хотя его и изображают полубогом, все же человек. Значит, не вечен. Ссылка для чеченцев тоже не на века. Народ древних вайнахов непременно вернется на родину. И тогда нефть в недрах и то, что построено за последние годы на земле, будут способствовать богатству и процветанию чеченского народа.

В записке было написано, в переводе на русский, следующее:

«Ищите новый канал поставок, прежний — закрыт... Я и моя семья в порядке, отправляемся в ссылку в Казахстан».

Фамилию этого гэбэшного полковника, которого свои же расстреляют в пятьдесят четвертом году, в связи с затеянными новым руководством «зачистками» в органах, отца двух детей, Ольги и Дмитрия, Искирхан Хорхоев запомнил на всю жизнь.

Фамилия этого человека была — Протасов.

...Мысли Хорхоева, миновав толстый, богатый событиями пласт времени, вернулись в настоящее.

Единственный раз он видел дочь Руслана примерно за месяц до того, как убили ее мать.

Да, он не хотел, чтобы его сын женился на русской. Но у него хватило ума предоставить самому Руслану решать, с кем он хочет связать свою жизнь.

Братья же, Зелимхан и Ильдас, отнеслись к выбору Руслана крайне негативно. Они утверждали, что, женившись на русской, он сам стал наполовину русским, и, пока он не бросит свою Ларису, они имеют полное право смотреть на него как на «инородца».

Потом случилась эта ужасная трагедия...

Однажды Руслан сказал ему примерно следующее:

«Отец, ты можешь ругать меня или считать кем угодно... Но пока жив Ильдас, которому я оставил жизнь по твоей просьбе, никто моей дочери из людей рода Хорхоевых не увидит...»

Пока Руслан был жив, он твердо держал свое слово. Но теперь, после его гибели, все решения должна принимать за себя его взрослая дочь.

Глава 8

— Саша, я на тебя не обижаюсь.

— Правда? Ни капельки, ни даже граммулечки?

Он обнял девушку за плечи. Тамара успела сменить халат, под которым у нее ничего не было, на джинсы и клетчатую рубаху. Это и понятно: после недавнего объяснения, коснувшегося их родословных, настроение продолжить любовные упражнения как-то поиссякло.

Впрочем, для первого раза полученного ими удовольствия было достаточно.

— Absolutly no, — процитировала одно из его прежних утверждений Тамара. — Я просто сидела и ждала,

275

пока ты переваришь эту новость. Но ты, «бэд бой», мог бы переварить ее чуть быстрее...

Протасов усмехнулся краешком губ.

— Сам не знаю, что на меня нашло... Ты как выдала свою «новость», так на меня будто стена рухнула! Но... Да, переварил я все это дело. И стену, которая рухнула на меня и которая могла бы оказаться между нами, — тоже. И следа не осталось!

Она бросила на него серьезный взгляд.

— Что будем делать с моей чеченской половинкой? Распилить меня, Саша, не удастся...

— Как это «что будем делать»?! Любить будем! Обнимать!! Целовать будем «ичкерийскую волчицу»!!

Чуть приподняв девушку своими сильными руками, он приник к ее губам. Поцелуй вышел долгим, страстным, как и все прежние. Но в нем присутствовало и нечто новое: пряная горчинка как полезная и даже необходимая приправа к их нарождающимся отношениям.

Когда он поставил ее обратно на ноги, Тамара сказала:

— Саша, ты на меня тоже не обижайся...

— За что? — удивился тот.

— Так получилось, что ты из-за меня пострадал. Ранили тебя, бедняжку...

— Забудь про эту царапину! Что касается остального... Знаешь, что мне твой чеченец Ахмад выдал? — Протасов усмехнулся. — От судьбы, говорит, не уйдешь... Кстати, раз уж я помянул Бадуева. Я тебе тоже могу сказать новость, от которой ты упадешь!

Тамара в шутку ухватилась двумя руками за кухонный стол.

— Давай, герой, жми на курок!

— Надежно зацепилась? Точно не свалишься?

— Не-а! Кончай интриговать, Саша! Ну?!

Протасов, глядя ей прямо в глаза, медленно и веско произнес:

— Твой отец, Тамара, однажды вызволил меня из чеченского плена!

Тамара от удивления сделала большие глаза.

— Ты шутишь?! Когда это было?

— В девяносто четвертом, осенью. Я даже больше тебе скажу... Руслан Хорхоев, твой папа, заплатил за меня выкуп — пятьдесят тысяч долларов.

Тамара даже присвистнула, словно она была мальчишкой, а не красивой молодой женщиной.

— То-то я смотрю, что мой Ахмад тебя откуда-то знает...

— Да, он там тоже был, — кивнул Протасов. — Но это еще не все, darling! Я твоего отца и прежде видел. Давно это, правда, было... Я должен был ехать в Рязань. Тем летом, кажется... Да, точно! Мама осталась в Гудауте, мы с отцом вдвоем поехали. Мне предстояло сдать документы в училище, в которое я потом благополучно был зачислен. Мы выехали пораньше, чтобы заехать к тетке, отцовой сестре, — буквально на два или три дня. Она тоже живет в Подмосковье, кстати... Вот там я и увидел твоего папу: оказывается, они с моим отцом давние знакомые.

— М-да... Неожиданный поворот.

Девушка, усмехнувшись, покачала головой.

— Похоже на то, Саша, что в наших семейных шкафах полно скелетов... Мы только чуть приоткрыли дверцы, коснувшись своих предков, а на нас, видишь, сколько уже всего высыпалось!

В этот момент Протасов периферийным зрением засек чей-то силуэт, смутно промелькнувший на фоне приоткрытого окна кухни, — за стеклом уже синели вечерние сумерки.

— Ахмад, кажется, вернулся...

Но то был не Бадуев.

Протасов понял это, обнаружив опасность, надвигавшуюся сразу с трех сторон. На втором этаже — очевидно, один из нападавших проник в дом через балкон — раз и другой чуть слышно скрипнула половица, а затем этот некто, уже не соблюдая тишину, ринулся вниз по лестнице... Открылась рывком дверь, ведущая на веранду — она находилась напротив кухонной двери, их разделял только коридор, — и на ее фоне разом проявился человеческий силуэт... Третий из нападавших, которого Протасов засек мгновением раньше, вероятно, оставался снаружи, контролируя окно помещения, где были экс-легионер и девушка.

Как-то мгновенно Протасов осознал, что эти незваные визитеры, пожаловавшие в вечернее время в «секретное» убежище Бадуева, — не менты и не приятели отсутствующего хозяина.

От окна, под которым был оборудован тайник для «стечкина», его отделяло всего три или четыре шага. Но времени на то, чтобы вооружиться, не оставалось.

— Пригнись, Тамара!!

Он одной рукой сгреб опешившую девушку и задвинул ее себе за спину. Одновременно своей «рабочей» правой потянулся к деревянной колоде, использующейся как подставка для кухонных ножей...

Восемь темных рукоятей, расположенных попарно, от двух миниатюрных ножичков до солидных размеров тесака.

Протасов резким движением потянул за эту самую крупную с виду рукоять и, продолжая все то же движение, но придавая ему осмысленное направление, метнул нож в наплывающий на них со стороны веранды темный силуэт...

Годы тренировок были потрачены не зря: нож вошел в плоть с тугим характерным звуком, потом раздалось «хряск» и вслед за тем — чей-то полухрип, полустон. Все ж Бадуев настоящий чечен, даже кухонные ножи у него заточены как следует...

Протасов, не теряя времени, метнул еще один предмет. Но не нож, а табуретку, и не в дверь, а в окно... Послышался звон стекла... Хорошо, пусть думают, что он ломанулся в окно!

Протасов потянулся к колоде, чтобы прихватить еще парочку ножей, — до «стечкина» он в этой ситуации добраться даже не надеялся. Со стороны веранды он уже одного хмыря завалил, теперь Тамару в охапку, и дальше через ту же веранду, попутно прихватив «ствол» у хмыря, если таковой имеется, попытаться выбраться наружу.

Раздался хлопок, потом щелкнуло еще разочек. Боец, который сбежал по лестнице, как и Протасов, времени зря не терял...

Александр ощутил, как что-то раскаленное пробуравило воздух рядом с его кистью, потянувшейся к рукояти ножа. Он инстинктивно отдернул руку. Пуля, выпущенная из пистолета с глушителем, ударила точно в колодку, отшвырнув в сторону подставку с ножами, которые он надеялся превратить в метательные орудия.

— Замри! — скомандовали с порога. — А то я убью тебя или девушку!

В кухню прошли двое в темных брюках и темных же не то рубашках, не то свитерах. Лица скрыты под масками. В руках пистолеты с навинченными глушителями.

Один из них направил ствол на девушку, другой, удерживающий под прицелом Протасова, подал новую команду:

— Лицом к стене! Вот так... А теперь руки на затылок!!

Протасов нехотя повиновался. Дергаться было бесполезно. К тому же не хотелось и дальше подвергать Тамару смертельному риску.

— Замри! — прозвучало теперь почти над ухом.

А следом у него что-то взорвалось в голове, и он вновь полетел спиной вниз в этот уже знакомый ему, проклятый овраг...

Абдулла привез Ахмада Бадуева в дом главы клана Хорхоевых для важного разговора.

Но прежде чем приступить к делу, они все вместе сотворили вечерний намаз.

Они втроем, Хан, Абдулла и гость, прошли в просторное помещение библиотеки. Ахмад почтительно обнял старика, поцеловав его в плечо. И только после этого позволил себе заговорить о том, что привело его в дом Искирхана Хорхоева.

— Я чувствую себя виноватым перед тобой, отец, — сказал Бадуев, обращаясь к хозяину дома. — Не знаю, сможешь ли ты меня простить...

Хан прекрасно понял, что имеет в виду посетивший его вайнах.

— Тебе не в чем себя винить, Ахмад, — сказал он. — Ты выполнял волю моего сына Руслана, а потому мне не в чем тебя упрекнуть... Ты голоден? Абдулла, скажи женщинам, пусть принесут угощение.

Бадуев, не вдаваясь пока в подробности, рассказал о том, как свои же чеченцы похитили Тамару. И о другом рассказал, как они вдвоем, вместе с русским парнем по фамилии Протасов, освободили ее. К сожалению, пришлось убить охранявших ее людей, потому что иного выхода в той ситуации у них не было.

— Как, ты сказал, зовут того парня, что тебе помог? — переспросил Хан. — Протасов? Знакомая фамилия...

— Он сын Дмитрия Протасова, отец.

Старик удивленно приподнял свои кустистые брови.

— Вот как? Только недавно вспоминал его деда, с которым я был... немного знаком. И сколько лет этому парню?

— Около тридцати. Наши пути с ним пересеклись еще в Грузии. Так получилось... Он нам очень помог, мне и Тамаре.

— Как девушка? — спросил Хан. — Надеюсь, с ней все в порядке?

Бадуев кивнул.

— Она очень красивая девушка, отец, — сказал он. — Дочь твоего сына Руслана — настоящая красавица.

— Да, я знаю, — кивнул Хан. — Я видел ее на фотографиях...

— Очень красивая, — повторил Бадуев. — Но еще и умная, начитанная... У нее диплом английского Кембриджа. Но еще и добрая. Даже слишком добрая. Но...

— Что? — посмотрел на него Хан.

— Иногда сильно ругается, — с доброй усмешкой сказал Бадуев. — Если попадешь к ней на язычок, то... ой, ой.

Старик тоже усмехнулся в седые усы.

— Неудивительно, Ахмад. У нас в роду все женщины такие. Красавицы, щедрые душой, но... Языки такие, что в один миг побреют! Да... Внешне, если судить по фото, — он посмотрел на Абдуллу, благодаря которому получил такую возможность, — девочка как две капли воды похожа на свою мать...

— Нос у нее с горбинкой, как у Руслана, — поправил его Бадуев. — Глаза отцовы... В остальном, что касается внешности, как утверждал сам Руслан, — она копия своей матери.

Некоторое время они говорили про Ильдаса, и этот

281

разговор для них уже был не так приятен. Бадуев утверждал, что Ильдас прямо причастен к похищению родной дочери Руслана, к тому же его люди убили водителя Тамары, да и жизнь самой девушки постоянно подвергалась смертельной опасности.

Затем разговор вновь вернулся к Тамаре, дочери Руслана Хорхоева.

— Ахмад, Тамара тебя расспрашивала обо мне? — поинтересовался старик.

— Да, отец. Дочь Руслана часто спрашивала о тебе. Чаще, чем о других родственниках, которых она пока не видела... Кроме Ильдаса, с которым она уже познакомилась. К сожалению...

— Она здесь? Где-то в Москве?

— В Подмосковье. Тамара в надежном месте. С ней парень, о котором я тебе рассказывал, отец. У него в Москве свои дела, но я попросил его остаться и присмотреть за Тамарой.

Старик пристально взглянул на Бадуева.

— Как ты думаешь, Ахмад... Девочка хочет меня видеть?

— Да, отец. Очень. Но она боится Ильдаса. А ты, отец? Ты хочешь ее видеть в собственном доме?

Искирхан Хорхоев кивнул своей убеленной сединами головой.

— Да. Привезите дочь моего сына Руслана в мой дом. Здесь она будет в полной безопасности.

...Бадуев был растерян и в то же время сильно разгневан. Он не мог понять, что произошло за время отсутствия в его доме, расположенном в поселке Мозжинка, о котором никто, кроме Руслана, не знал.

Он сам сказал Абдулле, что охрану вызывать не стоит. Зачем? Девушка и так напугана последними событиями. С ней Протасов — он неглупый и, кажется, надежный человек. А о доме, где она сейчас находится, точно никто не знает.

Поэтому он вначале глазам своим не поверил, когда увидел, как только они подкатили к дому, что одно из окон разбито...

Но это было лишь секундное замешательство. Вдвоем с Абдуллой они осмотрели дом, обратив внимание на пятна крови на полу веранды, а также на почти расколотую пулей подставку для ножей. После этого Абдулла стал звонить по мобильнику кому-то из своих знакомых, чья помощь сейчас могла бы понадобиться, — к услугам милиции вайнахи, естественно, прибегать не собирались. А Бадуев переговорил, соблюдая осторожность, с соседями... Профессорша и вправду видела какие-то две «черные машины», сказала, что сама она не «шофэ-эр» и в машинах ничего не понимает. Короче, это могли быть джипы, «мерсы», «бээмвухи», все, что угодно, до катафалков включительно.

Какого-то грохота или шума схватки эта пожилая женщина не слышала. Да и вряд ли могла услышать, потому что в доме у нее постоянно орет телевизор.

Бадуеву пришлось сказать, что в поселок приезжали его друзья, но, к сожалению, дома его не застали.

Только в третьем часу ночи они вдвоем, Бадуев и Абдулла, предстали перед Искирханом Хорхоевым и поведали ему подробности случившегося.

— Сейчас главное — не делать резких, неосторожных движений, — внимательно выслушав их, изрек мудрый старик. — Есть основания предполагать, что девочку они захватили не для того, чтобы убить. Во всяком случае, есть небольшой запас времени... Но кто бы за всем этим ни стоял, он понесет именем Всевышнего заслуженную кару.

Глава 9

Придя в себя, Протасов не сразу понял, где он находится и что творится вокруг.

Голова трещала еще сильнее, чем в те мгновения, когда он очнулся во владикавказской больнице. Тогда ему привиделось — под действием наркоза, наверное, — что он не то парит, не то плавает в толще какой-то кровавого цвета субстанции. Сейчас же все обстояло несколько иначе... Ему казалось, что сверху на него уселся слон. Мало того, что давит на него своими центнерами, так еще и подпрыгивает, зараза!

Наконец он врубился, что лежит на полу какого-то автофургона. Трудно дышать, и ничего не видно. На голове какая-то штуковина... Скорее всего, полотняный мешок.

Руки вывернуты назад, запястья скованы шипастыми самозатягивающимися наручниками. Он лежит на полу плашмя, на животе, а сверху на спину, на плечи давит какая-то тяжесть. Определенно, кто-то сидит на нем верхом. Впечатление такое, будто его оседлал массивный, весом под два центнера, борец сумо...

Протасов, поднатужившись, попытался рывком сбросить с себя эту невыносимую тяжесть. Но наездник удержался и болезненно ударил его по щиколотке — не фиг, мол, тут ерзать! И тут же огрели чем-то тяжелым по затылку, после чего в мозгу Протасова одновременно пропали и звук, и картинка — последняя, впрочем, отсутствовала и ранее по причине надвинутого на голову мешка...

Ему показалось, он пробыл без сознания лишь короткое мгновение. Что-то щелкнуло в мозгу, и тут же все вернулось на свои места: слоновья тяжесть, давившая на него сверху, негромкое урчание автомобильного движка и черная, как беспросветная ночь, картинка перед глазами.

Транспорт, в котором его везли, стал притормаживать... Все, приехали.

Протасова, схватив за вывернутые назад руки сразу с двух сторон, рывком приподняли с пола. Затем, протащив пару-тройку метров едва не волоком, сбросили на землю через задние дверцы фургона, так, словно он был не человеком, а мешком с картошкой...

Протасов, больно ударившись о землю плечом, коротко простонал. Теперь у него болело, кажется, все: голова, которой сильно досталось в последнее время, ушибленное плечо, грудь и щиколотка. В особенности же болели ребра, с которых, складывалось впечатление, содрали кожу и мышцы, а потом еще отрихтовали молотком. Это и немудрено: фургон ехал не по гладкому, как кожа младенца, полотну немецкого автобана, и не по американскому хайвэю. Даже не по Московской кольцевой. А по каким-то подмосковным проселкам, с рытвинками, ухабчиками, колдобинками... Да еще на всем пути следования на нем сидел, как на скамейке, то ли слон, то ли борец сумо.

Последующие несколько минут он так и лежал на земле, перевернувшись на другой, неушибленный, бок и приняв позу эмбриона. Он слышал звуки чьих-то шагов, а также приглушенные реплики, которыми эти люди перебрасывались меж собой...

Говорили они не по-русски.

Протасов ощутил сосущую пустоту в желудке.

Он терялся в догадках относительно того, как их с Тамарой смогли вычислить в «секретном» бадуевском убежище. Он пока не знал, кто эти люди и что им нужно от него и от этой девушки.

Но зато он ясно слышал чеченскую речь.

Судя по удаляющимся звукам работающего автомобильного движка, фургон, в котором его сюда доставили, отправился восвояси.

Кто-то подошел к нему и пнул носком под ребра. Затем прозвучала команда, отданная грубым мужским голосом, в котором, как показалось Протасову, проскользнули нотки кавказского акцента:

— Вставай, б...! Разлегся тут, как шлюха на панели!!

Насколько было известно Протасову, шлюхи, выходя на «панель», не ложатся, а стоят либо прохаживаются. На худой конец сидят на хате под присмотром «мамки» или же у телефона, если они девушки по вызову.

Впрочем, Протасову было сейчас не до таких тонкостей.

Он решил, что не станет подчиняться никаким командам. Неизвестные, кажется, это тоже поняли. Они сами подняли пленника на ноги. Затем, крепко поддерживая с двух сторон, куда-то поволокли.

Сначала они поднялись на несколько ступенек. Потом, как показалось Александру, миновали дверной проем — определенно, его ввели в какое-то строение. Затем последовал спуск... Он насчитал двенадцать ступеней. Площадка... Поворот. Опять ступени вниз. На этот раз — девять.

Здесь с него сняли полотняный мешок.

Они находились в подвале, освещенном лишь одним тусклым светильником. Протасов и двое каких-то субъектов. Лица их были скрыты под масками. Один в два метра, широченный и здоровенный — даже в Легионе Протасов таких бугаев не видел. А вот в Осетии «батыра» подобной комплекции видел дважды: когда его вытаскивали из машины, при нападении на ночном шоссе, и немногим позднее, в ингушском селе, когда он подглядывал, взобравшись на дерево, за Вахой Муталиевым и парой его подручных.

Наверное, этот самый вайнах, весящий за центнер, и сидел всю дорогу у него на спине.

286

Другой был пониже и обладал обычной комплекцией. Но тоже выглядел опасным: его глаза через прорези в маске горели ненавистью.

— На этот раз, кяфир, ты не уйдешь! Я вырву тебе сердце и выброшу его на съедение псам!

Богатырь тоже не захотел отставать от своего напарника:

— Я намотаю твои кишки на руку! А потом отрежу голову! Ха-ха!! Я еще не слышал, чтобы кто-то без головы бегал...

«Нервные, однако, ребятки, — мрачно подумал Протасов. — Жаль, что послушался Ахмада... Надо было еще в Осетии их в расход пустить, и Ваху, и этих двух чеченских волков».

Со стороны лестницы прозвучала какая-то громкая реплика на чеченском. Причем с явственными нотками недовольства.

«Сейчас будут кончать», — мелькнуло в голове.

Один из вайнахов, тот, что пониже ростом, обошел Протасова, оказавшись у него за спиной.

Раздался металлический скрежет.

Чеченский богатырь взял пленника за шиворот и втолкнул его в одиночную камеру подземной тюрьмы...

Глава 10

Тамара не помнила, на каком транспорте ее везли и сколько времени заняла их поездка. Какой-то верзила, из числа нападавших, сначала схватил ее в охапку, а затем зажал рот и нос какой-то пахучей тряпицей... Точно так же действовали те люди, что напали на них в пригороде Владикавказа, а затем увезли ее в ингушское село.

И на этот раз, как тогда, нападение застало их врасплох. Саша, правда, выказал себя настоящим героем.

Он не побоялся того, что нападавших было много — она насчитала четверых, прежде чем вырубилась — и что все они имели огнестрельное оружие. Она видела, как он метнул в кого-то нож и как тот, со свистом пропоров воздух, вошел в горло одного из нападавших... А может, и не было этого вовсе? Может, это пары фторэтана, которым ее попотчевали, вызвали в ее мозгу столь кошмарные видения?

Один из бандитов ударил Сашу по голове дубинкой, когда тот стоял лицом к стене. Она тогда, испугавшись, что Протасова могут убить, крикнула: «Если убьете его, ничего от меня не получите!»

Она крикнула это, инстинктивно понимая, что им нужен не Протасов, а именно она, Тамара Истомина. Крик этот сам вырвался из ее груди. Она даже толком не понимала в тот момент, что она имела в виду, когда крикнула этим бандитам, что они от нее ничего не получат...

На этот раз с ней обходились уже не столь учтиво, как это было прежде. То ли она попала в руки других людей, не причастных к событиям в Осетии, то ли имела дело с прежним неприятелем, который, сменив тактику, решил более жестоко обращаться с заново пленненной девушкой.

Но порция «наркоза» оказалась не столь лошадиной, что в прошлый раз, — и на том спасибо.

Когда Тамара малость пришла в себя, она поняла, что находится в каком-то помещении, где, кроме нее, есть еще двое людей. Один из них, заметив, что она очнулась, подошел к креслу, в котором она сидела, и, подцепив краешек ногтем, отодрал липучку, стягивавшую ее губы.

— Больно! — ойкнула Тамара. — Сволочи...

— Ты такая молодая, красивая, — с усмешкой сказал изверг. — Зачэ-эм ругаешься?!

Держа девушку за локоть, он помог ей подняться на ноги. Ей показалось, что она сравнительно недавно уже видела этого человека. И голос его знаком... Не он ли часом снимал ее на видеокамеру несколько суток назад, когда она тоже сидела в заточении? Тогда он был в маске, сейчас же свое лицо не считает нужным скрывать... Если он тот же человек, то это означает, что вся эта шайка, с которой ей пришлось иметь дело в Осетии, каким-то образом переместилась сюда, в Подмосковье. За вычетом Казбека и еще двух вайнахов, убитых при ее освобождении в ингушском селе.

Спустя всего несколько секунд, когда «изверг», он же «видеооператор», развернул девушку лицом ко второму находящемуся в помещении мужчине, подтвердились наихудшие ее предположения.

— Ассалам алейкум, племянница, — сказал мужчина, растянув губы в неискренней улыбке. — Ты не поверишь, но я очень рад опять видеть тебя...

Второй мужчина тут же деликатно вышел за дверь.

— Некрасиво поступаешь, Тамара, — сказал Ильдас. — Я к тебе, как к своей близкой родне, можно сказать, отнесся со всей душой...

— Родичи себя так не ведут! Сначала похитили меня...

— Не похитили, а спасли, — перебил ее Ильдас. — И поместили в комфортные условия, где тебе следовало переждать опасное время... Но вместо того, чтобы быть благодарной мне за спасение, ты сбежала, а какие-то твои дружки убили моих людей!

— Кончайте вешать мне эту лапшу... гребаный «дядя»! — вспыхнула Тамара. — Вы что, за идиотку меня держите?! Какого черта вам от меня нужно, негодяй?!

Ильдас нахмурил брови, но спустя секунду его губы

вновь кривились в усмешке. Девчонка определенно хочет вывести его из себя. Ничего у нее не получится... Хотя выглядит она твердым орешком, но у Ильдаса крепкие зубы, он и не такие «орехи» своими волчьими клыками разгрызал.

— Успокойся, Тамара, — сказал он как можно мягче. — Это во-первых... Я вижу, ты не сводишь глаз с моей правой руки... Вот, даже побледнела... Руслан, наверное, тебе что-то рассказывал обо мне. Может, даже сказал, что я виновен в гибели Ларисы, твоей мамы. Но это не так, Тамара... В любом случае, к тому давнему несчастью наш нынешний разговор не имеет никакого отношения. Поверь мне, здесь нет ничего личного. А есть только забота о семейном бизнесе, который пошатнулся после нелепого и трагического случая с твоим отцом.

— Не касайтесь памяти моей мамы своими грязными руками! — огрызнулась девушка. — Заодно и отца в покое оставьте! Лучше скажите, что вам от меня нужно. Я вижу, Ильдас, вы промышляете похищением людей с целью получения выкупа?! Вам нужны деньги? Сколько я должна заплатить, чтобы вы избавили меня от своего общества? Скажите! Назовите сумму! А потом я подумаю, смогу ли я удовлетворить материально ваши жлобские запросы! Родственничек, мать вашу...

Ильдас покачал головой.

— Горячая девочка, темпераментная... Знаю, что ты при деньгах. Но такие большие деньги тебе еще рано иметь, потому что любое состояние, если нет опыта и мало мозгов, можно профукать в два счета... Беженцам, она, видите ли, помогает?! Нашла, на что наши деньги тратить... На всякую ерунду!

— Не ваши, а папины! И не на «ерунду», а на помощь людям!

— Ладно, пора кончать этот базар! — твердо сказал

Ильдас. — У меня к тебе конкретный разговор, Тамара! Отец твой немного... начудил. Перед тем, как угробился на вертолете в Сибири, распихал куда-то деньги... большие средства. Руслан хотя и держал тебя зачем-то в Англии, но мы, Тамара, для тебя тоже люди не чужие. Тем более что сейчас «горит» компания твоего отца... Нужны деньги, чтобы спасти положение. Срочно! Но ты не будешь ни в чем нуждаться, как и прежде... Захочешь, будешь и дальше жить в своей Англии, а надумаешь, переберешься поближе к нам... Ну что? Устроит такой вариант?

— Надо же, какой вы добренький, — хмыкнула Тамара. — Я вам все денежки, а вы меня — на свободу? Так? Я правильно вас поняла, «дядя»?

— Немного денег сможешь оставить себе, — тот покивал головой.. — Пол-«лимона», думаю, будет достаточно. Остальные деньги придется перевести на те счета в тех зарубежных банках, что тебе будут указаны.

— Как вы себе это представляете?

— Не прикидывайся глупенькой! У тебя диплом Кембриджа? Ты специалист по информационным ресурсам, но ты также изучала там залоговое и корпоративное право! Я все о тебе знаю, Тамара!

Девушка прерывисто вздохнула.

— Значит, так, Ильдас... Откуда вы, кстати, пронюхали про те вложения, что были внесены в мой фонд?

Хорхоев усмехнулся.

— Провели небольшое расследование. Потратиться пришлось изрядно... Дошли даже до мистера Ньюмана, резидента одного из офшоров на острове Нью-Джерси. Он, конечно, чисто номинальная фигура, как и все эти адвокаты-дилеры-маклеры, через которых совершаются подобные сделки. Право финансовой подписи и непосредственный доступ к деньгам имелся, естественно, только у Руслана и у тебя, Тамара. Но ты, хотя и с университетским образованием, не учла одну «фишку», как сейчас принято выражаться... Когда через офшоры Нью-Джерси проходят суммы выше «красной» линии, то есть выше одного миллиона фунтов стерлингов, резидент, в данном случае мистер Ньюман, формально поручившийся перед финансовыми структурами за вашу благонадежность, получает «маячок»... Конечно, он не имеет возможности ни в ваш офшор залезть, ни узнать данные о ваших «секретных» счетах, ни узнать точной суммы банковского перевода. Известно лишь одно: через офшор, откуда потом поступают средства в твой, Тамара, но управляемый британским сотрудником фонд, прошли и осели где-то на счетах крупные денежные средства...

— Все-то вы разнюхали, — угрюмо сказала Тамара. — Так вот, Ильдас... Сначала вы отпустите того парня, что был со мной!

— Так, так, так... — Хорхоев теперь уже с интересом посмотрел на племянницу. — Так ты, значит, влюблена в этого Протасова? А ты знаешь, что его дед участвовал в высылке нашего народа в Казахстан? И что твоего деда Искирхана Хорхоева, твою бабушку Зулею и, что самое главное, твоего отца Руслана, которому тогда было три годика, выслал именно дед твоего... русского!

Тамара несколько секунд стояла бледная как полотно...

— Я допускаю, что сейчас вы не врете, Ильдас. Но это ничего не меняет. Если с головы Саши упадет хоть волосок, вы ни черта от меня не получите!

— Вообще-то на нем кровь... — Хорхоев задумался. — Но если ты, Тамара, пойдешь мне навстречу, то я гарантирую, что твой парень уйдет отсюда живым и невредимым.

292

— Ну так какова сумма выкупа?

— Брось, Тамара, брось эти игры! Я тебе уже сказал... Ты лучше займись тем, что вместе с человеком, которого я к тебе пришлю, начинайте готовить факсы для отсылки, письма, распоряжения, а также продумайте схему банковских переводов. У меня есть грамотный спец по этим вопросам. Я знаю, в Англию, чтобы вывести из нью-джерсийских офшоров деньги, отправляться нет нужды. Такие операции сейчас можно делать, находясь в любой точке земного шара.

— Но эти деньги, к которым у меня есть доступ, предназначены были для помощи вашим... нашим же чеченцам! Как вам не стыдно, Ильдас!

— Опять ты за свое, Тамара?!

— Ну так сколько, Ильдас, вам нужно денег?

Хорхоев нахмурил брови.

— Прикидываешься, что не понимаешь, да?! Ладно, называю цифру: п я т ь д е с я т миллионов долларов!

Он испытующе посмотрел на девушку, у которой сейчас был несколько изумленный вид. Наблюдая за ее реакцией, он даже восхитился про себя: у дочери Руслана незаурядное актерское дарование... Вот только кончит эта «актриса» очень плохо, причем при любом раскладе — уж Ильдас Хорхоев знал это наверняка.

— Знаете что, дядюшка? — неожиданно произнесла Тамара. — Шли-ка бы вы на!.. И даже еще дальше!

Ильдас Хорхоев скрипнул зубами, но все же смог удержать себя в руках.

— Не хочешь ты, я вижу, решить все вопросы по-хорошему? — Он говорил, медленно цедя слова. — Даю тебе сутки на размышления! Если не подпишешь нужные документы или начнешь химичить с банковскими переводами... ровно через сутки, в это же время, начнут пытать твоего Протасова! Не поможет? Прикажу казнить его у тебя на глазах! Если и тогда ты не одумаешься... Сама понимаешь, Тамара, что произойдет! Ты уже не девочка...

Открыв дверь, он высунул голову в коридор.

— Ваха, уведи девушку в ее «апартаменты»! И сразу возвращайся, есть разговор.

Когда Тамару вели в какой-то подвал, находящийся под домом, от охватившего ее чувства безысходности она едва могла передвигать ноги.

Ситуация для нее и для Александра, которого, кажется, также привезли в это ужасное место, сложилась — хуже некуда.

«Похоже на то, — посетила ее безрадостная мысль, — что Ильдас не только редкий подонок и убийца, но еще и... законченный кретин».

Глава 11

Оставшись наедине с самим собой, Ильдас Хорхоев погрузился в размышления.

Он думал о том, что теперь события, благодаря его предусмотрительности и проявленной им решительности, вновь начинают складываться самым благоприятным для него образом. Бекмарс, человек по натуре недостаточно жесткий, в последние дни ведет себя как флюгер на ветру. То он принимает сторону Ильдаса, соглашаясь, что ради спасения семейных миллионов не только можно, но и нужно идти на самые крайние меры, если того требует ситуация. То вдруг начинает вести себя как-то странно, уклончиво, явно прислушиваясь к рекомендациям, наставлениям и даже прямым требованиям уединившегося в своем подмосковном доме старика, их общего родителя... Все это не красит Бекмарса. Сделав ставки одновременно и на своего энергичного, предприимчивого брата, и на авторитетного в прошлом, но нынче нелюдимого и дряхлеющего Хана, он надеется остаться в выигрыше при любом раскладе.

Ну да ладно... Аллах с ним, с Бекмарсом. Ни он, ни их полусумасшедший отец не способны спасти положение. Первый — бледная тень Руслана. А второй всего лишь старик, бормочущий целыми днями молитвы и поручивший все серьезные дела даже не Ильдасу с Бекмарсом, а совершенно постороннему человеку по имени Абдулла, в жилах которого, хотя он и вайнах, течет чужая кровь.

...Получив дурные новости из Осетии, Ильдас поначалу сильно осерчал на своего давнего подельника Ваху Муталиева. За то, что тот на пару с проявившим беспечность Казбеком проворонил девчонку, захапавшую руслановские миллионы — по крайней мере, те пятьдесят «лимонов», что были взяты в долг у швейцарцев под залог контрольного пакета акций хорхоевской нефтяной компании.

Он так разгневался на Муталиева, что не только не собирался выплатить остаток гонорара за похищение девушки, которая по неосторожности сунулась через Грузию в давно покинутую ею Россию, найдя свалившимся на нее отцовским миллионам не лучшее применение, но и намеревался потребовать назад уже выплаченные им Вахе и его бригаде восемьдесят с лишним тысяч долларов.

Но затем, пораскинув мозгами, решил, что не следует горячиться, не нужно, давая волю гневу, поспешно рвать давние полезные связи. Муталиев и его вайнахи в прошлом оказали немало ценных услуг Ильдасу Хорхоеву. Немаловажно и то, что Муталиева и его людей почти не знают в московской чеченской общине, где у Хана и его помощника Абдуллы имеется, выражаясь современным языком, своя обширная агентура. Да и Бекмарсу не обязательно знать обо всем, чем занимается его младший брат, он может ненароком что-нибудь ненужное сболтнуть старику или Абдулле.

Вместе с Муталиевым в Центральный регион России прибыли еще пятеро вайнахов, каждый из них имел при себе комплект надежных документов. Добирались поодиночке воздушным транспортом, рейсами из Кавминвод, Ставрополя, Назрани и Владикавказа. Воссоединились лишь под вечер прошедших суток и, не успев отдохнуть с дороги, тут же отправились на «дело», повязали в поселке Мозжинка Тамару и ее нового дружка.

Одного того, что сейчас под рукой у него имеется бригада вайнахов, о которой никто здесь, включая Хана и Бекмарса, пока не знает, для полного успеха задуманной Ильдасом комбинации было бы недостаточно.

Помогла его, Ильдаса Хорхоева, предусмотрительность.

Ильдас имел все основания полагать, что «племянницу» хотел бы видеть не только он, но и другие члены Семьи. Прежде всего это относится к Хану. Поэтому Ильдас распорядился поставить на прослушку номер домашнего телефона своего отца, а также номер «сотового», про который знали лишь близкие родственники Хана.

Когда некто позвонил прошлым вечером Хану из «поселка ученых», туда с целью проверки немедленно выехали Ваха и его вайнахи. Несмотря на потерю одного из членов бригады, им все же сопутствовала в этом деле удача.

Ход его мыслей был прерван появлением Муталиева.

— Ваха, у меня к тебе важный... денежный разговор, — сделав приветливое лицо, сказал Ильдас Хорхоев. — Ты меня знаешь, кунак... Я свои счета всегда оплачиваю исправно.

Он выложил на стол черный кейс. Щелкнув замками, открыл его, продемонстрировал Муталиеву его содержимое.

— Здесь двести «штук», Ваха. В сотенных купюрах...

Муталиев счел нужным сделать удивленное лицо. Наличность, хранящаяся в «дипломате», превышала «гонорар» в его суммарном исчислении почти на сорок тысяч долларов. Повезло, подумал он, что удалось быстро найти эту девушку и передать ее Ильдасу. Иначе бы ему, Вахе, не видать этих ласкающих взор зеленоватых купюр.

— Десять «штук» от меня родственникам погибшего вчера вечером вайнаха, — пояснил Ильдас. — Остальное, что пошло «сверху», премия за сделанную вчера работу.

Оскалив в улыбке зубы, он передал кейс с долларами Муталиеву, который принял его с благодарностью, но и с подобающим вайнаху достоинством.

Расставаясь со своими кровными, Ильдас ощутил на какое-то мгновение поднявшуюся в груди волну раздражения. Вся эта история с «племянницей» влетела ему в копеечку... Хорошо еще, что у него есть свой автономный бизнес. Не такой, конечно, доходный, как нефтяной бизнес, которым занимался покойный ныне старший брат. Но все же исправно приносящий Ильдасу десятки тысяч долларов ежемесячной прибыли... Хорхоев-младший, после того как его вытеснили из тольяттинского бизнеса, с середины девяностых годов сумел внедриться в химическую отрасль, занимающуюся производством специальных добавок — крайне вредных, кстати, для здоровья людей и экологии — к различным сортам бензина, повышающих его

297

октановое число. У него имелись свои люди в руководстве «вредного» химкомбината в городе Дзержинске Нижегородской области. Производство это неоднократно пытались закрыть, и даже закрыли — но лишь на бумаге. Ильдас отнюдь не контролировал целиком этот, в сущности, криминальный бизнес, но имел свою долю в нем. Помимо «этилового» бизнеса, он также принимал участие, разово либо на долговременной основе, в «водочном» бизнесе, в разруливании трудноразрешимых ситуаций с долгами в среде московских чеченцев, а также не гнушался — действуя, впрочем, исключительно через посредников — отщипывать понемногу от щедрот местного наркобизнеса.

То есть Ильдас Хорхоев был далеко не бедным человеком. Но до Руслана, который ворочал огромными деньжищами, такими, к примеру, как этот злополучный пятидесятимиллионный кредит, ему было рукой не достать... Зато теперь у него появился шанс не только прибрать к рукам сверхприбыльный бизнес Руслана, но и как бы поквитаться с покойником за нанесенные им своему нелюбимому младшему брату обиды.

Поэтому, передавая Вахе Муталиеву кейс с двумя сотнями тысяч долларов, Ильдас хотя и расстраивался из-за немалых для себя затрат, но не очень сильно.

Он знал, что все его нынешние расходы вскоре многократно окупятся.

— Ваха, ты и твои люди останетесь пока здесь, — распорядился Ильдас. — Я рано утром отъеду; желательно, чтобы я в ближайшие два или три дня был в другом месте, на виду... Еще до обеда здесь появится Тимур, ты его должен знать.

— Бухгалтер?

— Да, он самый, — кивнул Ильдас. — Тимур, которого я лично проинструктирую, будет работать с девушкой. Кроме Бухгалтера, к Тамаре никого не допускай! На этот раз, Ваха, будь предельно внимателен. Такого, как в Осетии, больше не должно повториться!

— Можешь на меня положиться, Ильдас. Все будет в лучшем виде.

Муталиев, давая такие заверения, нисколько не кривил душой. Он был уверен, что на этот раз все пройдет без малейшего сбоя. Местность, в которой они сейчас находятся, он знал как свои пять пальцев... Два месяца тому назад он уже наведывался в эти места вместе с Саитом и Бесланом. Выполняли здесь задание того же Ильдаса. Именно они втроем б р а л и Николая Рассадина — тот ненадолго приехал в Москву из Сибири и тут же, из-за каких-то не разрешенных им с братьями Хорхоевыми проблем, угодил в местную разновидность зиндана. Дом, где они сейчас находятся, расположен в недостроенном дачном поселке, в лесистой глухой местности, километрах в девяноста на восток от Москвы. Дом большой, в два с половиной этажа, кирпичный, с блоком на два гаража, но внешне довольно непрезентабельный — больше смахивает не на частный коттедж, а на колхозную постройку... Соседние пара коттеджей вообще недостроены, имеются лишь коробки с пустыми глазницами дверных и оконных проемов. Ильдасу это хозяйство досталось от одного из местных бизнеров, который попал во время августовского кризиса девяносто восьмого года на бабки и, не сумев вовремя расплатиться по взятому у чеченцев кредиту, вынужден был расстаться с квартирой в Москве и с возводимым жильем в дальнем Подмосковье.

Чеченца Тимура по прозвищу Бухгалтер Муталиев тоже знал. Еще в прежние годы он слышал, что этот Тимур, наряду с другими смышлеными вайнахами, участвовал в обналичивании чеченских авизо. Но, видно, не разбогател особенно в ту пору, потому что в последнее время он является одним из помощников Ильдаса Хорхоева, помогая ему решать, в силу своей специализации, кое-какие финансовые вопросы.

Завершив этот важный для них разговор, они вдвоем вышли во двор. Ваха Муталиев, глядя на щеголевато одетого Хорхоева-младшего, усмехнулся... Ильдас выглядит как респектабельный бизнесмен. Мало кому известно, какими делами он занимается. И лишь считанные единицы знают об этом доме, под фундаментом которого по указанию Хорхоева оборудована настоящая подземная тюрьма.

Прежде чем Ильдас уселся в джип, — несмотря на увечную правую руку, он предпочитал сам водить машину, — Ваха успел задать важный для него вопрос:

— Ильдас, как быть с этим кяфиром? Мои вайнахи готовы в клочья его порвать...

— Пока Тимур или я сам не дадим «добро», убивать Протасова не следует, — сказал Ильдас. — Как только я добьюсь нужных мне результатов, можете делать с этим русским все, на что только достанет вашей фантазии.

...По дороге Ильдас завернул в Реутово, где на окраине располагалась подконтрольная ему автомастерская. Здесь он сменил разъездной джип на приобретенный им недавно «БМВ» седьмой серии. После чего вместе с двумя охранниками, которые дожидались его возвращения в Реутове, он отправился в Москву, на свою городскую квартиру (жена и дети неотлучно находились в особняке на Истринском водохранилище).

Ильдас был готов к тому, что кто-то из родственников, если только они пронюхают об исчезновении приехавшей в Москву «племянницы», могут заподозрить в случившемся именно его.

Он также предполагал, что Ахмад Бадуев, если он

тоже успел перебраться в Москву, может снестись с самим главой рода, попросив помощи в деле поисков Тамары непосредственно у Хана.

Но его, Ильдаса Хорхоева, в течение последующего дня по этому вопросу никто так и не побеспокоил.

Глава 12

Служба электронного мониторинга одного из крупнейших в Москве охранных агентств «Аркада» являлась не только одной из лучших в стране, но и тайно конкурировала с аналогичными государственными службами, включая ФАПСИ. Один из подотделов данной структуры, тщательно засекреченный, укомплектованный лучшими кадрами и самой передовой «спай-аппаратурой», работал исключительно на опального олигарха, производя выборочную либо тотальную прослушку телефонов тех персон, что по какой-то причине попали в поле зрения Бориса либо его ближайшего окружения.

Несмотря на довольно высокий в целом уровень компетенции данной службы, в ее работе тоже порой случались крупные проколы.

Именно с таким случаем «недогляда» пришлось иметь дело Чертанову по возвращении в столицу — впрочем, он сам вернулся с Северного Кавказа несолоно хлебавши.

Ротозейство вскрылось не сразу, а спустя несколько часов после получения важного, но ложно истолкованного одним из спецов службы ЭМ телефонного перехвата.

Из аэропорта, не заезжая домой, — Чертанов вместе с семьей жил в подмосковном поселке Апрелевка, — Сергей Иваныч отправился в центральный офис. Там его дожидался, несмотря на поздний час, сам глава

301

конторы. После того, как Чертанов доложил о неудачном ходе поисков девицы Истоминой Тамары Александровны, гражданки Российской Федерации, имеющей законно оформленный вид на жительство в Великобритании, а также легальное разрешение на работу в Соединенном Королевстве, шеф, в свою очередь, проинформировал его о последних событиях в деле «Хорхоевы и К°». Выяснилось, что третьего дня в Москву из Парижа на несколько часов прилетал Аркадий, один из доверенных сотрудников олигарха, курирующий от лица последнего данное направление. Аркадий привез последние новости, которые его люди добыли в Англии, где родная дочь Руслана Хорхоева жила уже двенадцать лет. Ими были получены любопытные данные, в том числе и по фигуре Ахмада Бадуева. Да, именно любопытные, не более того... Сергей Чертанов, которому по-прежнему были поручены поиски девушки, чья персона, по мнению Аркадия, являлась ключевым звеном в некой затеваемой их общим патроном комбинации, прекрасно понимал, что искать ее нужно сейчас не в Лондоне или Саутгемптоне и не на Северном Кавказе, а в столице и окрестных местах.

С небольшим уточнением: если Истомина еще жива и невредима.

Из слов своего московского шефа Чертанов сделал вывод, что если Истоминой уже нет на свете, то сие обстоятельство полностью устроит тех, кто, находясь во Франции, дергает за ниточки. Но с существенной оговоркой: крайне желательно, чтобы дочь Руслана Хорхоева отправилась на тот свет до того, как родственники по чеченской линии заставят ее произвести некие кредитно-денежные операции.

О каких суммах в данном случае идет речь и о прочих денежных нюансах, Аркадий, по обыкновению, говорить не стал, руководствуясь старым добрым правилом, практикуемом спецслужбами и крупными дельцами: информации своим сотрудникам следует выдавать ровно столько, сколько может потребоваться для дела.

Теперь что касается ротозейства, допущенного персоналом службы ЭМ агентства «Аркада».

В то самое время, когда Чертанов с помощниками отправился во Владикавказ, с возможным продлением маршрута служебной командировки в сторону Тбилиси, где тогда находилась Истомина Т. А., по прямому указанию Аркадия были взяты под контроль домашние, служебные и сотовые телефоны целого ряда лиц, прежде всего нового руководства ОАО «Альянс» и близких покойного президента нефтяной компании Руслана Хорхоева — большинство из них лица чеченской национальности.

Накануне возвращения Чертанова в столицу был сделан важный перехват. Абдулле, помощнику Искирхана Хорхоева, на сотовый телефон позвонил некий Ахмад (последний был идентифицирован как Ахмад Бадуев, длительное время являвшийся телохранителем и одним из самых доверенных лиц Руслана Хорхоева). Говорили эти двое по-чеченски, пришлось воспользоваться услугами штатного переводчика. Из содержания их непродолжительной беседы можно было сделать сразу два важных вывода. Первый. Тамара Истомина жива и невредима. Как и предполагал Чертанов, девушке, не без чьей-то помощи, все же удалось после ЧП в Осетии вновь обрести свободу. Бадуев по телефону так и сообщил: «С девушкой все в порядке»... Второй. Бадуев сказал, что он вскоре будет готов встретиться с Абдуллой или же с самим Ханом. Это означает, что он либо уже находится в Москве, либо появится здесь в ближайшие часы. Где-то рядом с ним должна обретаться и Тамара Истомина: если бы Ахмад не знал о ее нынешнем местонахождении, он бы не стал уверять, что с девушкой все о'кей.

Так вот, эти двое, Истомина и Ахмад, уже почти оказались в ловушке, сплетенной для них при помощи электронной паутины. Сотрудникам службы ЭМ следовало только быть внимательными, тщательно отслеживая малейший намек на эту парочку в прослушиваемых ими телефонных разговорах.

Но они, хотя сам перехват все же был осуществлен, откровенно прошляпили подвернувшийся шанс заполучить Истомину, а также напичканного ценной информацией многолетнего сотрудника президента ОАО «Альянс» Ахмада Бадуева.

Этот безрадостный факт был вскрыт лишь на следующее утро, когда один из помощников Чертанова заехал в центральный офис, чтобы забрать в подотделе ЭМ свежие распечатки телефонных переговоров. Он должен был привезти эти данные в небольшой, занимающий всего два кабинетика чертановский офис в Мневниках ко времени появления там самого Сергея Иваныча (Чертанов, хотя и подчинялся непосредственно руководителю «Аркады», базировался с небольшим штатом выделенных ему сотрудников в этой скромной конторе). Наскоро пробежав глазами текст распечаток, этот смышленый парень наткнулся на показавшуюся ему важной деталь. Он не поленился все узнать на месте, потревожив дежурного сотрудника, осуществившего этот «перехват». Тот сказал, что не придал перехвату особого значения по двум причинам. Во-первых, разговор фактически не состоялся: лицо, которое вчера около восьми вечера потревожило Искирхана Хорхоева, не произнесло ни единого слова. Во-вторых, звонили из «поселка ученых», — электрон-

304

ная программа-«определитель» четко вычислила, что неизвестное лицо звонило через коммутатор поселка Мозжинка. Учитывая, что Искирхан Хорхоев сам является профессором и имеет обширные связи в научном мире, многие представители которого до сих пор проживают в данном поселке, этот «полуперехват» не показался оператору ЭМ настолько важным, чтобы поднимать среди ночи руководство.

Помощник Сергея Иваныча, обратив внимание на зафиксированную перехватом реакцию Искирхана Хорхоева на этот звонок, счел по-другому.

Он немедленно связался по телефону со своим шефом, который, позавтракав и заглянув в спальню к детям, — у Чертанова были двенадцатилетний сын и дочь пяти с половиной лет, — уже готовился отбыть в Москву, чтобы продолжить охоту на потенциальных наследников хорхоевских миллионов.

Экс-гэбист, наделенный развитым инстинктом, сразу оценил полученное от помощника известие. Именно поэтому он отправился в девятом часу утра не в свой «секретный» офис в Мневниках, а в «поселок ученых», приказав подтянуться в Мозжинку и своим сотрудникам.

— Ничего им не рассказывай, дорогой! Ты же видишь, что они — комитэ-этчики...

Хотя пожилая дамочка, супруга профессора, доктора физико-математических наук, произнесла эти слова полушепотом, обращаясь к мужу, Чертанов прекрасно расслышал эту реплику.

Пришлось Сергею Иванычу объяснять этой дремучей, все еще диссидентствующей по старинке пожилой ученой парочке, что он и состоящие при нем сотрудники хотя и из органов — он продемонстрировал сохранившееся у него удостоверение сотрудника ФСБ, — но борются они не с «политическими», а с преступным бандитским элементом.

Постепенно он сумел расположить к себе жену профессора так, что та даже предложила «господину полковнику» выпить с ними чаю с вишневым вареньем. Отказавшись от угощения, Чертанов стал расспрашивать их о соседе, который являлся то ли владельцем, то ли арендатором домовладения в поселке Мозжинка. Выяснилось, что этот сосед — «лицо кавказской национальности». Что он почти не живет здесь, а лишь периодически названивает профессорской чете откуда-то из-за границы, поскольку именно их он просил присматривать за его домом. А также то, что «кавказец» наведался в поселок не один, а в компании с двумя молодыми людьми: рослым крепким парнем лет тридцати славянской наружности и симпатичной светловолосой девушкой.

Работающие на Бориса и его друзей охранные агентства, менявшие с годами свои названия, но неизменно, среди всего прочего, выполнявшие функции «деловой разведки», одно время собирали информацию на Руслана Хорхоева и его ближнее окружение. Один из помощников Чертанова, отправляясь в Мозжинку, прихватил с собой несколько фотографий, на которых был запечатлен Ахмад Бадуев (последняя из них, правда, почти трехгодичной давности). Профессорша, сверившись с фото, уверенно опознала в своем странном соседе многолетнего помощника Руслана Хорхоева, заметив лишь, что сейчас у него отсутствуют усы.

И еще одну важную деталь сообщила им пожилая женщина. Она сказала, что вчера вечером к дому кавказца ненадолго подъезжали две «черные машины». Спустя час или полтора после этого — они с мужем уже собирались укладываться — к ней пожаловал сосед. Он расспрашивал про тех, кто приезжал к нему в его отсутствие. Она заметила, что Ахмад был чем-то встревожен. Но на ее вопрос, кто были эти люди, кавказец ответил: «Это были мои друзья»...

Чертанов про себя многозначительно хмыкнул. Он и его люди уже осмотрели соседний дом. Они нашли телефонный аппарат, с которого некто вчера позвонил Искирхану Хорхоеву. Обнаружили также разбитое стекло — в пустой проем кто-то успел вставить и прибить гвоздями лист фанеры, — а еще свежевыскобленные половицы в застекленной веранде — не кровь ли пытались соскоблить?

Не удалось лишь обнаружить ни самого Ахмада Бадуева, ни двух молодых людей, которых тот привез в поселок Мозжинка, идентифицированных Чертановым как Истомина Т. А. и небезызвестный ему Протасов А. Д. — о последнем, с тех пор как тот сбежал из владикавказской больницы, вообще не было никаких сведений.

Когда разрозненная мозаика сложилась в более-менее стройную картинку, Сергей Иваныч чертыхнулся.

Если бы не эти ротозеи из службы ЭМ, оперативная бригада «Аркады» нагрянула бы в Мозжинку еще вчера вечером, наверняка опередив неких «друзей» Бадуева. Теперь же те увезли девушку и ее друга в неизвестном направлении, и, по сути, все приходится начинать сначала...

Чертанов приехал в свою скромную контору в Мневниках уже за полдень, поскольку после посещения «поселка ученых» ему пришлось наведаться в центральный офис, чтобы доложить о случившемся главе агентства «Аркада».

Запершись у себя в кабинете — кроме него в конторе находился лишь один его сотрудник, — Чертанов открыл кейс и выложил на стол добытые им еще во Владикавказе вещицы: томик стихов Бернса и увесистую, под килограмм, металлическую штуковину с эмблемой Новоафонского монастыря и вмятиной с одного боку — именно сюда угодила пуля, к счастью для владельца этого предмета.

Не зная некоторых важных подробностей финансового, а также юридического плана, он, как человек опытный, неплохо представлял себе, что за события сейчас происходят вокруг ОАО «Альянс». Похоже на то, что после трагической гибели Руслана Хорхоева, внесшей сумятицу в дела этой известной в нефтегазовой отрасли компании, Борис и его друзья надумали, воспользовавшись удобным моментом, прибрать к рукам хорхоевскую фирму. Уже сейчас ясно, что девушка, за которой они охотятся уже вторую неделю, как-то не вписывается в их замыслы. Возможно, потому, что является родной дочерью Руслана Хорхоева, а следовательно, и наследницей его бизнеса, его немалых сбережений за рубежом. Не секрет, что сверхприбыльный нефтегазовый бизнес в России, чего больше нигде нет, принадлежит, по сути, офшорным зонам. Не исключено, что сейчас идет охота за активами ОАО «Альянс», которые Руслан держит в «офшорах», вернее, держал, потому что о Хорхоеве следует говорить уже в прошедшем времени.

Чертанов, криво усмехнувшись, подумал, что при таком раскладе дочери покойного нефтебарона, а также тем, кто пытается оказать ей помощь, не позавидуешь.

Он хорошо знал своих работодателей.

Если они просчитали, что у наследников дела и состояния Руслана Хорхоева нет мало-мальски серьезной «крыши», что такие, как эта Истомина, беззащитны перед той же «Аркадой», то их уже ничто не остановит на пути к цели...

Оставляя в Мозжинке одного из своих сотрудников, Абдулла ни на что особенно не рассчитывал. Но так получилось, что этот человек, своим обличием совсем не смахивающий на кавказца, засек во время своего дежурства появление в «поселке ученых» небольшой компании мужчин...

Находясь на безопасном расстоянии от вновь прибывших, оставленный Абдуллой наблюдатель заснял визитеров на видеокамеру. Когда он привез пленку в офис на Полянке, ее внимательно просмотрели двое людей, побывавших в Мозжинке несколько ранее этой компашки, косившей под сотрудников правоохранительных органов, а именно Бадуев и тот же Абдулла.

Они уверенно опознали в старшем из псевдокомитетчиков Сергея Чертанова, в прошлом действительно офицера ФСБ, а ныне сотрудника частной охранной структуры. Оба они знали этого человека в лицо и хорошо представляли себе, на кого он работал последние несколько лет.

Абдулла в эти дни потревожил всю свою агентуру, способную доставить ему полезную информацию из различных регионов. Любопытно, что всего за час до просмотра добытой в Мозжинке видеопленки они уже говорили об этом человеке: надежный источник из Ингушетии сообщил по телефону о происходившем в лагере беженцев «Северный», где некто интересовался Тамарой Истоминой и ее бизнесом; и этот «некто», чьи люди, как и он сам, засветились в Слепцовске, — бывший гэбист Сергей Чертанов.

Кстати, касательно телефонных переговоров... Абдулла, сопоставив все детали, высказал предположение, что кто-то пытается наладить прослушку их разговоров. Прежде всего, сказал он, нужно исключить всякий «базар» с использованием обычных сотовых телефонов. И вообще... Одного того, что они общаются меж собой по-чеченски, как меры предосторожности теперь явно недостаточно. Впредь им следует быть умней, хитрей и действовать с лисьей осторожностью.

Появление на горизонте фигуры Сергея Чертанова подтверждает опасения Хана: Борис и его люди ведут двойную игру, а сами готовятся к захвату хорхоевской компании. Ведь Чертанов и его сотрудники — из «Аркады». А на это агентство и на некоторых из работающих в его штате людей в свое время собирала подробное досье еще «деловая разведка» Руслана Хорхоева...

Что же касается Ильдаса и его помощников, — хотя доказательств пока не было, Ахмад считал новую акцию, направленную против Тамары, делом рук «дяди», — то с ними все было и проще, и сложнее.

Проще потому, что знали их как облупленных.

Но и сложнее, поскольку Ильдас и K° также располагали подробнейшими сведениями, и еще потому, что все они были чеченцами.

Глава 13

В последнюю секунду, когда перед ней открылся темный зев одиночной камеры, Тамара испугалась.

Впрочем, она не успела ни крикнуть протестующе, ни грохнуться в обморок... Здоровенный вертухай, достигающий головой потолка, просто схватил ее своими ручищами в охапку и силком запихнул в дверной проем. В каменном мешке, где она очутилась, пахло сыростью, нечистотами, безнадегой...

Раздался лязг запираемых дверей. Уже через эту преграду, отделяющую ее от свободы, до нее долетел

310

грубый голос амбала, подвизающегося здесь в роли охранника — в нападении, кстати, он также участвовал:

— Сиди там тихо! Только пикни, сразу заткну пасть вонючим кляпом!

Он сказал это по-чеченски, но Тамара все прекрасно поняла... Послышались звуки удаляющихся шагов. Потом хлопнула еще одна дверь, но уже гораздо тише, где-то наверху... Все, теперь она осталась одна.

Но так ли это? Вероятно, Сашу Протасова они тоже где-то в этих казематах держат? Не зря этот широкоплечий гад предупредил ее, чтобы она сидела тихо? Наверное, если громко крикнуть, то кто-то из узников, тот же Александр, сможет не только услышать ее голос, но и отозваться?..

Тамара попыталась подать голос, но от охватившего ее всю ледяного ужаса смогла выдавить из себя лишь какой-то невнятный сипящий звук, не громче мышиного писка.

Она приказала себе — не бояться.

В камере было темно, но толика жиденького маслянистого света, исходящего от тусклого светильника в коридоре, все же проникала в каменный мешок через щель в дверном проеме: дверь, обшитая металлическим листом, была тяжелой, петли ослабли, и вверху образовалась щель, куда свободно пролез ее палец и откуда слегка сквозило...

В ее нынешних апартаментах мебель отсутствовала напрочь. Даже лежака никакого нет. Не считать же таковым деревянный поддон, брошенный на пол? На нем ни сидеть неудобно, ни лежать несподручно... И еще есть ведро, каковое, очевидно, должно служить заключенной для отправления естественных нужд.

Брезгливо сдвинув «парашу» носком туфли в дальний угол камеры, Тамара ступила на поддон — все ж не так холодно будет ногам.

Уже второй раз за короткое время она попадает в переплет, и вновь за этим стоит зловещий Ильдас. Ее родной дядя, которого она таковым не признает. Окружают его, кажется, сплошь одни чеченцы.

Тамара приказала себе не только не бояться, но и не позволить душе пропитаться глубочайшим отвращением к людям, говорящим по-чеченски.

Протасов, в силу трагической судьбы своих родителей, имеет право ненавидеть чеченцев. Другое дело, что он сам об этом думает. Склонен ли он мазать всех вайнахов черной краской? Или время притупило его ненависть, смягчило боль потери и теперь он способен к объективной оценке, как это произошло в ходе его знакомства с Ахмадом Бадуевым?

У Протасова есть выбор.

А вот у нее, Тамары, дочери Руслана, такой возможности нет. Она может позволить себе ненавидеть Ильдаса. Или Ваху Муталиева, помогающего ему в самых неблаговидных делах. Или этого здоровенного вайнаха, готового убивать всякого по приказу любого из этих двух.

Но она не может позволить себе ненавидеть всех чеченцев. По естественной причине: она сама наполовину чеченка...

О своих чеченских корнях Тамара в детстве особо не задумывалась. Ксенофобия в ту пору не так явственно, не так нагло давала о себе знать, разве что на бытовой почве. Время нынешних кавказских войн еще не настало. В среде передовой российской интеллигенции многие даже сочувствовали представителям репрессированных Сталиным народов — чеченцам, ингушам, прочим горским народам...

Мама Тамары была моложе отца на семь лет. Родилась в Ленинграде в семье главного инженера одного крупного предприятия. В пятьдесят втором, когда Ларисе не исполнилось и года, его арестовали. Мама Ларисы, работавшая в ту пору в Публичной библиотеке, обивала пороги «дома на Литейном», пытаясь выяснить судьбу своего мужа. Но через полгода забрали и ее, отправили с «червонцем» скитаться по лагерным зонам далекого Казахстана. Ларису забрали в детский приют, но, к счастью, какая-то дальняя родственница отыскала ее там и уже в пятьдесят седьмом привезла в Казахстан, в небольшой райцентр в Карагандинской области, где мама Ларисы в то время жила на спецпоселении. О том, чтобы вернуться в Ленинград, на Моховую, где они жили раньше, не было и речи. Чуть позже, когда бабушка добилась для себя и своего мужа полной амнистии, можно было попытаться вернуться в Питер, хотя квартира их, конечно же, давно была кем-то занята. Но мама Ларисы в то время снова вышла замуж, и после этого они переехали в облцентр Караганду. Дедушки уже не было в живых. Согласно справке, которую бабушке как-то удалось выбить из органов, отец Ларисы умер в «Крестах» от острого сердечного приступа в декабре 1953 года. Но спустя годы выяснилось, что это не так... Руслан в середине восьмидесятых через какие-то свои связи добыл точную информацию — у мамы даже хранилась папка с уголовным делом ее отца. Так вот, дедушку Тамары расстреляли спустя всего две недели после ареста, и проходил он одновременно по надуманному факту саботажа и как соучастник по «ленинградскому делу».

Что же касается бабушки, то она, подорвав здоровье в лагерях и ссылках, умерла от настоящего, а не выдуманного органами сердечного приступа, в пятьдесят два года — это случилось в середине семидесятых.

Так что Лариса, как и ее единственная дочь, в сущности, была сиротой.

Да, о том, что ее отец чеченец и что это для нее означает, Тамара как-то не задумывалась. В детстве она соприкасалась, в той же школе, со многими: русскими, евреями, армянами, украинцами и еще бог весть с кем. И уж ее-то никто не дразнил «чеченкой» или «черной», а то и «чернозадой» — такого никогда не было. Да и смешно было бы, если бы кому-то вдруг пришло в голову обзывать ее, светловолосую девочку, — «черной».

Иногда мама, когда дулась на отца, хотя такое случалось крайне редко, называла Руслана «злой чеченец». Или — «разбойник». А бывало так, что цитировала классические строки:

> По камням струится Терек,
> Плещет мутный вал...
> Злой чечен ползет на берег,
> Точит свой кинжал.

Руслан неизменно делал в этом месте «зверский облик» и обещал «зарэзать глюпый дэвушка», то бишь Ларису. Мама лишь смеялась, обнажая свои прелестные белые зубки. Тамара, еще будучи девочкой, понимала, что все это не всерьез. Какой же отец «разбойник»? Вот Витька Полуянов, второгодник из ее класса, — тот настоящий разбойник. Учительница так и говорила в сердцах: «По тебе, Полуянов, тюрьма плачет...»

К тому же отец ее был нефтяник. Тамара еще толком не знала, что это означает; но то, что ее отец, папин друг дядя Коля Рассадин и другие люди из той же среды — не разбойники, а совсем даже наоборот, это она понимала с младых лет.

Они жили в Москве, сначала в двух-, а затем и в просторной трехкомнатной квартире на Ленинградском проспекте, и все у них было хорошо. Отец занимал какие-то должности то в союзном Министерстве нефтяной промышленности, то в объединении «Юганскнефтегаз»... Мотался по командировкам: Сургут, Ноябрьск, Новый Уренгой, Нягань, Нижневартовск... Частенько бывал и на своей родине, в Грозном, где также имелась в те годы развитая нефтяная индустрия.

Отец, правда, по какой-то причине почти не общался со своей чеченской родней. Не сразу, но Тамаре все же удалось выяснить, что у нее есть родственники по папиной линии: дед, бабушка, дяди, тети и даже имеются двоюродные братья и сестры. Но когда она просила познакомить ее с ними, отец скупо отговаривался: «Моя родня живет очень далеко. Когда ты подрастешь, я непременно тебя туда отвезу...»

Тамара, решив переменить позу, присела на корточки, обхватив колени руками. Но мысли ее текли все в том же направлении...

Первый «звоночек» для нее раздался, когда ей пошел одиннадцатый год. Дома у них была хорошая библиотека, и мама, помимо обычного «детского» репертуара, стала понемногу приобщать дочь к чтению русской классики. Нет, творениями Достоевского ее не грузили, но произведения Пушкина, и не только сказки, а также избранное из Лермонтова, Тютчева, Блока и Есенина постепенно входили в круг чтения Тамары.

Однажды она перепутала том из сочинений Пушкина. Перелистнула, чтобы посмотреть его содержание. Случайно попала на отрывок из дневников, где говорится о «черкесах». Она уже знала в то время, что «черкесами» в России называли горские народы, но чаще всего — чеченцев.

Прочла внимательно, а потом еще не раз перечитывала этот и другие отрывки из классиков, где упоминаются чеченцы и где дается характеристика народу, к которому принадлежит и ее папа Руслан Хорхоев.

Она и сейчас помнит наизусть поразивший ее восприятие отрывок из кавказского дневника А.С. Пушкина:

«Черкесы нас ненавидят, и Русские в долгу не остаются. — Мы вытеснили их из привольных пастбищ — аулы их разрушены — целые племена уничтожены. — Они далее, далее уходят и стесняются в горах, и оттуда направляют свои набеги — дружба мирных черкесов ненадежна. Они всегда готовы помочь буйным своим одноплеменникам. Все меры, предпринимаемые к их укрощению, были тщетны. — Но меры жестокие более действительны. — Древний дух дикого их рыцарства заметно упал. Они редко нападают в равном числе на казаков — никогда на пехоту, и бегут, завидя пушки. Зато никогда не пропустят случай напасть на слабый отряд или на беззащитного...

У них убийство — простое телодвижение. — Пленников они сохраняют в надежде на выкуп, но обходятся с ними с ужасным бесчеловечием — заставляют работать сверх сил, кормят сырым тестом, бьют когда вздумается, — и приставляют к ним для стражи своих мальчишек, которые за одно слово вправе изрубить их своими детскими шашками. Что делать с таким народом?»

— Что делать с таким народом? — уже вслух прошептала она. — У них убийство — простое телодвижение...

Нет, она не верила, что чеченцы — в с е т а к и е. Ни тогда, во времена оные, не были они все т а к и м и, ни даже сейчас, когда для чеченцев настали едва ли не самые трудные за всю их историю времена.

Тамара знала, что отец ее, как принято сейчас выражаться, человек с «богатым прошлым». На те высоты, каких он достиг в том деле, которому посвятил всю сознательную жизнь, слабак ни за что не взберется.

Да, Руслан Хорхоев, по отзывам знавших его людей, был, где надо, суров и крут. Но вместе с тем он был веселым, щедрым к окружающим, остроумным и благородным. А также красивым, мужественного облика человеком, в которого была влюблена ее мама.

Да, именно благородным. Руслан Хорхоев не захотел бросить Ларису с дочерью, на чем упорно настаивали его братья...

Вторым «звоночком» была история, которую ей рассказала мама примерно за полгода до своей трагической гибели.

Мама познакомилась с отцом в Караганде, когда она уже училась на выпускном курсе местного института. Руслан приехал туда навестить двух своих братьев, Зелимхана и Бекмарса, которые, как проговорилась Лариса, занимались там «плохими делами». Намного позже, когда Тамара повзрослела и когда отец исподволь знакомил ее с хроникой своей чеченской семьи, он рассказал ей, что именно подразумевалось под определением «плохие дела». Зелимхан, сколотив бригаду из чеченцев, охранял бизнес карагандинских цеховиков, имевших миллионные навары на нелегальном швейном и меховом производстве. В восьмидесятых карагандинские цеховики попадут в поле зрения КГБ и Генпрокуратуры СССР (они обнаглели до того, что передвигались по Москве, когда приезжали в столицу по делам, на министерских «ЗИСах» и «Чайках», держали офис в «Метрополе», куда захаживали крупные госчиновники, снимали апартаменты с девочками, артистами и т. д.). Но в семидесятых подпольные фабрики работали на полную нагрузку. И за этим самым производством, чтобы занятые там люди не расхитили имущество, чтобы «не возбухали» и «не болтали что не надо», и присматривал за соответствующую плату от цеховиков Зелимхан со своими вайнаха-ми.

Руслан сказал, что приехал в Караганду потому, что до него дошли кое-какие нехорошие слухи. О том, что Зелимхан обижает в Караганде многих людей и что даже сами цеховики побаиваются своего «чечена». А вдобавок ко всему тот еще и пытался втянуть в свой «бизнес» брата Бекмарса...

Самое любопытное, что знакомство мамы с отцом состоялось не без участия Зелимхана. Тот однажды на-ведался в институт, где училась Лариса, — как позже выяснилось, у него был разговор с проректором по поводу того, что одному из его «бригадных» все еще не выдали диплом об окончании вуза, хотя за все было «уплочено». В ректорате они и столкнулись нос к носу, Лариса и Зелимхан...

Мама, посмеиваясь, как-то рассказывала в папином присутствии о том, как Зелимхан пытался за ней приударить. Одно время он буквально преследовал Ларису: часами дожидался ее у дверей дома, где она жила с мамой и отчимом, пытался провожать ее в институт и обратно, увязывался за ней, когда она наведывалась к иногородним сокурсникам в студенческое общежи-тие...

Хотя до защиты диплома оставалось еще около полугода, Лариса часто допоздна засиживалась в институтской библиотеке. Зелимхан усаживался за соседний стол — тех, кто занимал место на момент его появления, чеченец вежливо, но твердо просил пересесть, — разворачивался к ней и замирал, как каменное изваяние, — причем сидеть так он мог сколь угодно долго. Если же она пыталась пересесть на другое место, то туда шел и Зелимхан, так, словно он был привязан к ней веревочкой.

Если Лариса, пытаясь скрыться от назойливого

318

ухажера, скрывалась за дверью одной из учебных аудиторий, то Зелимхан оставался дожидаться ее в коридоре. Он, абсолютно игнорируя студентов и преподавателей, мог усесться у дверей аудитории на корточки — так, словно находился в чеченском ауле — и дожидаться «свою девушку» хоть до утра.

Лариса не раз пыталась поговорить с этим грозным, но и странным воздыхателем. На нее уже все косились в институте. До появления Зелимхана, который почти месяц тенью ходил за ней, у Ларисы отбоя от ухажеров не было. А тут вдруг растворились все ее ухажеры и даже при встрече на улице, едва завидев ее, отворачивались либо перебегали дорогу, обходя ее стороной...

И это ее не удивляло. Кому охота, рискуя здоровьем, становиться на пути у чечена, у которого под началом шайка головорезов? Зелимхана многие в городе побаивались, а вот он никого не боялся. Да и чего ему было опасаться, если милицейское начальство области и города давно уже ело с рук его друзей-цеховиков?

Она просила Зелимхана оставить ее в покое. Тот уговаривал Ларису выйти за него замуж. Иногда просто молчал, глядя на нее, как тигр, голодным завораживающим взглядом... Не было дня, чтобы он не пытался всучить девушке какой-то подарок. Однажды, когда она вышла утром из дома, во дворе стояла новенькая «ГАЗ-24». Зелимхан хотел вручить ей ключи от машины, но Лариса не взяла. Он пытался дарить ей шубы, одна другой круче — такие меха можно было приобрести разве что в открытом для иностранцев спецотделе ГУМа. Само собой, драгоценности: кольца и перстни с камушками, сережки с крупными бриллиантами и даже целиком ювелирные гарнитуры...

Неизвестно, чем бы закончилась вся эта история с ухаживаниями Зелимхана, если бы в город вдруг не наведался его старший брат. А вот Зелимхан вынужден был спешно покинуть Караганду после того, как один из цеховиков был зверски убит в собственном доме, а деньги, которые он прятал вместе с золотишком и каменьями, куда-то исчезли...

Отец узнал о существовании Ларисы от Бекмарса. Руслану было любопытно взглянуть на русскую девушку, из-за которой его брат Зелимхан совершенно потерял голову.

Посмотрел...

Мама рассказывала, что папа буквально обаял ее. Такого искрометного веселья, такой энергии, душевной широты и щедрости она больше ни у кого не встречала. Для Руслана Хорхоева, казалось, не было ничего невозможного. Не прошло и двух недель со дня их знакомства, как между ними все уже было решено: Руслан пробил московскую прописку для Ларисы (мама и отчим решили остаться в Караганде), а также добился ее перевода в столичный вуз по сходному профилю, где она вскоре и получила диплом о высшем образовании.

...Когда мама, улыбаясь, рассказывала о закончившихся полным провалом попытках Зелимхана ухаживать за ней, ни она, ни Руслан, ни их дочь еще не знали о будущей роковой роли в их жизни этого человека.

Как правы все же были мудрецы, открывшие эту истину: от любви до ненависти — один шаг...

— Саша, ты здесь? — позвала Тамара негромко. Затем, осмелев при звуках собственного голоса, крикнула уже гораздо громче: — Эй, есть здесь еще кто-нибудь?!

И напрягла слух. Ей показалось, что она и вправду не одна в этой подземной тюрьме, — прильнув ухом к холодной влажной стене, она сумела расслышать какие-то невнятные звуки...

Повторно подать голос она не успела, потому что на ее крики мгновенно среагировала охрана.

В коридоре раздались тяжелые шаги. Уже знакомый ей верзила открыл камеру. Шагнув в тесный бетонированный бокс, он схватил девушку за руку и, не произнеся ни слова, силком увлек ее за собой.

Выведя ее из подвала, он втолкнул Тамару в помещение, где ранее происходил ее разговор с Ильдасом.

— Я должна подумать, — в десятый уже, наверное, раз произнесла Тамара. — С этими деньгами все не так просто, как вы себе с Ильдасом представляете...

Тимур, помощник Ильдаса, бился с этой строптивой девчонкой уже битый час. Определенно, она еще не созрела для серьезного делового разговора. Отойдя в угол комнаты, он принялся о чем-то шептаться с Вахой Муталиевым. Тот понимающе покивал головой, затем, выглянув в коридор, снабдил инструкциями одного из своих вайнахов.

Тамару, от которой пока ничего не удалось добиться, сопроводили обратно в подвал. Верзила втолкнул девушку в камеру. Другой вайнах, державший в руке какой-то сверток, прежде чем запереть дверь, бросил его, не раскрывая, ей под ноги.

— Это чтоб тебе не скучно было одной...

Дверь камеры с лязгом захлопнулась. Полоска тусклого света, проникавшего в помещение через щель в дверном проеме, падала как раз на этот сверток.

Тамара, встав на поддон и испуганно прижимаясь к холодной стене спиной, как загипнотизированная уставилась на подброшенный ей сверток — с виду это был обычный целлофановый пакет.

Определенно, там что-то было, в свертке — он ше-
велился.

Вначале оттуда показалась хищная мордочка, а потом из пакета выбралось на свободу и само это существо — мерзкое, ужасное...

Волосы на голове у Тамары встали дыбом.

— Эй, заберите ее!! — заорала она что есть мочи. —
Саша, они подбросили мне... крысу!!!

Глава 14

Протасов все слышал. Он находился в бетониро-
ванном боксе, в том же подвале, где эти сволочи держат Тамару. Его камера — первая от входа. Девушку же
они, кажется, поместили в дальнюю одиночку, расположенную в конце подвального коридорчика.

Он слышал, как чеченцы привели в подвал Тамару.
Как переговаривались меж собой Ваха Муталиев и чеченский богатырь. Не понимая содержания разговора,
он смог разобрать только два слова: «амир» и «Беслан».
Имена Саит и Беслан Протасову были знакомы еще по
тому случаю, когда эти двое вайнахов пытались отправить его на ночном шоссе на тот свет. Здоровяк Беслан
называет Муталиева «амиром». То есть командиром,
своим начальником. Похоже на то, что даже здесь, в
Подмосковье, Ваха поддерживает среди своих людей
жесткую воинскую дисциплину.

Он слышал, как Тамара позвала его. Значит, девушка догадывается, что Протасов еще жив и что чеченские отморозки содержат его в этой же «секретной»
подземной тюряге...

Он также слышал ее отчаянный крик, когда двуногие крысы подбросили девушке своего четвероногого
собрата. Этот крик полоснул ему по нервам, как бри-
тва...

Но что он может сделать? Губы ему заклеили куском пластыря, так что он не способен даже подать голос. Самого его приковали к стене, все равно как Прометея; руки подвешены на кандалах выше головы, на ногах тоже имеются оковы, закрепленные посредством коротких, в три звена, цепей к вмурованным в бетонный пол кольцам...

Вот только вместо орла, продолбившего мифическому герою всю печень, на его, Протасова, внутренности, точит клыки целая стая чеченских волков...

Он не в силах выручить из беды ни себя, ни эту молодую женщину, чья судьба в последнее время так странно переплелась с его собственной судьбой. Пока не в силах...

Какое-то время он прислушивался, надеясь, что Тамара вновь даст о себе знать. Но тщетно... В подземелье опять воцарилась зыбкая тишина.

Постепенно его мысли вернулись в прошлое, в те времена, когда он, порвав с прежним жизненным укладом, покинул страну, решив податься в Иностранный легион.

Пока был жив отец, он бы на такой шаг не решился. Но не только гибель Протасова-старшего подтолкнула Александра к столь неожиданному решению. Примерно в то же время, когда машину отца и его самого какие-то неизвестные расстреляли в Грузии, произошло еще одно событие, после которого он не хотел, да и не мог оставаться прежним.

...Случай тот имел место спустя всего неделю после памятных «переговоров» в Алхан-Кале, где Протасову довелось в первый раз свидеться с Вахой Муталиевым. Эти закулисные дела, кстати, хотя он был лишь косвенным участником событий, оставили у него на душе неприятный осадок. Он чувствовал себя так же дерьмово, как за три месяца до этого, когда он и другие спецназовцы осенью девяносто четвертого осуществляли в Грозном какую-то странную акцию, по ходу которой были подставлены гэбистом Чертановым.

Начальство приказало посадить взвод спецназа на броню и выдвигаться в сторону освобожденного уже аэропорта «Северный». На задание с Протасовым в качестве старшего отправился штабной офицер в звании подполковника. На оставшийся неповрежденным участок «бетонки» приземлились два вертолета: обычный армейский «мишка» и «Ми-8МТ». Этот второй, более комфортабельный аппарат доставил в Чечню каких-то важных шишек, причем среди них, хотя все и были в камуфляже, имелись гражданские лица — из разряда крупных чиновников, курирующих по линии правительства «чеченский вопрос».

Протасов выставил своих бойцов в оцепление. Кроме того, важных персон охраняла прибывшая с ними группа спецназа.

Около часа продолжалась какая-то мышиная возня... Прямо на полосе, рядом с «вертушками», понурившими свои лопасти, происходило некое толковище. В «Северный» подъехали несколько штабных машин. В толпе совещающихся старших офицеров и экипированных в необмятый камуфляж чиновников Протасов заметил и того генерала, которого он со своими спецназовцами охранял во время переговоров последнего с Масхадовым...

Все это время в холодном и грязном, как солдатская портянка, февральском небе барражировала пара «двадцать четвертых». Они водили своими хищными носами от Самашкинского леса и Бамута, где шли ожесточенные бои, до раздолбанных артогнем, бомбежками и подрывами окраин Грозного, откуда все еще доносились отзвуки спорадической пальбы. И готовы были разорвать своими мощными, смертоносными крокодильими челюстями любого супостата.

Но кто он, этот «супостат»?

Чеченцы? Их главари Дудаев и Масхадов? Ой ли...

Наконец поступила команда «по коням». Вот только пришлось пересаживаться с брони в вертолет: для Протасова и его бойцов подогнали еще один «Ми-8».

Высадились они в километре от окраины чеченского селения Гехи-Чу. Протасов не знал, что село это называется именно так, как не ведал о том, что Гехи-Чу — родовое село Джохара Дудаева. Выяснилось это только на блокпосте, рядом с которым, выискивая нераскисшие участки почвы, приземлились военно-транспортные вертолеты.

«Блок» этот занимало подразделение внутренних войск. Вэвэшники появились здесь лишь пару суток назад, толком еще не обустроились и по сути разбили свой бивак в голом поле. Все это Протасов узнал от их командира, вэвэвшного капитана — такой же примерно типаж, как тот офицер, с которым Протасову пришлось общаться в Верхнем Ларсе.

Прикомандированный штабник вел себя, как псих, за которым вот-вот должны приехать санитары из «дурки». Остальные, впрочем, из числа добравшегося сюда начальства свободно могли бы составить ему компанию...

Происходила какая-то фантасмагория. Протасовских спецназовцев то пытались выставить в оцепление, загнав в поле, где ноги проваливались в жижу из мокрого снега и грязи по колено... То вернули назад, приказав охранять «вертушки». Затем поступил приказ сгрузить боезапас в одну «бэпэху» и даже разрядить личное оружие, то бишь «калаши»... Протасов, естественно, в виду немирного чеченского села такой приказ своим бойцам отдавать отказался. Не успел он опра-

325

виться от матерщины, которой его попотчевал какой-то хрен в полковничьем чине, как ему было приказано держать под контролем «блок». Но там же свои?! Бойцы подразделения внутренних войск! Что ж, теперь прикажете на мушку своих брать?!

Полный атас, короче.

Неизвестно, как долго продолжался бы этот дурдом, но тут на дороге, ведущей в Гехи-Чу, которую оседлал армейский спецназ и до роты внутренних войск, появилась кавалькада разнокалиберного легкового транспорта, числом до десяти единиц...

В одной из машин, следовавшей в середине кортежа, находился сам генерал Дудаев. Это выяснилось сразу же, как только кавалькада чеченских тачек остановилась на дороге у блокпоста. Потому что мятежный генерал и другие чеченцы, включая дюжих бородатых охранников, ничтоже сумняшеся выбрались наружу из своих машин в виду российского блокпоста. А чего им было бояться? Ведь это именно к нему, к Дудаеву, прилетели какие-то важные люди из Москвы, вокруг которых суетились те же военные... Отсюда они дружной компанией проследуют в родовое село Джохара, где о чем-то будут договариваться.

Протасов не знал, что здесь происходит и зачем это все. Мозг его отказывался верить в реальность того, что он видел своими глазами.

— Мать-перемать! — выругался стоящий рядом с ним вэвэшный капитан. — Что творят, бляди?! Напьюсь сегодня в лоскуты... А то по трезвяни хочется стреляться! Ты как, старлей? У меня в заначке спиртяга есть...

Но Протасов его не слушал. Его внимание привлекло еще одно действующее лицо, возникшее по ходу разворачивающейся под Гехи-Чу фантасмагории.

326

Этот человек, одетый в камуфляж без знаков отличия, хотя и не входил в свиту Дудаева, в его ближнее окружение, добрался сюда вместе с чеченцами, в одной из сопровождавших Джохара машин.

То был не кто иной, как действующий сотрудник ФСК Сергей Чертанов...

Наверное, то, что он засек среди чеченцев гэбиста Чертанова, того самого, что, отрабатывая свои тридцать сребреников, бросил его с другими ребятами посреди города Грозного, и стало последней каплей, переполнившей чашу терпения старлея Протасова...

А дальше было так.

Протасов выплюнул недокуренную сигарету. Возможно, окурок сам выпал из его трясущихся губ; но у него в этот момент тряслись не только губы, но и руки, и даже, кажется, дергалась голова...

Он сдернул с плеча «АКСУ». И, шагая, как робот, на негнущихся ногах, направился к этой компании, от которой его отделяло не более полусотни его циркульно-негнущихся шагов.

Впрочем, он знал, что близко подойти не дадут.

Он сделал, наверное, уже с десяток шагов, но из-за того, что руки у него тряслись, как у припадочного, а пальцы не гнулись, будто он их отморозил, ему никак не удавалось перевести флажок предохранителя в нужное положение.

На него обратили внимание.

Чечены что-то тревожно залопотали, а один из них, рыжий бородатый детина, развернул подвешенную за ремень к накачанной шее «ляльку» (пулемет ПК с обрезанным прикладом) так, чтобы в случае необходимости смести его с дороги одной свинцовой очередью.

К нему бросился командированный штабист, но Протасову не было до него никакого дела.

Обратили на него внимание и те, что о чем-то совещались, окружив мятежного генерала, на котором было уже много российской кровушки. И сам Джохар, повернув голову, с интересом, казалось, смотрел на него черными блестящими бусинками глаз...

Кто-то прыгнул на Протасова сзади, возможно, тот же вэвэшный капитан, который, чтобы не застрелиться от безнадеги, собирался пить всю ночь напролет заначенный спирт... А потом навалилась целая гурьба своих, родимых славянских людей, о чем свидетельствовал отборный мат. Его быстро скрутили, да он и не сопротивлялся... Уложили спиной на грязный асфальт. Потом кто-то догадался своим тесаком разжать ему стиснутые зубы, а еще кто-то стал поить его из фляжки разведенным спиртом...

Тогда, в феврале девяносто пятого, у чеченского селения Гехи-Чу с Протасовым случился припадок.

Но не на почве бешенства, а из-за собственного бессилия.

Наверху, где вход в подвал, лязгнула металлическая дверь. На лестнице послышались шаги. Отперли дверь камеры... Хотя какая, к черту, это камера? Каменный гроб с кандалами, откуда никому нет выхода.

Прямо в глаза ему направили мощный фонарь. Явились, волки чеченские...

Верзила Беслан выключил фонарь и повесил его себе на пояс, рядом с кобурой. Подошел к подвешенному на цепях пленнику. Постоял немного, наслаждаясь тем, что кяфир у них в руках и теперь никуда не денется. Затем коротко, почти без замаха, двинул пудовым кулачищем своей жертве под дых.

Протасов, хотя в глазах зароились цветные мушки, все же сознания не потерял. Он с протяжными всхлипами пытался втянуть в себя воздух — рот-то был заклеен. Двое чеченцев довольно загомонили; определенно, такие представления тешили их гадские души.

К пленнику подошел Саит. Плавно потянул тесак из ножен. Протасов ощутил в этот момент, как у него заледенело все внутри... Но нет, резать горло они ему пока, кажется, не собираются.

Саит, поддев ткань кончиком лезвия, располосовал рубаху на пленнике снизу доверху... Им опять понадобился фонарь. Увидев, куда угодила пуля, выпущенная им из «ТТ», — о рикошете он ничего не знал, — чеченец сокрушенно покачал головой: сам не понимаю, как такое могло случиться... Всегда убивал своих жертв наповал выстрелом в сердце, а тут произошла странная осечка.

Он ткнул острием ножа Протасову в грудь, чуть пониже левого соска. Не сильно, лишь малость оцарапав кожу.

— Вот сюда, кяфир, я загоню свой нож, — сказал он по-русски. — До самой рукояти!

Беслан, прежде чем они покинули камеру, еще раз проверил кулаком дыхалку у Протасова.

— Собирайся на тот свет, русский, — сказал кто-то из чеченцев. — Больше суток ты у нас здесь не задержишься...

Глава 15

Одного из охранников Ильдаса взяли в Балашихе, у дверей квартиры, в которой он был временно прописан. Силу к нему не применяли: одного из троих приехавших за ним вайнахов он знал как человека Абдуллы, верного помощника Искирхана Хорхоева, приходившегося отцом Ильдасу. Охранник намеревался

329

позвонить самому Ильдасу, но ему было сказано, что этого делать пока не следует.

Охранника Ильдаса привезли в офис на Полянке, где им занялись Абдулла и Ахмад Бадуев. Вайнах пытался играть в молчанку, выжидая время и стараясь понять, что бы все это значило. Тогда в помещение, где происходил допрос, пригласили его родного дядю, который уже лет тридцать проживал со своей семьей в Москве и находился в очень хороших отношениях с Искирханом Хорхоевым.

Дядя о чем-то потолковал с племянником минут пятнадцать наедине, после чего охранник Ильдаса согласился ответить на все поставленные ему вопросы.

Вайнах рассказал, что последние несколько суток он приглядывал за одним спецом, славянином и москвичом по имени Вадим. Тот работал на одной из явочных квартир Ильдаса, в доме, расположенном, кстати, именно в Балашихе. Под рукой у него имелся компьютерный терминал, состыкованный с комплексом специальной подслушивающей аппаратуры. Кто именно интересовал Ильдаса, нанявшего этого спеца, какие телефоны прослушивались, вайнах сказать затруднился.

Но зато он сообщил, среди прочего, одну вещь, которая сразу все расставила на места.

Выяснилось, что не далее как вчера вечером спец по прослушиванию чужих телефонов Вадим сделал важный перехват — вайнах был свидетелем этой сцены. Он, то есть Вадим, сразу же куда-то позвонил, называя в разговоре своего собеседника Вахой (кто такой этот Ваха, охранник не знал). Потом он перезвонил самому Ильдасу, произнеся примерно следующее:

«Я их засек, Ильдас. Кажется, засек... Номер, с которого звонили Хану через коммутатор, зарегистрирован в поселке Мозжинка. Сейчас я ищу через базу данных сведения о его владельце. Как ты и просил, я немедленно сообщил о перехвате твоему человеку по имени Ваха...»

Когда вайнаха, едва не угодившего по вине Ильдаса в переплет, увели — какое-то время ему придется провести в полной изоляции, — Абдулла и Бадуев многозначительно переглянулись.

Еще несколько часов назад они могли только подозревать Ильдаса в содеянном, но у них не было на руках никаких доказательств. Теперь же, как выражаются юристы, идет процесс пополнения доказательной базы. Все сведения, которые они добудут, понадобятся в ближайшее время Искирхану Хорхоеву, чтобы он мог принять взвешенное, справедливое решение, в том числе и по своему младшему сыну.

Уже удалось установить, что Ильдас не ночевал в своем загородном доме на Истринском водохранилище. И что в своей городской квартире он появился лишь в восьмом часу утра.

Ильдас провел там весь день, а ближе к вечеру отправился в свой офис, расположенный неподалеку от станции метро «Новогиреево». С ним один из его помощников, а также трое охранников. Ильдас заперся в офисе, на дверях которого вывеска риелторской фирмы. Единственный телефон в офисе поставлен на автоответчик. Пара сотовых, которыми он пользуется, включены, но дозвониться сейчас Ильдасу может только кто-то из своих.

Место, где предположительно содержат Тамару Истомину, по-прежнему остается неизвестным.

Чертанов физически ощущал, как стремительно стали развиваться события после его возвращения в столицу. Но так бывает почти всегда. Роешь носом землю неделями, месяцами, пыхтишь, собирая драгоценные крупицы информации, а затем, когда люди, события, добытая развединформация, сплавляясь воедино, вдруг превысят некую критическую массу, события в финале происходят очень быстро, так, что порой голова идет кругом... Он знал это по собственному богатому опыту.

В конторе, кроме него и двух его сотрудников, тех, что ездили с ним на Северный Кавказ, больше никого не было. Часом ранее он провел инструктаж с двумя спецами, которые, если последует такое указание, будут работать по «мишени №1». Причем разговор с этими специально подготовленными людьми проходил не в самой его конторе в Мневниках, а на расположенной всего в пяти минутах езды отсюда «явке».

Сам Чертанов не занимался «мокрыми» делами. Зачем ему все эти напряги? Не мальчик... Есть и без него кому «исполнить». Для того и существуют такие, как эти вызванные им к себе в кабинет парни, — исполнительные, немногословные, со спокойными, ничего не выражающими лицами.

Чертанов поморщился, потому что он всегда любил деловую конкретику и терпеть не мог, когда возникают какие-то неясности, когда приходится действовать едва ли не на ощупь.

Он сообщил своим людям адрес, где они должны будут осесть и, находясь в полной боевой готовности, ждать, когда подадут команду «фас».

— Как только удастся установить местонахождение девушки, выедете на место, осмотритесь и при первой же возможности — г а с и т е ее. Выбор способа ликвидации — по ситуации.

— Задача по девушке ясна, шеф, — спокойным тоном сказал один из сотрудников. — В последнее время рядом с ней находился то Бадуев, то ее новый приятель.

— Что делать с Протасовым, если он окажется рядом? — уточнил другой. — Валить и его?

Чертанов задумался лишь на секунду. Протасов в заказе, присланном из Парижа, не числился. Но оставлять в живых такого свидетеля, который к тому же знал о кое-каких неприглядных фактах из прошлого самого Сергея Иваныча, не следовало.

— Да, Протасова тоже валите, — сказал он.

Получив необходимые инструкции, эти двое ушли.

«С мишенью №2 полная ясность, — подумал он. — Если Истомина появится на горизонте, в истории с ней будет поставлена точка... Но кого утвердят на роль главной мишени? Ответ на этот вопрос появится только завтра или даже послезавтра, когда из Парижа в Москву прибудет Аркадий...»

В загородном доме Искирхана Хорхоева в это вечернее время царила тишина. Даже женских голосов не было слышно, хотя обе женщины и парень находились в доме.

Ужс несколько часов Хан не выходил из помещения библиотеки. Его никто не беспокоил. Если не считать Абдуллы и Бадуева, которые заезжали к нему, а затем, проведя здесь около часа, вновь отправились в Москву, в офис на Полянке.

Хан уже несколько раз брался за трубку домашнего телефона, но каждый раз клал ее на место. Он ведь сказал Абдулле, что не будет звонить Ильдасу и что согласится говорить с сыном лишь в одном случае: если тот немедленно освободит Тамару, а также других людей, которых, есть такое подозрение, он держит в неволе. А затем приедет с повинной головой к отцу, понимая, что его ждет суровый, но справедливый суд.

Хан не хотел сейчас звонить сыну, он понимал, что

тот не скажет ему правды, обманет отца, как уже случалось прежде.

И еще он не хотел звонить Ильдасу и требовать у него объяснений по той причине, что тем самым он мог поставить под угрозу жизнь девушки, дочери Руслана. Если Тамара у него или у его людей, Ильдас, чтобы замести следы и уйти от ответственности, может приказать убить ее, а тело спрятать — чтобы его никогда не нашли.

...Искирхан Хорхоев в своей жизни никого не учил таким вещам. Сыновьям, и когда они были еще в юношеском возрасте, и когда повзрослели и пошли каждый своим путем, он не раз говорил истины, казалось бы, прописные, но которых следовало твердо придерживаться, чтобы избежать бед. Он говорил своим сыновьям, что люди из его рода, из семьи Искирхана Хорхоева, не должны участвовать в таких неблаговидных делах, как торговля оружием, наркотиками или живым товаром. Он предупреждал, что не потерпит, чтобы кто-либо из его рода занимался таким «доходным бизнесом», свойственным многим их соплеменникам, как захват заложников, работорговля. Он призывал сыновей жить цивилизованно и, оставаясь чеченцами, учиться пользоваться теми возможностями, какие предоставляет людям современная цивилизация.

Не все послушались его наставлений, не все...

Бекмарс не в курсе этой истории с похищением девушки. Он многого не знает, потому что Ильдас пытается и своего брата водить за нос.

Хан, сидя в одиночестве, ожидал новых вестей от Абдуллы и активно подключившегося к поискам Тамары Ахмада Бадуева.

И еще дожидался того момента, когда «посылка», которую он приказал отправить во Францию, найдет своего адресата.

Глава 16

Одно из помещений этой подземной тюрьмы было обставлено с несколько большим комфортом — если такое определение тут уместно, — нежели другие «одиночки».

Здесь имелся крепкий деревянный топчан, сверху на него был брошен матрац. В изголовье лежала набитая всяким рваньем наволочка, представлявшая собой некое подобие подушки. Простыня, конечно, отсутствовала, зато имелось одеяло. Тонкое, солдатское, прожженное в нескольких местах. Тем не менее им можно было укрыться с головой, и это хоть немного спасало от всепроникающей подвальной сырости.

В дальнем от входа углу стояла колченогая табуретка, одновременно служившая содержащемуся здесь вот уже два месяца человеку неким подобием обеденного стола. На табуретке миска с остывшими остатками макарон, заправленных тушенкой, а также литровая кружка с питьевой водой, наполовину уже пустая — литр воды дается узнику на сутки, иногда на двое, а то и на трое суток.

В качестве параши используется оцинкованное ведро, прикрытое сверху крышкой, — место ему, как и положено, в углу у входа.

Мужчина, которого здесь содержат по приказу Ильдаса Хорхоева, выглядит лет на семьдесят: шелушащаяся кожа, мешки под глазами, клочковатая свалявшаяся борода, схваченная, как инеем, сединой... Одет в толстый свитер, лоснящийся от грязи и пропахший подземельем, и пятнисто-камуфляжного цвета брюки — такую одежку выдал ему один из тюремщиков в первый же день.

Но ему не семьдесят, а лишь немногим больше пятидесяти пяти — как и его ровеснику, ныне покойному Руслану Искирхановичу Хорхоеву...

Когда открылась дверь его камеры, узник тупо, словно робот, поднялся с топчана. За те два месяца, что его здесь содержат, он уже был приучен к некоему незамысловатому порядку. Поначалу его сильно избивали, и, хотя побои с некоторых пор прекратились, особого желания нарушать этот порядок у него не возникало.

— Присаживайтесь, Николай Дмитрич, — прозвучал от порога знакомый голос. — Ну что, вспомнили наконец-то, о чем вас спрашивал Ильдас?

Тимур разговаривал с пленником через открытую дверь, оставаясь в коридоре. Помощник Ильдаса появлялся здесь не чаще раза в неделю, а иногда приезжал и сам Хорхоев-младший.

Их интересовали, среди всего прочего, точное местонахождение Тамары, дочери Руслана, а также сведения о банковских проводках, включая сюда судьбу пятидесятимиллионного кредита.

— Девушку, дочь Руслана, мы и без вас нашли, Николай Дмитрич, — сообщил Тимур. — Мы все равно своего добьемся! И охота вам здесь сидеть, господин Рассадин?! Рассказали бы нам всю правду, сообщили, где припрятаны документики, и шли бы себе на все четыре стороны...

Рассадин, естественно, знал, что у Руслана Хорхоева есть взрослая дочь. Он был в курсе, что Тамара живет за границей, и даже знал страну, где она ныне обитает. Он видел ее не менее десяти раз, когда они с Русланом по делам бывали в Западной Европе, — Руслан встречался с Тамарой не только в Лондоне, но и в Париже, Каннах, Лозанне... Руслан полностью доверял своему старинному другу Николаю. Но Рассадин никогда не злоупотреблял его дружбой, не пытался выспросить у него все его секреты, потому что существуют вещи, о которых не рассказывают даже самым близким друзьям.

Зная, что Тамара имеет вид на жительство в Великобритании, он никогда не интересовался ее домашним адресом. Девушка позвонила ему из Англии спустя несколько дней после того, как стало известно о гибели ее отца. Рассадин рассказал ей все подробности, но лишь касательно этого трагического случая. Руслана и тех, кто погиб вместе с ним, похоронили в тот же день недалеко от места падения вертолета — все юридические формальности, сопутствующие гибели людей, были соблюдены уже задним числом, поскольку у Рассадина в Кызыле все было «схвачено», так что оформить нужные справки не составило труда.

Некоторое время после смерти президента ОАО «Альянс» Рассадин вынужден был провести в той же республике Т., где он тотчас же приостановил доразведку нефтяных полей. Бекмарс улетел в Москву почти сразу, не проявив особого желания вникать в детали «южносибирского проекта», — он, хотя и уважал профессионализм старшего брата, все же в душе считал последнюю затею Руслана блажью, которая может принести одни убытки. Заморозив на время проект, Рассадин слетал на пару дней в Москву, повстречался там с Ханом и Абдуллой, а также провел в присутствии Бекмарса и Абдуллы совещание с менеджерами компании. Еще около месяца пробыл в Тюмени, на месторождениях и других объектах компании — после смерти Руслана на плечи Рассадина легла дополнительная нагрузка. А когда вернулся в Москву, Ильдас Хорхоев натравил на него своих подручных, после первого же знакомства с которыми Николай Дмитрич оказался в этой темнице.

Он уже говорил ранее Хану, как и его сыну Бекмарсу, что он чистой воды производственник и никогда не имел отношения к финансовой деятельности объединения. Определенной информацией в этом плане он, конечно, располагал. Например, он знал, что Руслан намерен инвестировать несколько десятков миллионов долларов в доразведку нефтяных полей в республике Т. И о том, что президент компании взял кредит у швейцарских банкиров под залог акций своей фирмы. Но конкретные детали этих финансовых операций, которыми занимался лично Руслан, Рассадину были неизвестны.

Николай Дмитрич пытался объяснить это Ильдасу и его бухгалтеру Тимуру, но они отказывались верить ему. Им втемяшилось в голову, что Рассадин что-то скрывает. Что даже если он не был наделен правом «второй» финансовой подписи, то ему все равно должны быть известны какие-то детали, которые позволили бы им напасть на след упрятанных в офшоры хорхоевских миллионов...

Он и сейчас не слушал, о чем его спрашивал Тимур. Ильдас пригрозил, что если Рассадин не «расколется», то его убьют еще до того, как настанет срок погашать взятый Русланом пятидесятимиллионный кредит.

— Какое сегодня число? — неожиданно спросил он.

— Не важно, какое сегодня число, — раздраженно процедил Тимур. — Если не расколетесь, жить вам осталось — ровно сутки!

Оставшись в одиночестве, Рассадин уселся на топчан и замер, понурив голову.

Был бы жив Руслан, он бы такого не допустил. Эх, Руслан, Руслан... Все же какую злую шутку сыграла с тобой, а заодно и твоим другом Рассадиным злодейка судьба...

Знакомство их началось с заурядной драки. Случилось это в шестидесятом или годом позже, когда Искирхан Хорхоев вместе со своими домочадцами вернулся из ссылки в Грозный. В районе Катаямы дрались русские с чеченцами, причем в свалке участвовало до полусотни подростков, которых бросились разнимать взрослые. Нет, Николай и Руслан не дрались меж собой, они были как раз среди тех, кто растаскивал в разные стороны драчунов, вооруженных цепями и кусками арматуры.

Выяснилось, что их родители знакомы и что они даже живут по соседству. Рассадин-старший тоже был нефтяником и был наслышан о Хорхоеве еще с военной поры. Они прожили в Грозном лет восемь, и в середине шестидесятых старшего Рассадина вновь перевели в Москву, в главк нефтеразведки, где он работал с сорок третьего по пятьдесят седьмой год. Сам он выходец из пролетарского Грозного, поэтому так и случилось, что его за провинность перевели из центра на Северный Кавказ, в знакомые ему с детства места...

Провинность была такая: неоправданный перерасход средств на нефтеразведку в неперспективных районах Южной Сибири. Корыстных побуждений в действиях Рассадина-старшего не обнаружили — иначе посадили бы, — в качестве же наказания за неоправданно большие траты на геологоразведку его отправили в почетную ссылку в богатую нефтью Чечено-Ингушетию.

Вообще вся эта история с обнаруженными в отдаленных окрестностях Кызыла богатейшими залежами нефти насчитывает почти шесть десятков лет, и развивалась она по странному, причудливому, похожему на детектив сценарию.

...Первым наличие нефти в недрах республики Т. обнаружил Дмитрий Рассадин, отец Николая, в ту пору заместитель начальника крупной геологической партии. Автономия эта была включена в состав СССР лишь в октябре сорок четвертого года. Говорят, Сталин очень удивился, когда узнал в связи с каким-то поводом, что данная территорию хотя числится советской, но юридически не входит в состав Страны Советов. После чего в это южносибирское захолустье с его кочевьями и редкими староверскими скитами были направлены люди из других регионов страны для пополнения и укрепления местных кадров. А также была направлена в Кызыл крупная поисковая партия, поскольку требовалось выяснить, какими ценными ископаемыми богаты недра этой свежеиспеченной автономии.

Навьючив лошадей продовольствием и нехитрым оборудованием, пробились так далеко, как только позволила приближающаяся зима, которая в этих местах довольно сурова. Тогда, летом и осенью сорок пятого, удалось лишь зафиксировать выход нефти на поверхность в районе нынешнего озерного месторождения. На этом, собственно, первый этап поисковых работ был завершен: не то что добывать здесь нефть, но даже произвести детальную разведку нефтяных полей по причине отсутствия всяких дорог и крайней удаленности региона не представлялось возможным.

Следующая экспедиция была снаряжена в пятьдесят шестом году. На этот раз использовались вездеходы и другая передовая по тем временам техника. Первое же бурение, как и последующие, оказалось более чем результативным — толщина полей составляла от пятидесяти до ста метров. Но работы были приостановлены по приказу из Москвы. Ставка в то время была сделана на вновь открытые в Западной Сибири и на севере нефтегазовые месторождения, а добычу нефти в окрестностях Кызыла сочли делом слишком хлопотным и даже нерентабельным.

Была еще одна экспедиция, самая крупная — в восемьдесят четвертом году. Ее начальником был уже не Рассадин-старший, а его сын, который пошел по стезе отца и загорелся той же идеей — произвести доразведку месторождений и затем приступить к масштабному их освоению. Об этом проекте в то время уже знали как Искирхан Хорхоев — Хан, впрочем, знал о возможном наличии большой нефти в республике Т. от Рассадина-старшего уже в шестидесятых годах, — так и его сын Руслан.

Но настало время перестройки, и опять все замыслы — на этот раз общие, Рассадиных и Хорхоевых, — полетели к черту.

Реанимирован этот проект был лишь в девяностых годах, когда стали поговаривать о необходимости прокладки магистрального российско-китайского нефтепровода, который по всем прикидкам должен быть проложен в непосредственной близости от дожидающихся своего часа месторождений. Но заинтересованной стороной здесь выступило не государство, — соответствующих чиновников интересовали не далекие залежи, а суммы «откатов», получаемых ими в ходе дележки ставшего вдруг бесхозным народного добра, — а Руслан Хорхоев, которого всеми силами поддерживал Рассадин, знающий Южную Сибирь как свои пять пальцев.

Руслан, сам долгое время работавший в Министерстве нефтяной промышленности, через своих знакомых устроил так, что вся документация прежних экспедиций в Кызыл оказалась сосредоточенной у него в руках. Государственные архивы вдобавок хорошенько почистили, чтобы еще кто-то не напал на след южносибирской нефти. Небольшая загвоздка случилась с документацией, датированной пятьдесят шестым годом, — Рассадин-старший при содействии Искирхана Хорхоева добился того, что архив той экспедиции, которой он командовал, был переведен в Грозный, где он затем хранился в архивах Грозненского института нефти и газа. Именно эту документацию, упакованную для перевозки в ящики, и вывезли из Грозного перед самой войной, осенью девяносто четвертого года: теперь вся информация, касающаяся истоков южносибирского нефтяного проекта, была целиком сосредоточена в руках Руслана Хорхоева.

...Рассадину показалось, что он услышал женский голос. Он прислушался... Наверное, это была слуховая галлюцинация. Такое уже случалось здесь с ним. Эти изверги, Ильдас и его подручные, воистину довели его до грани безумия.

Через сутки все будет кончено.

«Эх, Руслан, Руслан... Что тебе стоило послушаться меня в тот роковой день и отказаться от полета на озера?..»

Глава 17

Тамара оцепенела от страха. Несколько долгих минут она простояла недвижимо, вжимаясь спиной в холодную бетонную стену. Боялась даже пальцем пошевелить, опасаясь, что тварь, которую ей подбросили вайнахи, замершая пока у противоположной стены, может броситься на нее и даже попытаться укусить...

Постепенно девушке все же удалось успокоиться, после чего она попыталась трезво взглянуть на ситуацию.

«Это всего лишь крыса, — сказала она себе. — Не

342

тигр, не волк и не ядовитая змея. Я человек, я здоровая молодая женщина, а значит, это не я должна бояться эту паскудную, но все же мелкую тварь, а она — меня».

Тамара решила, что надо попытаться прихлопнуть крысу сверху перевернутым ведром, которое она пока не использовала по назначению. Но едва она сделала шаг в том направлении, как здоровенный пацюк неожиданно взмыл в воздух — скачок получился высотой с полметра.

Девушка, испуганно ойкнув, отпрянула назад, на прежнее место. А крыса юркнула в другой угол и замерла на полу аккурат возле ведра.

«Ну и черт с тобой, — подумала Тамара. — Вот и сиди там... Только не вздумай носиться по камере или, не дай бог, пытаться меня укусить! Сразу убью...»

Чтобы не думать о таких неприятных вещах, как крысы и их двуногие собратья — последние лишь в силу какого-то недоразумения носят человеческий облик, — она вновь погрузилась в воспоминания, выбрав тот период детства, когда ей удалось посетить папину родину.

Руслан и Лариса не раз бывали на Кавказе, в том числе и в тогдашней Чечено-Ингушетии. Когда они отправлялись в Сочи, Кисловодск, Пицунду и Сухуми, то непременно брали с собой дочь. А вот в Грозный и Толстой-Юрт ездили только вдвоем или с кем-то из своих друзей и знакомых.

Тамаре было одиннадцать лет, когда родители сочли дочь достаточно взрослой, чтобы взять с собой в поездку по городам и селам ЧИАССР — отец говорил проще: «Чечня».

Ей было чертовски интересно поглазеть на этот край и населяющих его людей. Но в то же время и немного боязно, потому что была она к тому времени девочкой начитанной и знала, что на Кавказе проживают «дикие горские племена».

Хотя отец наложил табу на всякие разговоры о своих чеченских корнях — запрет действовал лишь в отношении дочери и не касался, естественно, Ларисы, — она в душе все же надеялась, что именно сейчас, в ходе этой поездки, отец познакомит ее со своей многочисленной родней.

Но этого не случилось.

В папиной Чечне они провели две недели с хвостиком. Особенно ей запомнилась их поездка на высокогорное озеро, которое сами вайнахи называют по-разному: Айзен... Эйзень-Ам... Казеной-Ам... А на русском имя ему — Голубое озеро.

Запомнилась ей эта поездка еще и потому, что Тамара тогда познакомилась с интересными взрослыми людьми, которые затем, кто раньше, а кто попозже, вновь возникнут на ее жизненном горизонте.

Они выехали из Грозного утром, когда еще не ощущалась июньская жара. Первые двадцать километров папа, сидевший за рулем «двадцать четвертой», пробивался с трудом. Не потому, что мешали горы или реки. Мешал плотный поток транспорта на шоссе, по которому они двигались. Помнится, Тамара еще удивилась тогда: надо же, движение здесь, как по Москве в часы «пик»...

К этому времени она уже перестала чего-либо опасаться. Поняла своим детским умом, что звероватые абреки и дикие обычаи остались в прошлом. Ей казалось, и она в это поверила, что чеченцы столь же радушные и гостеприимные люди, как и прочие населяющие Кавказ народы. К тому же она провела в пионерлагере «Горный ключ», чьи разноцветные корпуса поднялись на берегу речушки со смешным названием

Хулхулау, целых два дня и успела пообщаться с чеченской ребятней.

Откуда ей тогда было знать, что спустя каких-то пять лет этот и другие пионерлагеря в Сержень-Юрте будут превращены в лагеря подготовки боевиков и что там будет звучать громче прочих арабская речь? И что из прозрачно-чистой речушки Хулхулау будут пить воду поочередно моджахеды Хаттаба и российские десантники?

Кому-то очень нужно было постараться, чтобы такое стало возможным.

Впрочем, ни она, ни взрослые в ту пору о чем-то плохом, что могло бы поджидать их в будущем, не задумывались. Чеченские мальчишки, которых она там видела, выглядели и вели себя совсем не так, как о них было написано в кавказском дневнике Пушкина. Невозможно было представить их с «детскими шашками», помыслить о том, что кто-то из этой детворы способен кого-то убить, «изрубить за одно слово»... Когда они ехали в плотном потоке по обсаженному с двух сторон тополями шоссе, смахивающему на уютную городскую аллею, Тамара улыбалась. Ей были смешны ее прошлые страхи. Когда они проезжали Аргун, с его заводскими корпусами и кварталами многоэтажек, — папа называл этот населенный пункт по-старинному Устар-Гардой, — навстречу им по шоссе ехали огромные панелевозы. Им даже пришлось приткнуться к обочине, чтобы пропустить этот крупногабаритный транспорт. Может, чеченцы используют эти бетонные конструкции для сооружения печально знаменитых зинданов, этих подземных тюрем? Конечно же, нет... Они предназначаются для строительства новых цехов и новых жилых крупнопанельных домов.

Когда они проехали Шали, дорогу на какое-то время перекрыла отара овец, которую гнали с предгорий на равнину (сейчас-то Тамара понимала, куда гнали бедных овечек — на мясокомбинат, — а тогдашней девчонке такое и в голову не пришло). «Ач! Эйт! Эйт!!» — весело покрикивали пастухи. Тамара, приникнув носом к стеклу, — с ее стороны оно было поднято, чтобы она не вывалилась из машины из-за своего любопытства и чтобы пыль в салон не летела, — старалась внимательно рассмотреть этих пастухов. Вдруг они — рабы? Вдруг их насильно заставляют работать, бьют и кормят исключительно сырым тестом? Но нет... Пастухи выглядели как чеченцы, и вид у них был жизнерадостный.

Шоссе, изгибаясь вдоль курчавых зеленых склонов, плавно поднимало их в горы. Въехали в Ведено. Отец, белозубо улыбаясь, часто сигналил каким-то людям, группками и поодиночке стоявшим у обочины. Они тоже приветствовали путников взмахом руки или просто дружелюбным кивком.

Небольшой горный аул Ведено вплоть до 1859 года был резиденцией знаменитого Шамиля, объявившего «газават» имперской России. Через Ведено шла «хлебная дорога» в Дагестан, и, перенеся сюда свою ставку, имам среди прочего контролировал поставки продовольствия. Не хотят слушаться его религиозных предписаний горные племена? Ну что ж... Не хотят внимать Аллаху — будут сидеть с пустым брюхом.

В девяностых же годах двадцатого века Ведено стало вотчиной другого Шамиля — Басаева. Люди, которых они встречали тогда по дороге к Айзену, которые приветствовали путников дружелюбными жестами, в большинстве своем взялись за оружие либо симпатизируют тем, кто оказывает вооруженное сопротивление пришедшему с севера извечному врагу.

Вновь выплыли из исторической тьмы описанные классиком чеченские мальчишки, но уже не с детскими шашками, а с автоматами и взрывными устройствами.

Кому, спрашивается, все это было нужно?

Миновав горный аул Харачой, оказались наконец на берегу Голубого озера, расположенного на двухкилометровой высоте. Очень своеобразный ландшафт, поразительно голубая, почти бирюзовая вода, красота неописуемая... Они остановились там на ночевку, делали шашлыки, угощались у местных вкуснейшей айзенской форелью...

Так вот ездили они к Айзену не втроем, а небольшой компанией — за ними ехал еще один легковой автомобиль. Рассадина Тамара хорошо знала и прежде, потому что Николай Дмитрич, друг отца, часто бывал у них в доме (некоторое время он был женат, потом развелся и лет с сорока пяти жил холостяком). А вот другого мужчину, который наведался в Грозный буквально на пару дней, чтобы повидаться с Русланом, ее отцом, и который, приняв приглашение папы, составил им компанию в этой поездке к Айзену, — она прежде никогда не видела.

Звали его дядей Димой — сам он, правда, просил называть его просто Дмитрием, и она так его и звала.

Она также запомнила, как они втроем, папа, Рассадин и Дмитрий, уже вечером, после шашлыков и легкого сухого вина, затянули старинную местную песню, причем отец пел по-чеченски, а остальные двое вторили ему по-русски.

> Мы родились той ночью,
> Когда щенилась волчица,
> А имя нам дали утром
> Под барса рев заревой,
> А выросли мы на камне,
> Где ветер в сердце стучится,
> Где снег нависает смертью
> Над бедною головой...

Тамара не знала фамилии этого человека, попросту не додумалась спросить. Как не ведала и того, кем приходится этот русский мужчина Дмитрий чеченцу Руслану Хорхоеву. Другом? Однокашником? Сослуживцем? Или все обстоит гораздо сложней?

Нет у нее ответа на этот вопрос и сейчас.

Но она знает другое.

Когда случилась огромная беда, когда родные братья подослали к его жене Ларисе убийц, Руслан Хорхоев решил спрятать свою дочь. На то время, пока он не найдет для Тамары безопасное убежище и пока не разыщет и не покарает всех, кто повинен в смерти Ларисы.

Когда все это произошло, папа привез свою двенадцатилетнюю дочь не к близким родственникам и не к знакомым из числа чеченцев, его соплеменников. Он привез девочку к русской женщине, у которой тогда гостил приехавший ненадолго с Кавказа Дмитрий, — эта женщина, ее звали Ольгой, была его родной сестрой, — и попросил Дмитрия присмотреть за дочерью какое-то время, пока он не сможет ее забрать...

Только сейчас, заново прокрутив в мозгу многие факты, а также припомнив все ее прежние разговоры с Александром, она сообразила, что этот «мужчина с Айзена» не кто иной, как отец Александра Протасова.

Значит, Ильдас солгал... Или, что вероятнее всего, исказил правду. Она хорошо знала своего отца. Руслан Хорхоев ни за что не стал бы общаться с человеком, причинившим зло его семье.

Крысу она убила. Придавила ее деревянным поддоном... В подвале долгое время никто не появлялся. То ли от холода, то ли от нервного напряжения, а скорее от всего этого, вместе взятого, ее всю стало колотить, да так, что зуб на зуб не попадал.

Когда наконец послышались тяжелые шаги, а затем

распахнулась дверь камеры, девушка, взяв дохлую окровавленную крысу за хвост, швырнула ее в лицо выросшему на пороге верзиле.

— Заберите своего дружка! — процедила Тамара. — С вами скоро произойдет то же самое.

Глава 18

Ее выходка нисколько не рассердила двух вайнахов, которые пришли за ней. Скорее даже рассмешила — хотя их волчьи оскалы мало походили на человеческую улыбку.

Беслан взял девушку за локоть и поволок ее в другой конец коридора, где возле открытой двери камеры ее дожидался спец по финансам Тимур.

Беслан что-то сказал ему по-чеченски, после чего ильдасовский бухгалтер тоже оскалил в ухмылке свои зубы.

— Мне сказали, Тамара, ты пролила кровь...

Она сунула руки под мышки, чтобы согреться, а ее зубы выбили такую звонкую дробь, что эти звуки, наверное, слышны были далеко за пределами превращенного в тюрьму подвала.

Ухмылка тем временем сползла с лица Тимура. А еще спустя мгновение он грозно нахмурил брови.

— Все, дорогая, уговоры закончены! Или ты начинаешь сотрудничать со мной и Ильдасом и мы быстро и грамотно оформляем перевод денег...

Он кивнул Беслану, и тот подтолкнул девушку к открытой двери одиночной камеры.

— ...или мы сейчас на глазах у тебя начнем потрошить твоего друга!

Протасов был прикован цепями к бетонной стене. От рубашки остались жалкие лоскуты, грудь целиком обнажена, с неглубоких порезов на груди к поясу тянутся две тонкие кровавые дорожки...

Теперь она поняла, почему Саша молчал все это время: рот у него был заклеен куском черного пластыря.

Взгляд Александра был направлен не на нее и не на их мучителей, а куда-то вдаль — он смотрел прямо перед собой, и взгляд его, Тамара ощутила это физически, был страшен.

Оттеснив ее плечом, в камеру вошел верзила Беслан, а потом другой чеченец, Саит. Первый ударил закованного в кандалы пленника кулаком по ребрам и тут же добавил локтем в лицо. Когда он отступил в сторонку, Саит вытащил почти полуметровый тесак из ножен и сделал на груди Протасова еще один надрез — пустив еще одну кровавую дорожку.

— Нет! — закричала Тамара, пытаясь вырваться из рук схватившего ее сзади Тимура. — Не трогайте его!! Не смейте к нему прикасаться! Слышите вы, уроды чеченские!!!

— Можем и не трогать, — почти миролюбиво прозвучал голос Тимура. — Мы не живодеры, Тамара. Но что поделаешь, если ты такая упрямая девушка...

Он рывком развернул ее лицом к себе.

— Ильдасу нужны деньги! — процедил он. — И мы выбьем из тебя все причитающиеся ему бабки, не по-хорошему, так по-плохому! Выбирай, какой вариант тебя устраивает!

Тимур опять крутанул ее за плечи, повернув заново лицом к пыточной камере.

— Ну что?! Все, Тамара, нет времени!! Саит, режь его на хер!!!

Тамара дернулась так сильно, что едва не вырвалась из его цепких объятий.

— Нет! — севшим голосом сказала она. — Я все сделаю, Тимур! Все, как вы хотите с Ильдасом...

В этот момент она увидела, как Протасов повернул

к ней голову и медленно, но в то же время решительно качнул головой из стороны в сторону.

Она прекрасно поняла, что означает этот его жест.

«Не соглашайся на их предложение, Тамара, — вот что читалось в его напряженном взгляде. — Даже если ты подпишешь нужные бумаги и сделаешь то, чего они добиваются, меня они все равно отсюда не выпустят».

Тамара, в свою очередь, кивнула, в отличие от Протасова — утвердительно.

«Нужно выиграть время, Саша, — говорил ему ее взгляд. — Может быть, еще не все для нас потеряно...»

— Да, Тимур, я все сделаю, — уже более решительно сказала Тамара. — Но у меня будут свои условия.

Тимур бросил на нее изучающий взгляд.

— Ну что ж... Это уже похоже на деловой разговор.

Чеченские головорезы, подчиняясь приказу Тимура, на время оставили Протасова в покое. Сам Тимур, прихватив с собой девушку, выбрался из подвала и заперся с ней в «кабинете».

Разговор действительно пошел у них конкретный.

Около часа они вдвоем обсуждали схему банковских операций, при помощи которых можно было перевести миллионы Руслана Хорхоева на счета, подконтрольные его брату Ильдасу. А также обговорили технологию, как осуществить все банковские переводы, принимая во внимание нынешний статус Тамары Истоминой.

— Какие условия ты хотела нам поставить, Тамара?

— Вы должны освободить Протасова. Это первое условие. Остальные касаются меня, и их я хотела бы обговорить со своим дядей Ильдасом.

— Не бойся, Тамара, тебя никто не обидит, — чуточку фальшивым тоном произнес Тимур. — Гм... Зачем тебе вообще сдался этот русский?

351

— А вам он зачем? — парировала Тамара. — Он же случайно в эту историю влип! Но дело в конечном итоге не в Протасове. Вернее, не только в нем...

— Не понял...

Тамара криво усмехнулась.

— А что тут непонятного? Если вы не выполните условие, касающееся освобождения Протасова, то я не смогу быть уверена до конца, что вы не обманете меня после того, как я переведу вам все деньги.

Глава 19

Как только Тамара принялась обсуждать с Бухгалтером технические детали предстоящего освобождения Протасова, тут же выяснилось, что у чеченца на сей счет есть собственное мнение. То есть Тимур был не против того, чтобы выпустить на волю приятеля Тамары, но это была единственная позиция, в чем их мнения полностью совпадали.

— Пусть твои вайнахи, Тимур, отвезут Протасова в один из близлежащих населенных пунктов, — сказала Тамара. — Или высадят на платформе, где ходят электропоезда...

— А где гарантия, что он не вернется сюда с бойцами ОМОНа?

Тамара покачала головой.

— Ну что ты такое говоришь, Тимур? Александр разве знает, где мы находимся?

Тимур задумчиво поскреб подбородок.

— Нет... Откуда ему знать?

— Вот видишь! Вы ведь нас сюда как-то привезли, верно? Так ловко все проделали, что ни он, ни я не знаем, в каком месте и как далеко от Москвы мы сейчас находимся... Это во-первых. Завяжите ему глаза или наденьте мешок на голову — это чтоб он не знал, как назад вернуться. Да он и не станет обращаться в органы, я с ним на эту тему сама поговорю. Это во-вторых. Дадите ему сотовый телефон, чтобы он мог мне позвонить и сказать, что с ним все в порядке, что он на свободе и ему ничто не угрожает... Пойдем дальше. Сейчас... около пяти утра. Я попрошу Александра, чтобы он позвонил мне ровно в восемь. Как только я получу подтверждение тому, что вы намерены вести со мной честную игру, начнем осуществлять те операции, о которых мы только что договорились. Вы же не собираетесь больше держать меня в этом ужасном доме?

— Нет, Тамара, конечно, нет. Перевезем тебя в другое место, более комфортное. Туда, где есть компьютер, факс и прочие нужные вещи и где ты будешь находиться все то время, что понадобится для осуществления банковских операций.

— Вот видишь, Тимур! Сам говоришь, что мы уедем отсюда... Да и не будет Александр обращаться к ментам, я вам это гарантирую! Кстати, Тимур... Раньше полудня мы все равно ничего не сможем сделать. Ты не забыл про разницу во времени? С Европой, с Великобританией? Когда там откроются адвокатские конторы и банковские офисы, в Москве уже будет полдень...

— Вот что, дорогая, — оборвал ее Тимур. — Не пытайся со мной играть! И кончай ты эти свои торги! Не на базаре...

— Я что-то тебя не понимаю, Тимур.

Тот бросил на нее хмурый взгляд.

— Ты все сказала? А теперь слушай меня!

— Сначала освободите Протасова! Это первый пункт намечаемой нами сделки. Если вы под этим не подписываетесь, значит, и я не подписываюсь под своими обязательствами!

— Я сказал, слушай сюда! Так вот... Я готов поверить тебе на слово, Тамара. Отпустим мы твоего приятеля, так и быть. Но никаких «мобильников»! Никаких проверочных звонков! Мне не нужны все эти напряги, понимаешь! Протасова вывезут отсюда и оставят где-нибудь в лесочке. Дальше пусть делает, что хочет: может идти на все четыре стороны! Но чтоб вы какие-то телефонные переговоры здесь устраивали, такого не будет.

Она посмотрела на чеченца. У того был донельзя рассерженный вид. Того и гляди, он возьмет свое обещание обратно и вообще откажется отпустить Протасова на свободу.

Тамара, хотя и испугалась такого поворота событий, изо всех сил старалась не выдать охватившую ее панику. Ну что ж... Она сделала все возможное, чтобы хоть немного продлить часы жизни Александра Протасова, этого мужественного, сильного, привлекательного человека, который так неожиданно оказался рядом с ней в трудные минуты. Сейчас каждому из них остается лишь надеяться на чудо.

— Ладно, Тимур, — сказала она. — Пусть будет по-твоему.

Медленно занимался рассвет. В серой волглой мгле человеческие фигуры походили на призраков. Тимур, набросив девушке на плечи куртку, вывел ее из дома. После вонючего затхлого подземелья свежий воздух подействовал на нее опьяняюще — у нее даже голова закружилась. Да и не ела ничего с тех пор, как они с Сашей перекусывали после занятий любовью в бадуевском доме. Почти полтора суток во рту у нее не было и маковой росинки.

Наконец Беслан и Саит вывели из дома заложника,

крепко удерживая его за заведенные за спину руки. На голове у Протасова красовался мешок темно-синего цвета, непроницаемый для глаз. Он был одет в какой-то серый, растянутый, неопрятного вида свитер. А его руки были скованы сзади наручниками.

Двери одного из двух имеющихся здесь гаражных боксов были распахнуты настежь. Из гаража во двор выкатил подержанный, но в хорошем состоянии «Форд-Скорпио». За рулем сидел один из вайнахов Муталиева. Беслан и Саит потащили Протасова к машине, но Тамара в этот момент резко сказала:

— Нет, так не пойдет! Снимите с него наручники! Тимур, мы так не договаривались!

Бухгалтер счел нужным пойти только на половинчатые уступки. Запястья Протасова оставались скованными наручниками, но не сзади, а спереди. Тамара, добившись этой небольшой уступки, пошла дальше.

— Дай ему немного денег, Тимур! Как он доберется до безопасного места, если у него нет денег на проезд!

Бухгалтер раздраженно покачал головой. Но все же полез за портмоне и, вытащив пятисотрублевую купюру, передал ее Саиту. Ну а тот вложил купюру в задний карман брюк Протасова.

— Документы! — скомандовала Тамара. — Верните ему то, что вы у него взяли.

Ваха Муталиев, криво усмехнувшись, передал Саиту небольшой сверток.

— Ты все понял, Саит? — спросил он у вайнаха.

— Не сомневайся, амир, — сказал тот, оскалив зубы. — Он получит все, что ему причитается.

Ваха жестом приказал вайнаху, сидевшему за рулем, выйти на минутку наружу.

— Дорогу запомнил? Или еще раз объяснить?

— Ехать вдоль лесопосадки, так чтобы дачный поселок остался по правую руку, — отрапортовал тот. —

На развилке повернуть в сторону пруда, и через пару сотен метров еще один поворот — налево. Там, в смешанном лесу, рядом с проселком, заброшенное двухэтажное строение из белого силикатного кирпича...

— Верно, — кивнул Ваха. — Эти руины никто не охраняет. Милицейских постов здесь нет. В такую рань, думаю, вас никто там не увидит.

— Все ясно, амир.

Муталиев, хотя и говорил с ним по-чеченски, все же понизил голос до полушепота:

— Там и кончите его.

— Да, амир.

— Топор положил в багажник?

— Да. Наточил его как следует.

— Труп расчлените, упакуйте останки в брезент и прикопайте!

— Не сомневайся, амир, все будет сделано в точности.

— Все, Тамара! — резко, как отрубил, сказал Тимур. — Некогда нам тут устраивать прощальные сцены! Тем более что ты с ним еще увидишься.

«На том свете», — добавил он про себя.

Тимур жестом показал двум вайнахам, что им следует посадить Протасова на заднее сиденье «Форда» и самим составить ему компанию. Затем крепко взял девушку за руку, чтобы она не вздумала податься за этой троицей.

Прежде чем Протасова втолкнули в машину, прозвучала еще одна негромкая реплика.

— Прощай, кяфир! — сказал Муталиев. — Помнишь Алхан-Калу?! Все будет так, как я тебе тогда обещал.

Машина, прощально мигнув подфарниками, скрылась в серой предрассветной мути. Тамара вытерла слезы, после чего, понукаемая оставшимися с ней чеченцами, поплелась обратно в дом.

Глава 20

Когда «Форд» немного отъехал от дома, Беслан, ухнув Протасову по ребрам локтем, поинтересовался:

— Как настроение, кяфир? Понравилась тебе наша «гостиница»? А может, у тебя есть какие-то претензии по обслуживанию? Так ты не молчи, скажи!

— Пошел ты на х..., чеченский козел!

За эту невежливую реплику Протасов еще раз схлопотал по ребрам, но уже с другого боку, от Саита.

— Тут, русская свинья, не кабак! — сказал Саит. — Попридержи свой язык, а то отрежу!

— Пусть говорит, — сказал Беслан. — Здесь недолго ехать. Скоро, кяфир, мы тебя... отпустим.

В салоне послышалось дружное ржание. Протасов поерзал, пытаясь устроиться поудобнее, но куда там — так прижали с двух боков, что особо и не рыпнешься.

За те шесть с хвостиком лет, что Протасов провел вне пределов России, у него не было возможности смотреть отечественные фильмы. Но однажды, когда они в очередной раз оказались в Косове, в районе Приштины, ростовчанин Леха, единственный земля в протасовской роте, выменял на что-то у российских миротворцев пяток кассет. Из всего просмотренного Александру запомнился михалковский фильм «Утомленные солнцем». Особенно его финальные кадры: яростная драка в салоне машины, на которой арестованного чекистами комдива Котова везли на Лубянку, почти мгновенный переход от остервенения к ле-

357

дяному спокойствию, и в особенности то, как поразительно точно сыграли Михалков и Меньшиков своих героев.

Никогда заранее не знаешь, о чем ты будешь думать в те мгновения, когда тебя поведут на смерть.

Беслан сидел слева от Протасова, подпирая его массивным корпусом. Помимо этого, он держал кяфира своей железной дланью за руку, чтобы тот не вздумал брыкаться. Саит — справа на заднем сиденье, кресло пассажира, расположенное впереди, пустовало. Мешок с головы заложника так и не сняли, как и наручники.

Вайнах, сидящий за рулем, проложил маршрут, строго следуя инструкциям амира. «Форд», проехав километров около трех по грунтовой дороге вдоль лесопосадки, приближался к развилке, от которой до нужного им места рукой подать.

Дорога была хотя и грунтовой, но достаточно ровной. Поэтому вайнах давил на газ, чтобы побыстрее добраться до места, разделать там кяфира, как тушу, и, пока окончательно не рассвело, успеть вернуться обратно.

К плавному, как дуга, повороту он подъезжал со скоростью около восьмидесяти.

«Сейчас, — сказал себе Протасов, уловив начало этого гибельного виража. — Да, прямо сейчас!»

Резко отклонившись назад, сколько позволяла спинка сиденья, Протасов тут же как пружина выстрелил вперед, разрывая цепкие объятия с двух сторон и одновременно метясь скованными браслетами руками в цель, каковой являлся затылок водителя.

Попал...

«Номер» получился даже покруче, чем тот, что продемонстрировал, улетев со своим «Шевроле» в овраг, Ахмад Бадуев.

Водитель, получив страшной силы удар по голове, ткнулся носом в баранку. Вместо того чтобы довернуть ее в том направлении, куда искривлялось дорожное полотно. Соответственно, убрать ногу с педали газа он тоже «забыл».

Протасова выручило то, что его инстинктивно дернул за шиворот Беслан — у этого массивного вайнаха оказалась поразительно быстрая реакция.

Но это единственное, что успел предпринять Беслан.

«Форд-Скорпио», двигаясь на скорости под восемьдесят, не вписавшись в поворот, вылетел под острым углом с дорожного полотна, чуть накренившись на левую сторону, подскочил передними колесами на какой-то кочке, и, не успев приземлиться, с хряском врезался в ствол многолетней липы...

Протасов, хотя и сумел упереться скованными руками в спинку переднего сиденья, — спасибо Беслану, что дернул на себя, — ощутил мощный динамический удар, от которого у него громко лязгнули зубы.

Справа от себя, едва только он обрел способность соображать, там, где сидел Саит, он ощутил пустоту. Но ему следовало не только быстро соображать, но еще и очень быстро действовать...

Беслану, кажется, крепко досталось. Во всяком случае, в первые секунды после столкновения «Форда» с деревом он ничем себя не выказал... Протасов, чуть отклонившись вправо — куда это подевался Саит? — угостил своего соседа слева ударом с двух рук, сцепленных воедино. Попал, сдается, в плечо... Беслан тут же захрипел, завозился... Растормошил, блин, медведя!

Прохрипев короткое ругательство, Протасов еще раз двинул взятыми в замок кистями рук Беслана и на этот раз, как ему показалось, угодил в его медвежью башку.

Еще раз... Еще! До режущей боли в израненных запястьях! Еще!! Ожидая выстрела каждую секунду — от любого из этой троицы! Или смертельного удара ножом! Все...

Только сейчас Протасов, едва не рыча от возбуждения и ненависти, сдернул своими скованными окровавленными руками мешок с головы.

Но куда же подевался Саит?!

Вайнах, лучший приятель Беслана, выставил своим телом лобовое стекло «Форда». Но не до конца, а так, что его ноги до половины торчали из проема, а туловище лежало на деформированном капоте — машина врезалась в ствол в районе левой фары.

Водитель навалился всей массой на баранку. Голова свернута набок — сразу видно, что не жилец.

Беслан с разбитой головой тоже не подавал признаков жизни. Протасов, держа в поле зрения Саита, — сначала дернулась одна нога, затем вайнах заелозил, пытаясь выбраться наружу, — ткнулся двумя руками к поясной кобуре Беслана, откуда торчала ребристая рукоять пистолета. Завозился мокрыми и липкими от крови пальцами, пытаясь ее расстегнуть. Получилось, наконец...

Саит тем временем сполз по капоту и... пропал из виду. Нет, опять появился! Все же встал на ноги, гад... Саита повело вначале влево, так, словно он был в дупель пьяный, потом, когда он попытался выровнять положение, резко бросило в противоположную сторону — но вайнах успел опереться о капот.

В боковой дверце что-то заело... Она чуть только приоткрылась, но дальше не шла. Протасов, отклонив корпус, саданул в дверцу ногой... Вот теперь она нормально открылась!

Мешая русский и французский мат, Протасов вывалился из машины. Хотя в глазах у него плыли цветные пятна, он не выпускал из виду шаткий силуэт. Он направил на этот силуэт беслановский «ствол» и нажал на курок... Ничего?! Черт... Не снял с предохранителя, как тогда, в Гехи-Чу, когда с ним случился припадок...

Саит сделал несколько шатких шагов, но не к нему, а от него. Похоже, так сильно ударился при аварии, что напрочь забыл о том, что вооружен.

Протасов, прихрамывая на правую ногу, догнал его и свалил на землю. Застрелить этого гада было мало.

— Ну и живучие же вы, твари! — прохрипел он, переворачивая зачумленного вайнаха на спину. — Посмотри на меня, Саит! Ну!! Раскрой глаза, мать твою!!!

Он отложил «ствол» в сторону. Двумя все еще скованными руками потянул из ножен Саитов клинок...

— Ты когда убивал людей, куда метил?! А?!

Лицо вайнаха было залито кровью. Саит сморгнул раз и другой, затем все же открыл глаза — но в них уже ничего нельзя было прочесть.

— Ты всегда целился в сердце?

Протасов, держа клинок двумя руками, занес его над головой, затем, коротко и яростно выдохнув, вогнал лезвие в левую грудину Саиту по самую рукоять.

— Ну так подыхай...

Минуту, а может, и больше, он сидел, обессиленно привалившись спиной к стволу липы — с другой, неповрежденной, стороны его спасительницы.

До смерти хотелось курить. Но вайнахи оказались некурящими... Покопавшись в вещах Саита, он нашел ключи от наручников и наконец избавился от них. Затем, не теряя уже ни секунды времени, протер рукоять Саитова тесака — зачем оставлять свои отпечатки? — и взял у него «ствол» — у вайнаха был при себе «ТТ», а в отдельном кармашке глушитель к нему.

Затем Протасов осмотрелся. Да, именно по этой грунтовой дороге везли его на казнь чеченцы...

Глава 21

Хан, крепко подумав, решил не посвящать Бекмарса в эту грязную историю с похищением девушки, организатором которой, судя по накапливаемым Абдуллой и Ахмадом сведениям, является его родной брат Ильдас.

Бекмарс после переговоров с людьми из «Халлибертон» воспрял духом и с головой ушел в дела компании, частично запущенные по вине нового руководства. Когда он узнал от Хана, что Ильдас не посвящен в ход переговоров с представителями «Халлибертон», он отнесся к этой новости спокойно. И даже дал слово отцу, что, пока не завяжутся все кончики, пока не будет заключена масштабная сделка, он также ничего не будет рассказывать брату об этих делах.

Пожалуй, это было разумное решение — держать до поры Ильдаса подальше от «секретной» сделки. Он все равно мало что понимает в нефтегазовом бизнесе. Торговать ядовитыми веществами, которые применяются для повышения октанового числа бензина, — да, на это у него ума еще хватает. А вот когда имеешь дело с такими акулами бизнеса, как люди из «Халлибертон», и когда счет идет на сотни миллионов долларов, которые будут выплачены, как говорится, не за красивые глазки — в таких сложных вопросах Ильдас сущий профан.

Не зря ведь Руслан не подпускал его к своей компании и на пушечный выстрел. Понимал, значит, что от младшего брата Ильдаса, излишне горячего, авантюриста по натуре, да еще и склонного к принятию самых жестких решений, не то что толку для его бизнеса не будет, но и большой вред может быть нанесен.

Поэтому Бекмарс, ощутивший твердую почву под ногами и увидевший перед собой ослепительные горизонты, из-за своей нынешней занятости даже думать перестал про Ильдаса и про вынашиваемые им замыслы, которыми, кстати, тот с недавних пор почему-то перестал с ним делиться.

Что же касается Искирхана Хорхоева, то такое положение дел, когда Бекмарс оказался как бы вне всей этой дурно пахнущей истории с похищением дочери Руслана, его полностью устраивало.

Это означает следующее: всю ответственность в этой, мягко говоря, непростой ситуации, чем бы все ни завершилось, глава рода Хорхоевых брал на себя.

Абдулла и Бадуев, ставшие за последние часы неразлучной парой, подъехали около трех ночи. С ними приехали двое вайнахов, которые будут находиться в доме Искирхана Хорхоева с целью защиты его обитателей. Оружие поздним вечером привез еще один сотрудник Абдуллы, кроме того, в доме имелась коллекция охотничьих ружей, включая карабин «сайга» с оптическим прицелом. Хан, даже если и был недоволен этими приготовлениями, не подавал вида. Маловероятно, что кто-то решится напасть на дом и его обитателей — прежде всего, конечно, опасность грозит самому Хану, — но, когда на кону стоят очень большие деньги, ожидать можно всякого.

— Учитель, мы «пробили» нынешнее местонахождение большинства людей, близко связанных с Ильдасом, — доложил Абдулла. — Не смогли пока «установить» Казбека...

— Он уже неделю как мертв, — вставил реплику Бадуев.

— ...и еще Тимура по прозвищу Бухгалтер, — закончил Абдулла.

Они поочередно стали рассказывать о ходе поисков. Хан, не упуская из виду и мельчайшей детали, исподволь разглядывал этих двух вайнахов. Двужильные все же они люди. Две ночи кряду не спят, мало того, еще и действуют с бешеной энергией — а по их виду этого не скажешь.

На редкость верные, преданные вайнахи. С Абдуллой все ясно: Хан взял его к себе в дом мальчиком-сиротой и воспитывал так, как не воспитывал даже собственных сыновей и внуков. Что же касается Ахмада, то здесь отдельная история... Бадуев из кистинцев, проживающих в Панкисском ущелье Грузии. Уже в ту пору кое-кто из вайнахов промышлял недобрыми делами, да еще приобщал к таким занятиям, как захват заложников, молодых людей, только начинающих жить. Руслан разузнал всю эту историю доподлинно... Ахмаду, выходцу из семьи со скромным достатком, было семнадцать лет, когда один из сельчан с соответствующей репутацией предложил ему сходить на одно «дело». Бадуев, хотя в разных молодецких затеях был первым, предложение отклонил. Тот продолжал настаивать, а затем в присутствии других людей обозвал Ахмада Бадуева трусом, а также, перейдя на русский, заявил: «Ты, Ахмад, не наш вайнах, а русская баба!»

Такие оскорбления по древнему, но действующему обычаю смываются только кровью.

Никто и ахнуть не успел, как чеченец, оскорбивший Бадуева, упал на землю, а из груди его торчала рукоять кинжала... Хотя все сделано было по обычаю, родственники убитого сочли себя кровниками. Спустя несколько дней Ахмаду пришлось убить еще двух вайнахов, иначе они убили бы его самого. Семья Бадуева переехала в Чечню, а сам Ахмад некоторое время вынужден был прятаться у кахетинцев (буквально за пару недель до событий Бадуев освободил парнишку, которого держали в яме, и доставил его в одно из соседних грузинских сел. После этого случая он стал для этих людей своим).

Спустя примерно полгода Бадуев объявился в Грозном. Он хотел устроиться на промыслы, на любую, самую черную работу, чтобы иметь возможность давать хоть немного денег своим родителям... Случай распорядился так, что Руслан Хорхоев, который часто наведывался в Грозный по разным делам, наткнулся на этого парня. Узнав, что тот ищет работу, Руслан забрал его с собой. Тогда, в середине восьмидесятых, жизнь уже пошла такая, что он предпочитал держать около себя пару-тройку крепких парней — к их числу примкнул и Ахмад.

Руслан редко ошибался в людях. Он смог что-то разглядеть в этом повстречавшемся ему в Грозном парнишке, а Бадуев за ту перемену, что случилась в его жизни, платил Руслану Хорхоеву преданностью и добром.

— Отсюда можно предположить, что Бухгалтер, который помогает Ильдасу решать денежные вопросы, находится в том месте, где они держат в заложницах Тамару, — сказал Абдулла. — Мы сейчас занимаемся выяснением еще одного любопытного момента. Вечером мы допросили парня, работающего в автомастерской в Реутове. Тот рассказал, что Ильдас, когда приезжал из Москвы или с Истры, каждый раз оставлял у

365

них свой «БМВ» и брал разъездной джип, на владение которым у него тоже имеются документы. Охрану он отпускал или просил обождать его в Реутове. С собой он брал только Казбека или Тимура, иногда обоих. В последние дни — только Тимура. Кстати... Тем вечером, когда похитили Тамару и ее русского приятеля, Ильдас приехал в мастерскую и, пересев на джип, куда-то уехал на ночь глядя. Вернулся он только рано утром...

— Похоже, Ильдас обзавелся в Подмосковье какой-то собственностью, — высказал предположение Ахмад. — Оформил все не на себя, а на кого-то другого. Собственность эта, скорее всего, находится где-то восточнее Москвы, на горьковском или владимирском направлении. Абдулла говорит, что у него таких данных нет.

— Мне ничего об этом не известно, — кивнул тот. — А вам, Учитель?

— Мне тоже, — сказал Хан. — Постарайтесь срочно выяснить, где именно находится эта «неучтенная» собственность Ильдаса.

— Будет сделано, — заверил Абдулла.

— Как обстоят дела с противодействием людям из «Аркады»? — поинтересовался Хан. — Вы работаете в этом направлении?

— Да, Учитель, — сказал Абдулла. — Если не возражаете, мы вернемся в офис на Полянке... Что касается «Аркады», то начнем действовать как только представится удобный случай.

Анна Тимофеевна имела привычку не оставлять мусор на ночь. Но так случилось, что она изменила своему правилу, забыла вечером совершить короткую прогулку к мусоропроводу. Впрочем, ее забывчивость можно извинить тем, что вчера, ближе к концу рабоче-

366

го дня — сама Анна Тимофеевна уже два года как на пенсии, — к ней, в двухкомнатную квартиру в Митине, приехала дочь Виктория. Да не одна, а с детьми, внуками Артемом и Полиной. Причем Викуля сразу объявила, что они останутся здесь ночевать.

У Вики и ее мужа Сергея есть свой добротный дом в Апрелевке. Дочь как-то проговорилась, что цена их дому — полмиллиона. И не рублей, а долларов. Анна Тимофеевна, конечно, часто бывает у дочери — почему лишний раз не увидеться с внуками? Но свое Митино, где у нее полно знакомых, и свою квартиру, из окон которой виден светлый корпус роддома, где она проработала много лет до пенсии, она тоже любит.

То, что Вика приезжает к ней иногда в Митино и остается ночевать вместе с детьми — иногда даже задерживается здесь на несколько дней, — у Анны Тимофеевны не вызывало никаких вопросов. Почему бы родной дочери не приехать к маме? И жить здесь столько, сколько она считает нужным. Что в этом необычного? Нормальные родственные отношения.

У Анны Тимофеевны, правда, были кое-какие подозрения на сей счет. Она хорошо изучила свою дочь, а потому не могла не замечать, что Викуля в такие дни, когда она с детьми остается в Митине, заметно нервничает. Наверное, это как-то связано с работой Сережи. В прошлом Викин муж служил в госбезопасности, а сейчас работает в какой-то крупной фирме. Получает там очень высокую зарплату. А в нынешней России, это знает и младенец, большие деньги, особенно специалистам по безопасности, просто так никто не платит.

Наверное, думала про себя Анна Тимофеевна, Викуля приезжает сюда с детьми в те дни, когда ее муж Сергей получает какие-то рискованные задания. Она как-то пыталась поговорить на эту тему с дочерью, но

Вика лишь раздраженно отмахнулась: «Не говори глупости, мама...» Виктория нахваталась разных привычек от своего супруга, в том числе и нежелание говорить с близкими о сколь-нибудь серьезных делах.

Но это так, к слову.

Конечно же, Анна Тимофеевна рада была принимать у себя дочь и внуков. Сразу же занялась выпечкой — дети любят, — потом смотрели телевизор, разговаривали...

А мусор вынести за всеми этими хлопотами забыла.

Встала она рано. Даже раньше обычного, в начале шестого утра. Умылась, поставила на плиту чайник. А потом вспомнила про полное мусорное ведро.

Она вышла на лестничную площадку, вытряхнула ведерко в мусоропровод, а когда подходила к двери своей квартиры, которую оставила прикрытой, но не запертой на ключ, увидела какого-то мужчину, спускавшегося по лестнице с верхних этажей.

Дальше произошло то, чего Анна Тимофеевна никак не ожидала.

Мужчина неожиданно набросился на нее. Женщина и охнуть не успела, как незнакомец одной рукой в перчатке закрыл ей рот, а другой толкнул незапертую дверь. Она была так напугана, что выронила пустое пластмассовое ведерко. Мужчина, продолжая удерживать ее, задвинул это ведерко ногой с лестничной площадки в прихожую. Втолкнув туда же Анну Тимофеевну, вошел вслед за ней в квартиру, не забыв закрыть за собой дверь.

Она попыталась было открыть рот, но мужская перчатка, залепившая уста, не давала вырваться из них ни звуку.

— Тссс! — произнес мужчина, на котором, как она

368

уже заметила, была надета маска с прорезями для глаз и рта. — Будете вести себя разумно, никто не пострадает! Ни вы сами, ни ваша дочь, ни ваши внуки...

Перед ее глазами, распахнутыми от ужаса, появился пистолет с длинным набалдашником. Анна Тимофеевна, имея такого зятя, как Сережа, знала, что эта штуковина зовется «глушитель». И что из такого оружия можно убивать людей бесшумно, даже соседи по лестничной площадке не проснутся.

В этот момент из гостиной в коридор вышла Вика в ночной рубашке. Она сладко зевнула, потянулась с зажмуренными глазами, потом полушепотом произнесла:

— Мама, ну что ты скребешься с утра пораньше...

И только потом заметила присутствие в маминой квартире постороннего мужчины с пистолетом.

Человек в маске втолкнул обеих женщин в кухню. Чтобы не тревожить детей, которым в это раннее время положено видеть сладкие сны, он плотно прикрыл кухонную дверь. А потом негромким голосом, коротко, но энергично разъяснил женщинам, что от них требуется.

Виктория, хотя и была сильно напугана, да к тому же в квартире находились ее дети, все же попыталась качать права.

— Если у вас есть какие-то вопросы к моему мужу, то при чем здесь я, моя мама и мои дети? — нервным шепотком произнесла она. — Да и вообще вы представляете себе, в к а к о й конторе работает мой супруг?! Вы не боитесь, что, если вы не уйдете отсюда немедленно, у вас могут возникнуть крупные неприятности?

— Нет, не боюсь, — донесся из-под маски спокойный голос. — Звоните мужу. Прямо сейчас! Номер я вам сам наберу... Если откажетесь, я убью вас и ваших детей.

Чертанов ночевал в своей конторе в Мневниках. Спецотдел службы ЭМ мог потревожить его в любой момент, особенно в этой ситуации. Если появятся данные о местонахождении Тамары Истоминой и ее друга, он немедленно отдаст своим людям, находящимся в полной боевой готовности, команду «фас».

Услышав мелодичные переливы сотового телефона, он встал с диванчика, на котором коротал эту тревожную ночь. Взял со стола трубку, тут же по высветившемуся номеру определил звонившего.

Звонила Вика, со своего сотового. Странно, что это ей в такую рань не спится на маминых пуховиках?

Разговор с женой получился короткий, но за эту минуту Чертанов так взмок, будто находился на палящем солнце...

Разговаривая с женой, а потом с тем, кто перехватил у нее трубку, Сергей Иванович одновременно, воспользовавшись еще одним мобильником, набирал номер старшего дежурной смены «Аркады». Определенно, ему сейчас нужна была помощь его крутой фирмы. Чертанов хотел было сыграть «тревогу» для дежурного звена «Аркады», но... решил пока с этим не торопиться.

— У вас есть минута, чтобы спуститься и выйти из подъезда, — послышался из трубки мужской голос. — Если опоздаете хоть на секунду, мы убьем... для начала вашу дочь.

Чертанов ощутил, как его горло перехватила удавка.

— Все, время пошло!

Не теряя ни секунды, Чертанов ринулся вон из кабинета. Шестое чувство подсказывало ему, что с эти-

370

м и людьми шутить нельзя. Он хлопнул дверью, не зная даже, закрылся ли автоматический замок, запирающий дверь его офиса. Потом, перепрыгивая через две-три ступеньки, понесся с четвертого этажа на первый.

Затем мимо сонного вахтера, едва не вышибив перекладинку турникета.

Вылетел во двор, где в это раннее время никого не было...

Ан нет! К подъезду мягко подкатил серый, как занимающийся рассвет, микроавтобус. Почти бесшумно скользнул боковой люк. Без долгих раздумий Чертанов нырнул в него.

Люк тут же закрыли. В следующее мгновение водитель тронулся с места и взял курс в известном лишь этим людям направлении.

Не успел он толком отдышаться, как чей-то знакомый голос произнес:

— Я знал, господин Чертанов, что вы разумный человек...

Глава 22

Протасов шел по обратному следу, как матерая ищейка, наделенная острым безошибочным обонянием. Вернее сказать, не шел, а бежал, прихрамывая на правую, ушибленную при аварии, ногу. Он должен экономить время. Неизвестно, о чем договаривался Муталиев со своими подручными. Возможно, он приказал им пристрелить Протасова где-то в лесочке и в темпе возвращаться назад. И если их слишком долго не будет, Ваха и остальные, кто остался с Тамарой, могут встревожиться... Не исключено также, что кто-то из автомобилистов, кто будет проезжать развилку, сразу же позвонит в милицию. Это обязательно случится. Рано или поздно кто-то наткнется на разбитую машину, увидит трупы и сообщит «куда надо». Поэтому он, Протасов, прежде чем округу в районе развилки начнут прочесывать прибывшие по вызову сотрудники милиции, должен покинуть опасную зону.

Местность была ему незнакомой. Дорогу, по которой его везли чеченцы, он видеть не мог из-за надетого на голову полотняного мешка. Но, кроме зрения, у человека есть и другие органы чувств и пространственной ориентации. Когда Протасова везли на казнь, в памяти его отложились кое-какие очень важные детали. Когда и какие скорости переключал водитель, в какую сторону слегка кренилась машина на поворотах, спустя какое время после их старта под колесами тачки плеснула вода — они форсировали неглубокую лужицу — и так далее.

Да, всякому-разному научили Протасова годы, проведенные им в армии. В российской и иностранной. Такому научили, о чем, слава богу, мирные граждане и не ведают.

Протасов решил сделать крюк, удлинив расстояние, которое ему нужно преодолеть, примерно на километр. Приблизиться к «объекту» с той же стороны, откуда они выехали на «Форде», было бы глупо и небезопасно. Кто-то из чеченцев, тот же Муталиев, может наблюдать за отрезком проселка, проложенного к лесопосадке, откуда по еще одной проселочной дороге можно попасть к роковой развилке. Для этого не обязательно торчать на улице, можно глазеть на окрестности в окно.

Поэтому он бежал по заросшему стерней полю, в мокрых до колен брюках от выпавшей росы, в направлении рощицы, которая, как он просчитал, своей юго-восточной опушкой должна соседствовать с «объектом».

...Протасов наконец понял, как могло случиться, что Саит угодил в лобовое стекло «Форда», хотя в момент аварии находился, как и он сам, на заднем сиденье машины. Очевидно, все произошло в те короткие мгновения, когда Протасов обрушился скованными руками на затылок ни о чем не подозревающего водителя. Беслан тогда дернул заложника за свитер сзади, чем, вероятно, спас ему жизнь... Что касается Саита, то он, вероятнее всего, тоже привстал со своего места. Для того, чтобы помочь Беслану вернуть кяфира в прежнее положение. Или воткнуть пленнику нож в спину, под левую лопатку. Не суть важно, о чем он тогда думал. Важно другое: в тот момент, когда Саит привстал с заднего сиденья, «Форд» врезался в дерево, и чеченца швырнуло в лобовое стекло...

Беслан и Саит лежат километрах в четырех от этой рощицы, вдоль опушки которой он сейчас бежит. Один с разбитой головой, другой с ножом в груди. А еще с дырочками, оставленными в черепах девятимиллиметровым калибром. Чтобы не случилось так, как произошло с ним самим, — когда ему удалось избежать гибели на ночном шоссе, — Протасов сделал по каждому из приговоренной им троицы чеченцев по контрольному выстрелу в голову.

Рощица перешла в кустарник. Сизый утренний туман с первыми лучами солнца быстро редел, распадаясь на отдельные бесформенные клубы. Маскируясь зелеными купами кустарника, Протасов подобрался вплотную к невысокой, метра в полтора, ограде. Справа от него, в полусотне метров, находился недостроенный коттедж, смахивающий на макет бункера для военного полигона. В нескольких метрах за оградой, тылом к опушке рощи, находились гаражные боксы, а из-за них выглядывала оцинкованная крыша двухэтажного коттеджа.

Осмотревшись, Протасов перемахнул через ограду. Слегка пригнувшись, держа чуть на отлете руку с пистолетом, на который был навернут «глушак», перебежал к тыльной кирпичной стенке гаража. Здесь на короткое время замер, прислушиваясь.

Сторожевого пса, судя по всему, они тут не держат. Это не могло не порадовать Протасова. Псина наверняка учуяла бы чужого и подала знак своим хозяевам. А у Протасова, чтобы успокоить полкана до того, как тот зайдется бешеным лаем, не было при себе ни снайперского «винтореза», ни даже «калаша» с оптикой и глушителем, который так пригодился ему в ходе осуществленной на пару с Бадуевым акции.

Определенно, кто-то возился в гараже... Протасов обошел угол гаража. Двигался он сторожко, не выпуская также из поля зрения ту часть коттеджа, которая ему была сейчас видна. Пистолет с навернутым глушителем он теперь держал двумя руками. Еще один «ствол», отобранный им у Беслана, выглядывал своей ребристой рукоятью из-за пояса, так чтобы его можно было выдернуть в случае необходимости и тут же пустить в дело.

В гараже возился какой-то чеченец, но не Ваха Муталиев. Присев на корточки, находясь спиной к распахнутым гаражным дверям, он шлифовал какой-то тряпицей и без того сияющий молдинг «Чероки». За неимением скакуна джигит решил почистить железную лошадку...

Почувствовав что-то, вайнах резко обернулся.

Раздался смачный хлопок. И еще один... Двумя выстрелами Протасов сбил вайнаха с корточек на землю.

Подошел к нему и с близкого расстояния сделал контрольный выстрел.

Он хотел уже наклониться к своей жертве, чтобы проверить, есть ли у вайнаха при себе документы и оружие. Но в этот момент услышал, как хлопнула входная дверь коттеджа. А следом и звуки приближающихся шагов.

Ваха Муталиев, войдя в гараж, вдруг застыл у входа, увидев лежащего на боку подле «Чероки» вайнаха. И человеческий силуэт справа от себя, разросшийся вдруг до размеров огненного шара — который взорвался мгновением спустя у него в груди.

Протасов подошел к упавшему навзничь чеченцу.

— Напрасно, Муталиев, ты плохо говорил про моих родителей.

Меркнущий взор вайнаха был направлен на черный зрачок пистолета.

— Будет не так, как ты хотел, — сказал Протасов. — А по-другому, как ты заслуживаешь.

После чего добил Муталиева выстрелом в голову.

Тамара, скукожившись и обхватив плечи руками, сидела в кресле. Ее по-прежнему всю колотило. И от расшалившихся вконец нервов, и от пропитанного сыростью холода, который вошел в ее тело за те показавшиеся ей вечностью часы, что она провела в «одиночке»...

Тимур насыпал в чашку две ложки растворимого кофе и залил его кипятком из электрочайника. Тамара на этот раз не стала отказываться и выпила обжигающий нутро напиток. Но ее все равно продолжало колотить.

Бухгалтер, понимая, в каком состоянии находится девушка, оставил ее на время в покое. Чеченец выжидал, как и Ваха Муталиев, который пару раз заходил к ним в помещение, о чем-то коротко переговаривался с Тимуром и опять куда-то уходил. Что же касается девушки, то ничего хорошего для себя она уже не ждала.

Тамара все прекрасно осознавала. Она ясно видела край пропасти, разверзшейся у нее под ногами. Тимур и Ваха ожидают возвращения своих подручных, которые повезли куда-то Сашу Протасова. Как только они вернутся, Тимур прикажет перевести заложницу в другое место. А потом, рано или поздно, вскроется, что Тамара Истомина водила их за нос, что нет у нее на офшорных счетах этих пятидесяти миллионов долларов, а значит, она не сможет удовлетворить аппетиты Ильдаса Хорхоева.

Да, им кое-что удалось выяснить в Англии, Ильдасу и его людям. Но из всей добытой информации ими были сделаны ошибочные выводы. Вот же кретины... Откуда у нее может взяться п я т ь д е с я т миллионов долларов?!

Одно время папа сам занимался благотворительными проектами. Он выделял на эти цели какие-то финансы, а назначенные им люди осуществляли конкретную адресную помощь — таковая оказывалась не только нуждающимся чеченским семьям, хотя отец, конечно, не мог не поддерживать материально свой страдающий от военных тягот народ...

Увидев, что дочь тоже горит желанием поучаствовать в столь благородных акциях, Руслан Хорхоев стал постепенно вводить ее в курс дела, а также доверять ей расходование на эти цели определенных, поначалу не слишком значительных денежных средств. С одним условием: никаких самостоятельных поездок в регион Северного Кавказа! Все операции организованный ею фонд должен производить через британского менеджера, имеющего опыт подобной деятельности.

Постепенно отец увеличивал размер денежных средств, которые его дочь через свой фонд и тбилисский филиал пускала на благотворительные цели. Папа предупреждал ее, что в первое время у нее не все будет получаться и что некоторая часть этих денег попросту не дойдет до конкретных адресатов — в форме продовольствия, одежды, медикаментов... Но это неизбежный этап в ее жизни. Он верит в способности своей дочери и знает, что в будущем, когда она многому научится на собственном опыте, у нее все будет получаться наилучшим образом.

За жизненный опыт, говорил папа, всегда приходится чем-то платить.

В начале этого года отец сказал, что будет переводить в ее фонд до пяти процентов денежных средств от суммарной величины каждой заключаемой его компанией сделки. То есть каждый доллар из двадцати, проходящих по финансовой бухгалтерии Руслана Хорхоева, должен быть переведен, сколь бы ни велика была сумма заключенного контракта, в гуманитарный фонд дочери.

Таким образом, когда президент ОАО «Альянс» взял крупный кредит у швейцарских банкиров, он, осуществив известные только ему банковские операции, автоматически перевел на счета нью-джерсийского офшора, подпитывающего учрежденный Истоминой в Британии фонд, пять процентов от суммы взятого им кредита, то есть два с половиной миллиона долларов.

Но отнюдь не все пятьдесят миллионов, как предполагает излишне горячий, чересчур жестокий и не слишком умный папин брат Ильдас.

Тамара от своего лондонского адвоката, которого ей нашел отец, знала, что двадцать третьего августа — папа продлял сроки каждые четыре месяца, но из-за его гибели они остались неизменными — ей будут вручены некие бумаги, каковые оставил в адвокатской конторе Руслан Хорхоев для своей дочери, оговорив для этой процедуры определенные условия.

Тамара предполагала, что отец включил ее в свое завещание. Папа не раз заявлял ей, что большие деньги портят людей. Не всех, конечно... Но опыт России показывает: многие быстро разбогатевшие люди находят своим деньгам не лучшее применение...

Но тот же папа как-то сказал ей, что если его вдруг не станет, то его дочь и дети его дочери никогда и ни в чем не будут нуждаться.

Но что толку сейчас об этом думать? Ее и раньше не слишком интересовали папины капиталы и папина нефтяная компания. Ей нужен был Руслан Хорхоев, сильный, надежный, мудрый, любящий отец, а не его миллионы...

Так что пятьдесят миллионов долларов, чтобы заткнуть ими пасть этим ублюдкам, взять ей решительно негде.

Тимур стал выказывать некоторое беспокойство. Он уже несколько раз бросал взгляд на наручные часы, затем принялся о чем-то шептаться с Вахой. Муталиев, кивнув головой, ушел. Тамара из всего этого сделала вывод, что трое вайнахов, которые повезли куда-то Протасова, все еще не вернулись. И что Тимур начинает тревожиться по этому поводу.

Чеченец подошел к окну, снабженному жалюзи. Но звук открываемой двери заставил его обернуться. Тамара тоже посмотрела на дверь. И тихо сказала: «Ой!»

На пороге стоял Протасов. В мокрых выше колен брюках, на которые налипли травинки. В бесформенном сером свитере. С разбитыми запекшимися губами и синяками под глазами.

Но с пистолетом в руке.

— Руки на затылок, Тимур! — скомандовал он. — Тамара, оставайся пока в кресле!

Тамара, даже если бы и захотела, вряд ли смогла бы сейчас подняться с кресла. Ее будто столбняк поразил. Она даже моргнула изумленно — не привиделся ли ей часом Протасов?

Тимур, налившись мертвенной бледностью, медленно поднял руки, затем заложил их, как ему было сказано, на затылок.

— Лицом к стене!

Тимур выполнил и эту команду.

Протасов подошел к чеченцу сзади и треснул его по затылку рукоятью пистолета. Тимур, оседая, стал заваливаться влево, но Протасов успел поймать его за руку и помог аккуратно опуститься на пол.

Отомстив последнему из оставшихся в живых чичиков за недавний удар дубинкой по голове, Протасов обернулся к застывшей в кресле девушке.

— Что будем делать с этой сволочью? Может, мне пришить его? Или он еще на что сгодится?

Тамара тихо произнесла: «Ши-ит!» Потом наконец вскочила с кресла и бросилась Протасову на шею...

Когда схлынули бурные эмоции, они занялись делом. Оставаться слишком долго на этом Ильдасовом объекте было рискованно. Но и бежать немедленно отсюда, полями и лесами, невесть куда — решение не самое разумное.

Тамара нашла аптечку и забинтовала Саше израненные запястья, сначала обработав ранки йодом. Затем Протасов связал Тимуру руки и ноги. Отперев

379

подвал, поволок чеченца вниз, в темницу, не особенно заботясь о сохранности его костей и шкуры. Закрыл его в той самой камере с кандалами, где недавно содержали его самого. Но заковывать в цепи не стал — не было времени.

Он запер дверь камеры, решив прихватить ключи от темницы, как вдруг услышал донесшийся откуда-то слабый мужской голос...

В доме нашлось кое-что из одежды, поэтому старика удалось приодеть. Тамара, правда, сообщила, что обнаруженный Протасовым в темнице человек никакой не старик, а ровесник и друг ее отца. И что зовут его Николай Дмитриевич Рассадин.

— Все это очень хорошо, — сказал Протасов, последние несколько минут выказывавший нетерпение. — Я очень рад! Но давайте, дорогие мои, делать отсюда ноги!

Протасов решил, что ноги им сподручнее всего будет делать на трофейном «Чероки». Затея, конечно, опасная — вдруг гаишники на шоссе тормознут? — но шататься такой компанией по окрестным полям и лесам да наводить справки у местных, как выйти к ближайшей станции, опасно вдвойне.

Какое-то расстояние можно будет покрыть на «Чероки», потому что им нужно как можно скорее и как можно дальше убраться от Ильдасова объекта. После того как удастся определиться, где они сейчас находятся, джип следует бросить. После чего...

Там будет видно.

Протасов сел за руль, Тамара в кресло пассажира, Рассадин устроился на заднем сиденье. Александр тоже успел переодеться: рубашку он нашел в доме, а кожанку отобрал у Тимура. На голову надвинул кепи. На переносице — изъятые у того же Бухгалтера солнцезащитные очки. Но все равно заметно, что рожа — битая.

Рассадин выглядел не лучше со своей клочковатой бородой и землистого цвета лицом. Хотя они наспех умылись в доме, прежде чем оставить «объект», заперев на замки все двери, в салоне джипа все равно ощущался запашок подземных казематов.

Тамара внешне выглядела поприличней остальных. Хотя и тени под глазами, и сами глазки покраснели из-за двух бессонных ночей...

Девушка хотела сесть за руль, но Протасов не позволил. Во-первых, Тамара, пусть и выглядит приличнее, настолько возбуждена, что способна врезаться в первый же фонарный столб. Непременно врежется, поскольку — это во-вторых — она привыкла к британскому левостороннему движению. И в-третьих, командир здесь Протасов, а значит, ему и рулить.

Сотовый Ахмада Бадуева, номер которого был известен Тамаре, не отвечал (кроме всего прочего, Протасов отобрал у Тимура и его мобильник). Это можно было истолковать двояко. Либо Ахмад лишился своего сотового, либо он намеренно отключился, потому что существовали какие-то неизвестные Тамаре и Протасову обстоятельства, касающиеся этого телефонного номера.

Протасов позвонил своей тетке, предупредил, что приедет не к ней в дом, а на дачу и что будет не один.

— А я была на той даче, — сказала Тамара, внимательно прислушивавшаяся к разговору. — Меня там мой папа и твой отец, Дмитрий Протасов, прятали...

— Послушайте, молодой человек, — донеслось сзади. — Александр, да? Гм... Так ваш отец, значит, Дмитрий Протасов?

Протасов, зацепившись взглядом за дорожный указатель, свернул в направлении Фрязева.

— Блин! — сказал он несколько мгновений спустя. — Да закройте вы пока эти шкафы с семейными «скелетами»! Давайте для начала разберемся в текущих делах! А уже потом, в более подходящей обстановке, предадимся фамильным легендам...

Глава 23

Сотрудник спецотдела ЭМ фирмы «Аркада» осуществил важный перехват в 08.47 по московскому времени. Перехват телефонных переговоров велся по списку, составленному Сергеем Чертановым и утвержденному руководителем центрального московского офиса «Аркады». В этом списке значилась с недавнего времени некая Зарубина Ольга Анатольевна, завуч средней школы, проживающая ныне с семьей в подмосковном городе Орехово-Зуево. Родная тетя Александра Дмитриевича Протасова.

Сотовый телефон, с которого звонили госпоже Зарубиной, был зарегистрирован на имя Тимура Аслановича Шерипова, имеющего временную прописку в г. Долгопрудном Московской области.

Но субъект, звонивший госпоже Зарубиной О.А., был идентифицирован службой ЭМ не как Шерипов, а как Александр Протасов, племянник этой женщины.

Из содержания перехвата можно было сделать уверенный вывод, что Истомина Т. А. в данное время находится с Протасовым и их путь лежит в Орехово-Зуево. Вернее, в небольшой дачный поселок, расположенный неподалеку от указанного населенного пункта, где семья Зарубиных с 1983 года имеет свой садовый участок с небольшим кирпичным домом.

Эту информацию следовало немедленно сообщить Чертанову. Сотрудник службы ЭМ, не дозвонившись в офис, расположенный в Мневниках, тут же позвонил Чертанову по сотовому телефону (у Сергея Иваныча, как и у других ответственных сотрудников, трубка была снабжена микрочипом, осуществляющим функции декодера).

Двое сотрудников «Аркады», ожидавшие на конспиративной квартире соответствующей команды от своего шефа Сергея Чертанова, были несколько удивлены, когда последний, вместо того чтобы позвонить, сам вдруг наведался на «явку».

Сотрудник, открывший ему дверь, был также озадачен тем, что шеф появился здесь не один, а с каким-то незнакомым мужиком. Но Чертанов — начальник, ему виднее...

Чертанов вошел в прихожую конспиративной квартиры первым, а чернявый незнакомец, которому с виду было лет тридцать пять, вслед за ним, прикрыв за собой дверь.

Сотрудник, отступив в гостиную, где находился его коллега, бросил на начальство вопросительный взгляд: «Что это за хрен пришел с вами? И почему без звонка?»

Выступивший из-за спины Чертанова Бадуев, несколькими выстрелами из снабженной глушителем «беретты» разложив сотрудников «Аркады» по обе стороны стола, снял все имевшиеся у этих молодых подтянутых людей вопросы.

Именно в этот момент, когда Чертанов был на грани обморока, в его кармане запиликал сотовый телефон — получите экстренное сообщение о важном перехвате!

— Умница, Чертанов! Все ж Комитет неплохо учил свои кадры... Молодец, говорил со своими четко, как по написанному!

Ахмад Бадуев, свесив ноги, сидел на столе, по обе стороны которого — один ничком, второй на спине — лежали подчиненные Чертанова. Разговору они уже не могли помешать. Ахмад сунул пистолет под куртку, предварительно отвинтив глушитель. Держать Чертанова постоянно на мушке не было необходимости. Потому что на мушке была его семья.

Бадуев не только похвалил своего визави, но еще и набрал номер сотового Абдуллы. Учитывая тот уже несомненный факт, что «Аркада» прослушивает телефонные номера фигурантов дела «Истомина, Хорхоевы и К°» — Ильдасу такое было не по зубам, хотя и он суетился в плане прослушки, — приходилось пускаться на различные уловки. Свой новый сотовый, не попользовавшись им и сутки, Ахмад отключил. И теперь он, Абдулла и некоторые сотрудники Абдуллы использовали трубки, зарегистрированные на людей, о чьем существовании «Аркада» и не подозревала.

Когда Абдулла отозвался, Ахмад коротко рассказал ему о «перехвате» и спросил, может ли тот немедленно отправиться сам или отправить надежных людей в Орехово-Зуево, чтобы встретить там, а в случае необходимости и защитить двух молодых людей.

Абдулла сказал, что все организует.

Что касается Бадуева, то он не хотел прерывать эту затею с Чертановым. У него с Сергеем Иванычем установился, кажется, «доверительный контакт». Если подключить для дальнейшей работы с гэбистом других людей, то это чувство «взаимопонимания» может убавиться в силе или вообще пропасть.

Да и времени на подобные маневры не осталось.

Чертанов ощущал себя сейчас, как боксер на ринге, пропустивший нокаутирующий удар. Не хотелось верить своим глазам. Двое его сотрудников, с которыми он ездил в командировку на Северный Кавказ, убиты. И погибли они по его вине.

Но какое ему дело до этих парней из его новой фирмы, которые умерли с тем же тупо-серьезным выражением лиц, что и жили? Он понимал, что его пробили, вероятно, в ходе посещения лагеря «Северный» в станице Слепцовской. И что теперь им занимается один из самых крутых боевиков покойного Руслана Хорхоева, которого, в свою очередь, прикрывает команда, составленная сплошь из чеченцев.

На кону сейчас стоит жизнь жены и детей. И если для спасения родных потребуется сдать еще кого-нибудь, он это сделает, как проделывал, случалось, подобные вещи и в прошлом. Да кто они ему, все эти «тупо-серьезные»? Десятки таких деятелей прошли через его жизнь, иные уже далече... А вот семья у него — одна. И этот черт Бадуев все прекрасно просчитал...

Чеченцы — известные головорезы. Сами смерти не боятся и других с легкостью жизни лишают...

Ну ничего... Если удастся спасти семью и самому как-то отмазаться от Бадуева — придется ему крупную суммочку отвалить, никакой чеченец от выкупных денежек не откажется, — то потом «Аркада» так наедет на московских чеченов, а главное, на семейку Хорхоевых и их друзей, что мало этим чернозадым не покажется.

— Ну что, вспомнил адрес? — поинтересовался Бадуев. — Куда дальше путь держим?

Чертанов весь взмок: такое впечатление, что он час провел в сауне, не снимая костюма. Забыв про носовой платок, он вытер потный лоб ладонью. Потом, тяжело вздохнув, отрицательно покачал головой.

— Нет никого больше, Ахмад. Поверь мне на слово...

Бадуев криво усмехнулся.

— Те, кто верил тебе на слово, Чертанов, давно гниют в земле... Слушай сюда! Эти двое, как я понял, должны были ликвидировать Истомину...

— Не обязательно ликвидировать, — поморщившись, сказал гэбист. — Есть же разные варианты...

— Знаю я твои варианты! — хмыкнул Бадуев. — Еще должна быть как минимум одна «лежка»! Против кого собрались «работать»?! На кого у тебя «заказ»? Не слышу!

— Пока не определились, — выдавил из себя Чертанов.

— Но люди твои, я так понимаю, уже на «товсь»?

Чертанов, хмуро посмотрев на чеченца, промолчал. Бадуев укоризненно покачал головой. Затем взял в руку сотовый и начал набирать номер своего сообщника, контролирующего жену и детей Чертанова.

— Значит, так, — произнес он в трубку по-русски, чтобы и Чертанов понимал, о чем речь. — Придется казнить одного ребенка! Кого именно? А это мы сейчас у родного папы спросим...

Лицо Чертанова перекривила судорога ненависти.

— Поехали, нохча, — процедил он сквозь зубы.

— Куда?

— Город Железнодорожный.

Вторая «лежка» обнаружилась на окраине Желдора, в районе станции Кучино. Бадуев быстро оценил все преимущества избранного Чертановым для временной базы места. Стоило двум молодым людям, натренированным на подобные дела, перейти Носовихинское шоссе, далее перебраться через железнодорожную колею — и они в подмосковном лесу. С белыми березками и медноствольными соснами. И вписанными кое-где в лесистый ландшафт загородными особняками. Дом — рядышком, пешочком всего минут двадцать. Оружие можно захватить с собой, положив на дно спортивной сумки. Или вытащить из тайника, оборудованного в тех местах загодя. Это — не проблема.

Искирхан Хорхоев, верующий в Аллаха, молится, как и положено правоверному, по пять раз на дню. Чаще всего Хан творит молитву на специальном коврике возле беседки, с тыльной стороны особняка. По слухам, глава рода Хорхоевых намеревался устроить молельное помещение в самом доме, но из-за того, что его дети и внуки живут отдельно, своей жизнью, он отказался от этого замысла.

Убийцам не нужно было ждать удобного случая. К примеру, когда Хан покинет свой дом, отправившись по делам в Москву. Если будет отдан приказ на ликвидацию главы рода Хорхоевых, а к этому все и шло, то самое удобное — застрелить старика во время молитвы. Для подготовленного снайпера это пустяковое задание.

Когда можно заграбастать о ч е н ь большие деньги, а завладеть чужой, ставшей после гибели хозяина едва ли не бесхозной собственностью мешают лишь старик и девушка, то стоит ли экономить на патронах? Всего два выстрела, две смерти, и все проблемы будут решены...

События в Желдоре протекали точно по такому же сценарию, что и на прежней «лежке». Потенциальные убийцы стараниями Бадуева, а заодно и их начальника Чертанова сами превратились в жертв.

В «адресе» Бадуев нашел чемоданчик, в котором

387

хранился в разобранном виде ВСС «винторез», а также обнаружил два комплекта оптики, дневной и ночной. Таким образом, его предположение, что готовилась акция по устранению Искирхана Хорхоева (возможно, и его секретаря Абдуллы), обрело теперь вескую доказательную базу.

— Что теперь? — угрюмо спросил Чертанов.

Бадуев бросил на него задумчивый взгляд.

— Полагаю, чекист, пора посетить твой офис в Мневниках...

Спустя примерно час они вдвоем вошли в чертановскую контору. Там все сохранилось в том же виде, как было ранним утром, когда Сергей Иваныч опрометью выскочил из своего офиса, стремясь вписаться в назначенный ему временной норматив.

Увидев, что Бадуев упаковывает в принесенную с собой сумку ноутбук, хозяин кабинета про себя чертыхнулся. Вот же олух царя небесного... Прежде чем выскочить из конторы, мог хотя бы дискетку вытащить из компьютера! Хотя что уж теперь переживать? Снявши голову, по волосам не плачут.

Ахмад хозяйничал в гэбистской конторе как у себя дома. Забрав у Чертанова ключи от сейфа, выгреб все его содержимое в ту же большую черную сумку. Взял фирменный бланк и сам себе выписал пропуск на вынос вещей, чтобы сидящий внизу вохровец, охраняющий вход в здание, где расположены офисы полутора десятков фирмочек и агентств, не прицепился к его поклаже.

Положив пропуск в карман, он проверил ящики стола. В одном из них обнаружил предмет, заставивший его удивленно поцокать языком.

— Так, так... Ты, я вижу, чекист, свой хлеб не зря в

388

«Аркаде» жевал... Недаром вам такие деньжищи платят... Где достал эту штуковину?

— Во Владикавказе, — выдавил из себя Чертанов. — Мент один тамошний преподнес.

Предмет, обнаруженный Ахмадом в ящике чертановского стола, был собственностью Протасова. Да, да, та самая «ладанка», которую однажды он уже держал в своих руках... Вот только пулевой отметины на ее поверхности тогда не было.

В том же ящике он обнаружил томик стихов Бернса на английском. Бадуев на секунду задумался. Кажется, он книжку видел у Тамары.

— Это Истоминой книжка, да? Оттуда же, из Осетии?

Чертанов лишь неопределенно пожал плечами.

— Ну, ну, — хмыкнул чеченец. — Глубоко, вижу, копаете... Работаете как для себя.

«Ладанку» и книгу он положил в сумку. Затем закрыл ее и поставил у входа.

— Надеюсь, все? — напряженным голосом спросил Чертанов. — Тогда прикажи, Ахмад, чтобы твой человек ушел из тещиной квартиры.

— Хорошо, — неожиданно легко согласился Бадуев. — Ты прав, чекист, пора закругляться.

Ахмад набрал нужный номер телефона и распорядился, чтобы вайнах покинул квартиру Анны Тимофеевны.

Сделав это, он положил трубку в карман.

— Как видишь, Чертанов, я держу свое слово.

Чертанов облегченно вздохнул. Вообще-то он не верил чеченцам. Никогда и ни при каких условиях. Но Бадуеву почему-то поверил.

— Спасибо, Ахмад... Слушай, дорогой... Давай поговорим с тобой как деловые люди. Ты хочешь денег?

Скажи, сколько? Кстати... Я могу быть полезен и твоему новому хозяину. Ну, ты понимаешь, о ком я говорю.

Бадуев, стоя спиной к нему и лицом к выходу, казалось, совершенно его не слушал.

— Ты уходишь, да? — обрадовался Чертанов. — Ну и то... Уговор есть уговор...

Ахмад обернулся к нему всем корпусом.

— Я обещал, чекист, отпустить твою семью...

Чертанов с ужасом уставился на зрачок пистолета, который зловеще смотрел прямо на него.

— Но насчет тебя, Чертанов, уговора не было.

...Это был тот редкий случай, когда убийство человека доставило Бадуеву чувство глубочайшего удовлетворения.

Глава 24

Во Фрязеве они сели в электропоезд, следующий в Москву.

Протасов не очень хорошо представлял себе, что им делать дальше. К тому же давали знать о себе нервные и физические перегрузки, выпавшие на его долю в последнее время. Один только утренний эпизод, когда он счастливо спасся, устроив аварию на развилке, чего стоит...

Он решил, что какое-то время, пока мозги не встанут на место, он и его собратья по несчастью перекантуются на теткиной даче. Там есть кирпичный дом, в котором можно жить даже зимой. Никому и в голову не придет — тому же Ильдасу, к примеру, — что они найдут там себе временное убежище. Папина сестра Ольга надежный человек, хотя и училка, но из семьи, где мужчины всегда служили в органах или спецслужбах. Она не проговорится и глупостей не наделает.

К тому же дольше суток, максимум двух, они там не задержатся.

Николай Дмитрич четко косил под скромного пенсионера, высохшего и изнуренного из-за постоянного недоедания, поскольку на нынешнюю мизерную пенсию таким старикам приходится перебиваться с хлеба на воду.

Рассадин все ж таки крепкий мужик. Два месяца провел в Ильдасовой темнице! Если бы не суровая закалка, какую он получил еще в молодости, когда приходилось, скитаясь с партией по глухой тайге, экономить продукты, вряд ли он смог бы перенести такое испытание... А так, хотя и выглядит изможденным, ходит на своих двоих, без посторонней помощи.

В электричке, слава богу, оказались свободные места. «Дедок» вроде как не с ними ехал, усевшись у противоположного окна. И то дело: если бы они кучно сидели, с помятыми физиономиями, — а у Протасова еще и битая, — то их странная компашка наверняка обратила бы на себя внимание других пассажиров.

Протасов почти всю дорогу держал перед собой газету. На самом деле он прикрывался ею, не прочтя и строчки. Но на него, кажется, никто особо внимательно не смотрел.

Большинство людей именно так и устроены: увидев мужика с разбитой мордой, сразу отводят глаза в сторону, чтоб не случилось каких эксцессов из-за их любопытства.

Тамара безмятежно спала у Протасова на плече. Ей снилось, что они с Сашей в доме Бадуева занимаются любовью... Так вот, сон ее, в принципе, оказался не про «это». Хотя «это» составило львиную долю содержания ее сна, в действительности он оказался совсем про другое. Выяснилось это уже в самом конце, в финальной части сновидений, когда электричка, сбавляя ход, вползала в межперронное пространство Курского вокзала.

— Саша, я звонила Хану.

— Да? — рассеянно произнес Протасов, помогая ей, а заодно и Николаю Дмитричу выбраться на перрон. — И что?

— Нет, ты меня не понял. Я звонила Хану в тот вечер, из поселка Мозжинка...

Они уже обогнули тот угол вокзала, где находятся кассы пригородных поездов, когда до Протасова наконец дошло.

Он встал как вкопанный. Остановились и двое его компаньонов. Чтобы на мешать людскому потоку, он взял их за руки, как детей, и отвел в сторонку.

На этот раз Протасов сказал не «блин!», а кое-что позабористей. Но тут же, спохватившись, извинился за свой лексикон.

— Я дура, да? — Тамара бросила на него виноватый взгляд. — Вылитая крэйзи. Ши-ит...

— Да при чем тут ты, Тамара?! Если и есть тут «крэйзи», то это я. — Протасов для убедительности постучал по своей прикрытой бейсболкой голове. — Ахмад велел мне стеречь тебя, а я...

Он в сердцах махнул рукой.

— Тамара, ты уверена, что Хан сам не организовал этот очередной наезд на тебя? И что он не в курсе всех действий Ильдаса?

Тамара бросила на него серьезный взгляд.

— Я в такое не верю!

— Я тоже, — неожиданно подал голос Рассадин. — Ни за что не поверю, что Искирхан Хорхоев способен на такие вещи.

Протасов задумчиво дотронулся рукой до челюс-

ти — она все еще побаливала, равно как ребра и под-
брюшье.

— Что ж получается? Ильдас прослушивает своего
отца?

Выдав эту реплику, он опять хлопнул себя по лбу.

— Вот же черт... Боюсь, к моей тетке сейчас нам
опасно ехать. Если пошли такие крутые напряги, то
могут и там вычислить. Надо будет перезвонить ей и
сказать...

Он почесал в затылке, но ничего умного в голову
ему не пришло.

— Ладно, потом что-нибудь придумаю... Так, так...
Вот это поворот событий! А я-то думал, как это Ильдас
с Вахой нас уже в Подмосковье вычислили...

— Надо ехать к Хану, — сказала Тамара. — Боюсь,
кроме него, нас никто не защитит. Тем более что мы не
знаем, где сейчас Ахмад и как с ним можно связаться.

— Умная мысль, — негромко произнес Рассадин. —
Я считаю это единственным возможным выходом в
данной ситуации. Только Хан может остановить своего сына...

— Где живет Хан? — спросил Протасов.

— Недалеко от Желдора, в загородном доме, — сказал Рассадин. — Кстати, Александр... Можно, конечно, и на такси туда отправиться. Но раз уж мы на Кур-
ском, то проще махнуть туда электричкой.

— Да, я помню, — кивнул Протасов. — Мы проезжали Желдор... А вы не подумали о том, что дом самого Хана может оказаться под наблюдением? Тамара,
ты слышишь, что я говорю?

Но девушка его уже не слушала. Чуть раскрыв рот,
она смотрела куда-то вдаль, словно увидела там нечто
чрезвычайно интересное.

— Москва, — наконец сказала она. — Послушайте... Это же — Москва!

Протасов недоумевающе пожал плечами.

— Понятно, что не Париж или Лондон... Ну Москва... И что?! Нам, Тамара, сейчас не до московских красот!

Девушка задумчиво поцокала язычком.

— Это хорошо, что мы в Москве, — сказала она. — Я здесь не была с двенадцати лет... Надеюсь, за это время здесь открылось хоть одно Интернет-кафе?

Сели в такси возле вокзала и поехали искать.

Протасов сначала не врубился, в чем тут дело, но когда понял, что придумала Тамара, удивленно покачал головой. Он успел как-то подзабыть, что госпожа Истомина — «бизнесвумен». Умная и хитренькая... Хотя иногда попадает в крупные переделки.

Выяснилось, что заведений такого типа в столице — тьма-тьмущая.

Таксист косился то на Протасова, который сидел рядом, то на сидящего сзади странного вида старикана.

— Хулиганье, — пояснил Протасов, — вчера вечером у самого дома отделали...

Он вручил нервничающему шоферу пятисотрублевую купюру.

— Бывает... — сказал тот, пряча деньги в карман. — А долго еще тут будем стоять?

Протасов подумал и добавил еще одну пятисотрублевку. Деньги ему достались от «Тимура и его команды». Причем их было столько, что он мог купить эту тачку вместе с шофером. Положив в багажник остаток денег.

— А что, тебе разве плохо, командир? — спросил он.

— Не-а, нормально, — сказал тот, пряча и эту купюру. — Я просто так спросил.

Тамара вышла из дверей, над которыми висела соответствующая вывеска, минут через сорок. Протасов вылез, открыл ей заднюю дверцу, усадил на сиденье, потом вернулся на свое место.

— Ну что? — спросил он.

— Я вышла на их сайт, — сказала Тамара. — Я от отца знала про эту фирму, а тут еще Николай Дмитрич внес окончательную ясность... Как только бросила им сообщение, почти сразу же отозвались!

— У Абдуллы офис на Полянке, — добавил Рассадин. — Он ближайший помощник Хана и очень надежный парень.

— Отлично! — Протасов возбужденно пощелкал пальцами, но тут же обернулся к Тамаре: — А что, собственно — «отлично»? О чем ты с ними договорилась, Тамара? Куда нам дальше ехать?

— Сказали — ждать здесь. Скоро за нами должны приехать...

Глава 25

Искирхан Хорхоев, как и многие другие участники этих событий, провел бессонную ночь. С течением времени, когда появлялись все новые сведения, касающиеся не только подлых действий Ильдаса, но и зловещих замыслов «Аркады», а также тех находящихся за рубежом дельцов, кто стоит за этой фирмой, постепенно все становилось на свои места.

Стало уже очевидным, что деловая разведка Бориса сделала тот же ошибочный вывод, что и Ильдас Хорхоев. Вывод же этот заключался в том, что Тамара Истомина, дочь президента ОАО «Альянс», якобы получила после смерти отца полный доступ к его банковским счетам. В том числе и к тому секретному счету, на который Руслан Хорхоев перевел пятьдесят миллионов долларов, взятых в кредит у швейцарских банкиров, со сроком погашения кредита и процентов по нему первого сентября текущего года. Якобы средства эти находились в офшорной зоне острова Нью-Джерси, резидентом которой являлась в том числе и Тамара Истомина, имеющая британский вид на жительство.

Основываясь на этом ошибочном предположении, аналитики Бориса выстроили определенную стратегию захвата нефтяной компа́нии «Альянс», которая, в силу возникших после гибели ее президента финансовых трудностей, казалась олигарху легкой добычей. Конкретное силовое осуществление разведывательных и прочих мероприятий было поручено московской фирме «Аркада», укомплектованной отборными кадрами, имеющими большой опыт работы в различных спецслужбах.

По ходу этой деятельности разведка «Аркады» добыла сведения, что Тамарой Истоминой интересуются также структуры, связанные с чеченским кланом Хорхоевых. Возникло опасение, что если Хорхоевы первыми доберутся до наследницы, то они крепко насядут на свою родственницу и заставят ее вернуть в семейную кассу эти злополучные пятьдесят миллионов долларов...

Представить дальнейшее развитие событий не составляло никакого труда. Руководство «Альянса», те же Хорхоевы, отец и сыновья, аккуратно, в срок, погасят взятый у швейцарцев кредит и выплатят оставшиеся проценты. Следовательно, контрольный пакет акций, находящийся нынче в залоге у московских банкиров, известных своими деловыми связями с Борисом, вновь станет собственностью клана Хорхоевых. Если события будут протекать именно по такому сценарию, то хорхоевская нефтяная компания, этот лакомый кусочек стоимостью как минимум полмиллиарда долларов, может элементарно уплыть мимо алчущих ртов опального олигарха и его партнеров...

К тому же ОАО «Альянс», имеющее трех «дочек» в Южной Сибири, в республике Т., чьи недра переполнены «черным золотом», реально имеет намного большую суммарную стоимость, чем скалькулированные экспертами Бориса полмиллиарда долларов США. Тот факт, что в московский офис «Альянса» несколько дней назад наведались люди из «Халлибертон», сколь бы «секретными» ни были такого рода контакты, на самом деле секретом долго оставаться не может. Не исключено, что Борис и его партнеры пронюхали кое-что об интересе «Халлибертон» к республике Т. — по информации Абдуллы, полученной из Кызыла, в автономии недавно побывали «лазутчики» из «Лукойла», «Юкоса» и Сибнефти.

Неудивительно поэтому, что в качестве одного из главных препятствий для захвата чужой собственности кое-кто склонен рассматривать также и восьмидесятидвухлетнего профессора Искирхана Хорхоева...

Пора, однако, было звонить во Францию, человеку, которому несколько часов назад доставили через одного его помощника «посылку» из Москвы.

Ждать соединения Искирхану Хорхоеву пришлось недолго: такое впечатление, что абонент в ожидании важного звонка держал трубку телефона под рукой.

Возможно, Хану показалось, но из трубки донесся не только легко узнаваемый голос, но и острый запах пота: Борис, когда его дела шли неважно, когда ему грозили серьезнейшие неприятности, всегда покрывался липкой испариной.

— Э-э... Хорошо, что вы позвонили, Искирхан... Извините, запамятовал ваше отчество.

397

— Можешь звать меня просто господин Хорхоев, — сказал Хан.

По первым же словам Бориса, по его встревоженной интонации Хан понял, что «посылка» дошла до адресата. И что последние несколько часов были не самыми лучшими в жизни его нынешнего собеседника.

— Как твоя семья, Борис? — поинтересовался Хорхоев. — Как твои дети? Надеюсь, здоровы? Как твоя молодая жена? Как сам?

Хотя старейшина говорил негромким спокойным голосом, его слова были как раскаленные гвозди, которые он поочередно всаживал по шляпку в лысеющий гениальный череп своего собеседника — впрочем, гениальность Бориса была изрядно замешана на подлости, беспринципности и злодействе.

— Э-э... Спасибо, господин Хорхоев... Кстати... Недавно у меня в парижском офисе был ваш сын Бекмарс. Мы говорили о кредите, который взял у швейцарцев Руслан. Я тут навел через друзей справки... Можем договориться о дальнейшей пролонгации кредита...

Хорхоев про себя усмехнулся.

— Сейчас нет такой нужды, Борис. Мы сами решим... уже решили все свои проблемы. За желание помочь — спасибо. Ты знаешь нашу семью: мы всегда отвечаем добром на добро... И наоборот!

— Э-э... Да-да.

— Тут кое-кто пытается вставлять нам палки в колеса. Но это ведь не твои люди, Борис, верно?

— Нет... Конечно, нет. Э-э... У меня сейчас своих проблем хватает. Мы с Русланом были близкими друзьями, и я никогда бы не пошел против вашей семьи.

— Я рад, что ты все хорошо понимаешь, Борис.

— Да-да... Может, у вас еще какое дело есть ко мне, господин Хорхоев?

— Нет, Борис, никаких дел у меня к тебе пока нет. Я позвонил с единственной целью: пожелать тебе и твоим близким крепкого здоровья и долгой... безопасной жизни.

Аркадий, помощник опального олигарха, направлялся из Шереметьева-2, где приземлился парижский борт, в центральный московский офис фирмы «Аркада» — в аэропорт за ним прислали машину.

Но почти одновременно произошли два события, заставившие этого человека резко изменить свои планы.

Сначала ему дозвонился из Аннабы Борис. Патрон Аркадия, не вдаваясь в детали, дал своему помощнику команду «отбой». Это означало, что вплоть до новых распоряжений Бориса всякие мероприятия «Аркады» по делу «Истомина, Хорхоевы и компания» должны быть приостановлены.

Затем позвонил на сотовый глава фирмы «Аркада». Он сказал Аркадию всего несколько слов, попросив передать трубку шоферу, сотруднику той же фирмы. Тот выслушал инструкции шефа и... повез прибывшего из Франции господина в район Мневники.

На пару с шофером Аркадий поднялся в один из офисов, расположенный на четвертом этаже. Сотрудник, привезший его в Мневники, остался караулить в коридоре, а сам Аркадий прошел в дверь чертановского офиса.

Именно Сергею Чертанову он должен был передать устно инструкции, которые привез из Франции в Москву. Но теперь задание Аркадия теряло всякий смысл: Борис только что дал «отбой», а сам Чертанов был мертв.

Кроме покойника, убитого двумя выстрелами в грудь и одним в голову, в офисе, куда пока не вызывали милицию, находились глава московской фирмы и один из его заместителей.

Аркадий, превозмогая тошноту, подошел к распростертому на полу телу. Из скрюченных пальцев Чертанова, полусжатых в кулак, выглядывали уголки трех зелененьких банкнот...

— Тридцать баксов, — зачем-то уточнил заместитель главы «Аркады». Хотя должен был бы сказать — «тридцать сребреников».

— Похоже, это не единственная наша сегодняшняя потеря, — сказал руководитель «Аркады», кивком указав на покойника. — Сразу несколько сотрудников почему-то не отвечают на телефонные звонки... Я послал людей, чтобы они проверили по «адресам», все ли там обстоит благополучно...

Помимо подступившей к горлу тошноты, Аркадий ощутил, как меж лопаток у него гуляет ледяной ветерок.

— Все намеченные нами мероприятия по компании «Альянс» отменяются, — сказал он внезапно севшим голосом. — Я вылетаю обратно в Париж... сегодня же, если получится. О том, что я здесь был, равно как и о наших прежних планах, — никому ни полслова!

Глава 26

Троицу благополучно доставили в офис Абдуллы на Полянке. Здесь они находились около двух часов. Все трое получили возможность умыться, переодеться, привести себя в относительный порядок. Затем им предложили перекусить бутербродами, предупредив, что вскоре их ждет обильное угощение.

Все это время вокруг них хлопотали двое сотрудников Абдуллы. Самого помощника Хана на месте не было: он, как и Ахмад Бадуев, был занят какими-то важными делами.

Едва Протасов и Тамара поведали появившемуся в своем офисе Абдулле о том, что именно люди Ильдаса захватили их в поселке Мозжинка, а затем поместили в подземную тюрьму, тот извинился и сразу же отправился с кем-то из своих людей на этот Ильдасов объект. Причем Протасов не только объяснил помощнику Хана, где находится дом, в подвале которого их содержали, но и передал Абдулле связку ключей, в том числе и от той камеры, где он запер «бухгалтера» Тимура.

Спустя каких-то четверть часа после отъезда Абдуллы в офисе на Полянке объявился Ахмад Бадуев. Хотя Тамара бросилась ему на шею и расцеловала в обе щеки, Протасов свою девушку к этому чеченцу нисколько не ревновал...

Бадуев крепко пожал ему руку и сказал: «Я знал, Протасов, что ты не только резкий парень, но и надежный человек...» О том, что Протасов лопухнулся в Мозжинке, недоглядев за девушкой, которая по неосторожности воспользовалась телефоном, Бадуев не сказал и полслова.

Потом Ахмад обнял рослого, чуть сутуловатого, малость отощавшего на скудных тюремных харчах Рассадина. Внимательно оглядев «старика», он усмехнулся:

— Были бы кости, а мясо нарастет... Вот увидишь, Николай Дмитрич, мы с тобой еще сходим в тайгу поохотиться на медведя...

После этого Ахмад дал команду «по коням», не сообщив, куда он собирается их везти.

В том не было никакой нужды. Все трое, Тамара, Протасов и Рассадин, и без разъяснений Ахмада прекрасно понимали, куда их сейчас отвезут.

Из офиса выехали двумя машинами: впереди «шестисотый» «мерс», за ним следовал джип с охранниками.

Вся троица разместилась на заднем сиденье «шестисотого». За рулем был один из сотрудников Абдуллы, Бадуев сидел впереди, в кресле пассажира.

Глазом не успели моргнуть, как перемахнули за Кольцевую дорогу. Реутово... Салтыковка... Носовихинское шоссе...

Тамара в эти мгновения, когда они приближались к загородной резиденции Искирхана Хорхоева, переживала сложную гамму ощущений... Прежде всего волнение, конечно, но и легкую тревогу — как-то встретит ее глава рода Хорхоевых?

...Незадолго до смерти мамы выяснилось, что папины родители, Искирхан и Зулея, живут не где-то «очень-очень далеко», а рядышком, в той же Москве. Однажды они втроем, папа, мама Лариса и Тамара, приехали в гости к папиным родителям — те жили в ту пору в городской квартире, — где по такому случаю был накрыт обильный, по кавказской традиции, стол. Мама Лариса тогда тоже очень волновалась...

Принимали их тепло и радушно, особенно старалась бабушка Зулея. Зелимхана и Ильдаса, а также их семей — последний, кажется, тогда еще не был женат — при этом не было...

Тамара не знала, о чем говорил с ее родителями глава рода Хорхоевых, которого папа называл — Хан. Но ей запомнилось, что мама была очень довольна этой поездкой. Что же касается самой Тамары, то двенадцатилетняя дочь Руслана воистину была в центре внимания... Хан посадил ее к себе на колени и, погладив по светлой головке, ласково сказал: «Когда ты вырастешь, Тамара, ты будешь очень красивой девушкой. Ты должна знать, девочка моя, что я, Искирхан Хорхоев, всегда буду рад видеть тебя, внучку, в своем доме...»

Но Зелимхан и Ильдас убили ее маму, после чего в жизни Тамары, как и некоторых других людей, все пошло кувырком.

...Тамара с нетерпением ждала этой встречи с Ханом. Но она опасалась Ильдаса, понимая, что «дядя» теперь ни за что не оставит ее в покое...

Прежде чем Искирхан Хорхоев покинул свою библиотеку, чтобы встретить у ворот дорогих гостей, его успели потревожить еще одним телефонным звонком.

Звонил Абдулла.

— Мы уже находимся на месте, — сказал он. — Нашли Тимура, сейчас он дает показания...

Хан молча ждал продолжения.

— Он только что побывал в мастерской в Реутове, — после паузы произнес Абдулла, не уточняя, о ком идет речь. — Поменял свою машину на разъездной джип. Сейчас движется в нашем направлении. Один...

В трубке повисла тишина. Дальнейшее теперь зависело от Искирхана Хорхоева, отца Ильдаса.

Капали мгновения, как тяжелый расплавленный свинец... Хан вспомнил, как Ильдас двенадцать лет назад поклялся на Коране, присягнув перед лицом Аллаха, что он не будет мстить ни Руслану, ни ближайшим родственникам... Всего за несколько минут до того, как произнести эти клятвенные заверения, Ильдас понес наказание за содеянный им в сговоре с братом Зелимханом поступок. Тяжелое наказание, но минимальное с учетом того, что они вдвоем сделали... «Ты этими пальцами пересчитывал те грязные деньги, что вы с Зелимханом передали убийцам?! — произнес тогда бледный, но спокойный Руслан. После этого он показал характерный жест, будто пересчитывал купюры. — Скажи спасибо отцу, если бы не Хан, я бы тебя убил...»

Ахмад, двадцатитрехлетний крепкий парень, держал Ильдаса. Но тот и не вырывался... Он заставил того положить руку на разделочную доску. Руслан взял нож и отхватил Ильдасу большой и указательный пальцы на правой руке... Хан сразу же перевязал сыну руку, а затем заставил его произнести соответствующую клятву на Священной Книге, ниспосланной Всевышним через своего пророка Мухаммеда...

Вся дальнейшая их жизнь доказала правоту Руслана. Ильдас не сделал выводов из той трагической истории, хотя у него был шанс измениться в лучшую сторону.

«Надо ему не пальцы отрезать, — сказал тогда Руслан своему отцу, — а целиком отрезать Ильдаса от нас. Да, будет больно... Но если мы не сделаем этого, то потом будем жалеть».

— Сделай то, о чем я тебе говорил, — наконец произнес в трубку Хан. — И да свершится воля Аллаха...

Затем, смахнув навернувшуюся на глаза слезу, отправился встречать гостей.

«Шестисотый» миновал Кучино. Повернул налево, в сторону Балашихи, и тут же направо, двигаясь теперь по дороге, ведущей в подмосковный лес.

Бадуев вспомнил кое о чем и тут же полез в перчаточный ящик.

— Держи, Александр, — обернувшись, он передал Протасову «ладанку». — Это ведь твоя вещь, да?

Протасов, взяв у него дорогую ему «ладанку», сначала провел пальцем по бороздке, затем бросил на чеченца удивленный взгляд.

— Спасибо, Ахмад... Даже не знаю, как тебя благодарить... Откуда она у тебя?

Бадуев криво усмехнулся.

— Даже не спрашивай, друг. Все равно не скажу...

Затем он вытащил из перчаточного ящика томик стихов Бернса на английском и показал книгу Истоминой.

— Не ты часом потеряла, Тамара?

Девушка взяла книгу в руки, удивленно покачала головой:

— Кажется, я в Осетии ее где-то потеряла... Откуда она у тебя, Ахмад?

«Шестисотый» стал мягко притормаживать.

— Приехали! — сказал Ахмад. — Взгляните-ка... Сам Хан встречает нас у ворот!

Тамара напрасно беспокоилась. Хан встретил ее так, будто она была его любимой дочерью, словно между ними всегда существовала родственная близость и полное взаимопонимание.

Но сначала Искирхан Хорхоев поприветствовал двух приехавших с ней мужчин, Рассадина и Протасова... Те, кто хорошо его знал, были бы сейчас удивлены: Хан не принимал с некоторых пор у себя в доме немусульман, но для этих двух мужчин он решил сделать исключение.

Обняв накоротке Рассадина, Хан повернулся к рослому крепкому мужчине, который из уважения к старшему снял с головы кепи и убрал в карман солнцезащитные очки.

— Судя по боевой раскраске, молодой человек, вы настоящий мужчина, — сказал старейшина, улыбнувшись в седые усы. — И воин... Меня зовут Искирхан Хорхоев. Ваш дедушка, Александр, много лет назад спас жизнь мне и моей семье. Я никогда этого не забуду, как никогда этого не забывал мой сын Руслан.

Он подал Протасову свою все еще крепкую руку.

— А за то, что вы оберегали жизнь моей внучки, я постараюсь отблагодарить вас так, как только смогу...

Наконец старейшина повернулся к девушке, которая, прижимая к груди томик Бернса, смотрела на него полными слез глазами.

Искирхан Хорхоев сам сделал к ней первый шаг, затем заключил девушку в объятия.

— Здравствуй, внучка, — сказал старик дрогнувшим голосом, с трудом сдерживая на людях свои слезы. — Если бы ты только знала, дорогая моя девочка, как я рад тебя видеть...

Эпилог

Первый снег выпал в двадцатых числах октября. Погода, впрочем, стояла солнечная и безветренная. Подмосковные леса оделись в чистенький белый наряд. Легкий морозец, скрип снега под ногами. На душе светло и радостно, будто ты живешь внутри сказки, где есть место приятным и забавным чудесам.

Только в России бывает такое красивое предзимье, когда душа человеческая становится бескрайним хрустальным пространством, чутко отзываясь на тихий звон праздничных колокольчиков... Только в России, и больше — нигде.

Двое молодых людей, красивые, нарядные, одетые по погоде, прогуливались в полуденный час по подмосковному лесу. Они приехали в гости к Хану, но грех было, раз уж выдалась оказия вырваться за город, не походить хотя бы часик по дорожкам этого сказочного подмосковного леса.

Они оставили машину, на которой приехали из Москвы, на попечение проживающего в доме Хана парня, велели передать старейшине, что скоро вернутся, а сами отправились в лес.

406

— Боже, как здесь хорошо и покойно, Саша, — сказала Тамара, держась за его локоть. — В Англии зимы гнилые, промозглые... За все годы я там снег видела считанные разы.

— Да, — сказал Протасов. — Во Франции та же картина. Я тоже успел подзабыть, как выглядит наша русская зима.

Они замолчали. Но это их молчание было легким, как первый снег. Молчать сейчас было даже лучше, чем говорить, потому что иначе трудно было бы расслышать скрип снега под ногами и разносящееся в морозном воздухе тихое позвякивание волшебных колокольчиков.

...Тамара Истомина получила в наследство от своего отца состояние, цена которому примерно двадцать миллионов долларов США. Часть ее наследства хранилась на валютных счетах — в долларах, евро и английских фунтах. Примерно половина всех доставшихся ей средств была вложена в доходные высоколиквидные корпоративные бумаги (акции крупных нефтедобывающих компаний США, Великобритании и Норвегии)...

Александру она решила пока ничего не говорить об этих доставшихся ей от отца средствах. Мужчина есть мужчина... Какой бы он ни был крепкий, сильный, волевой, узнав о том, что его женщина обладает столь крупным состоянием, — непременно начнет комплексовать...

Кроме того, она располагала четвертью того пакета акций ОАО «Альянс», а также южносибирской «дочки», который находился в собственности семьи Хорхоевых. Эти свои акции она отдала в управление Бекмарсу и Абдулле, они вместе с Николаем Дмитричем Рассадиным ныне руководят созданной ее отцом компанией... Абдулла, а затем и Хан предлагали Протасову перейти на работу в компанию, но Александр отказался. Тогда же выяснилась еще одна любопытная деталь, касающаяся прошлого: в начале девяностых Руслан Хорхоев предложил отцу Александра, Дмитрию Протасову, возглавить службу безопасности создаваемой им с нуля нефтяной компании. И намеревался переписать на него, на сына Анатолия Протасова, спасшего в конце сороковых семью Хорхоевых от верной гибели, десять процентов от общего количества имевшегося тогда акционерного капитала. Но тот, поблагодарив за предложение, вежливо его отклонил...

Поэтому, когда Протасову-младшему было сделано предложение примерно такого же плана и он его отклонил, Хан особенно не удивился — порода есть порода, Протасов волен поступать согласно собственному разумению...

Но Александр отнюдь не бедствовал, отказавшись от этого заманчивого предложения. У него на счету «Креди Лионе», в его марсельском филиале, лежало, если перевести с франков на доллары, сорок две тысячи «зеленых» — эти деньги плюс те десять с хвостиком тысяч, которые он брал с собой в поездку, составляли накопленное им — за вычетом обычных житейских расходов — суммарное жалованье за шесть с лишним лет службы в Иностранном легионе.

В принципе эти деньги ему пока не понадобились. На объекте Ильдаса он обнаружил, среди прочего, кейс с двумястами тысячами долларов США. Он хотел отдать эти деньги Хану, но тот решил иначе. Мудрый старейшина сказал, что эти деньги были выплачены «плохим людям» за то, чтобы они разделались с ним и с Тамарой. И что они по праву теперь принадлежат им двоим.

Ну не выбрасывать же было двести тысяч баксов? Пришлось их вложить в дело.

А дело у Протасова теперь было такое. Он кое-что во Франции полезного подсмотрел; кое с кем переговорил, почитал литературу. И зарегистрировал собственную фирму, организованную по принципу «школы выживания». Это была та же учебка, но не для военных, а для будущих сотрудников различных частных охранных предприятий. Он принял на работу еще двух экс-легионеров, которые, как и он, многому могли бы научить как в плане «выживания», так и овладения различными профессиональными навыками. Кроме того, задействовав приобретенные еще во Франции знакомства, договорился о том, что на отдельных семинарах и учебных сборах будут вести занятия инструкторы MAT.

Сейчас у Протасова имелись два крупных заказа на подготовку в общей сложности сорока сотрудников определенного профиля.

Одно от руководства «Альянса», ибо эта компания набирала сотрудников в штат СБ своей «дочки» в Южной Сибири — следовало наладить охрану возводимых в той местности буровых установок и хранилищ для нефти. В конце сентября он лично побывал в Кызыле, чтобы иметь представление, с чем и с кем придется столкнуться там подготовленным его фирмой сотрудникам.

Второе предложение, точно такого же плана, поступило от российского филиала фирмы «Халлибертон»...

Короче говоря, Протасов хотя и отказался от крутого предложения, но от того, чтобы иметь в нефтяном бизнесе России крутых друзей, естественно, отказываться не стал.

Так что избранное им обещает быть прибыльным.

— Как ты думаешь, Саша, кем будет наш сын?

Протасов обращался с Тамарой так осторожно, словно она была драгоценной фарфоровой вазой. У нее уже два месяца беременности.

— А вдруг все же будет дочь? — улыбнувшись, спросил Протасов, поддерживая молодую женщину под руку, чтобы не дай бог не поскользнулась. — Давай договоримся, что не будем пытаться узнать пол ребенка до его рождения...

Тамара согласно кивнула, затем сказала:

— Хорошо, что мы вернулись в Россию... Но я боюсь...

— Чего?

— Не хочу, чтобы нашего ребенка кто-то называл инородцем.

— Пусть только попробуют... Да и почему, собственно — инородец?

Они остановились на засыпанной снежком дорожке и обнялись.

— Наш ребенок будет жить в нашей стране, — сказал Протасов. — Он будет хорошим человеком... А мы ему в этом поможем.

Вечером, в сумерках, в собственном доме, где он уже не чувствовал себя так одиноко, как прежде, сидел в кресле пожилой чеченский мужчина. Искирхан Хорхоев, старейшина своего рода, перебирал в узловатых пальцах янтарные четки так, словно перебирал череду прожитых лет.

Только что от него уехали Тамара и Александр. Они сообщили, что решили пожениться, обвенчавшись в православной церкви, и просили благословить.

Хан благословил их, пожелал им счастья, любви и детей.

Когда эти двое, светлые, молодые, красивые, уехали, старейшина усмехнулся в усы: судьба-затейница распорядилась так, что семейные линии Хорхоевых и Протасовых, казавшиеся несовместимыми, все же переплелись воедино в одном из поколений...

410

Раз в неделю он ездит к своим сыновьям, Зелимхану и Ильдасу. Он ездит на их могилы, потому что, как бы ни были тяжелы совершенные ими проступки, они все же были ему — родная кровь.

Двадцать третьего августа Абдулла, наделенный Искирханом Хорхоевым юридически заверенными полномочиями, навестил лондонский офис адвокатской фирмы «Симпсон энд партнерс». В пакете документов, переданных главой фирмы представителю господина Хорхоева И. А., оказалась генеральная доверенность, дающая право отцу погибшего банкира (либо действующему от его имени лицу) осуществить съем наличности с «секретных» счетов ОАО «Альянс», а также полные реквизиты подконтрольных Хорхоеву офшорных компаний... Еще в марте сего года Хан был извещен своим старшим сыном о существовании этого своеобразного «защитного механизма». Старейшина не сомневался в том, что Руслан сдержит свое слово. И именно потому он, Искирхан Хорхоев, довольно длительное время не предпринимал активных шагов по поиску взятых весной в долг у швейцарцев пятидесяти миллионов долларов...

Приближается девятый месяц мусульманского лунного года — рамадан. Искирхан Хорхоев, как и все близкие, кто соблюдает обычаи мусульманской веры, готовится очистить душу и тело. Если позволит здоровье, он навестит в ближайшие месяцы своих живущих за границей дочерей и внуков, а потом совершит хадж.

Когда он прибудет в Мекку, то отправится вместе с единоверцами в долину Мина, а затем наведается к священному колодцу Земзем... А когда он приедет в Медину, в еще одну святыню мусульманского мира, он, возможно, будет готов к тому, чтобы просить у Всевышнего милости — поставить черту под его прожитыми годами и его служением.

Но прежде чем он присоединится к сыновьям Руслану, Зелимхану и Ильдасу, которых он пережил, Искирхан Хорхоев будет молить Всевышнего Аллаха.

За всех остающихся после него на земле близких ему людей. И еще за свой народ, который он продолжает любить и сейчас и который он, чеченец Хорхоев, никогда в своей долгой жизни не предавал.

Литературно-художественное издание

Соболев Сергей Викторович
ШАХ НЕФТЯНОМУ КОРОЛЮ

Ответственный редактор *С. Рубис*
Редактор *В. Ротов*
Художественный редактор *В. Щербаков*
Художник *В. Петелин*
Технический редактор *Н. Носова*
Компьютерная верстка *Т. Комарова*
Корректор *Е. Самолетова*

Подписано в печать с готовых диапозитивов 09.01.2002.
Формат 60 × 90¹/₁₆. Гарнитура «Таймс». Печать офсетная.
Усл. печ. л. 26,0.
Тираж 13 000 экз. Заказ № 2905.

ЗАО «Издательство «ЭКСМО-Пресс». Изд. лиц. № 065377 от 22.08.97.
125190, Москва, Ленинградский проспект, д. 80, корп. 16, подъезд 3.
Интернет/Home page — www.eksmo.ru
Электронная почта (E-mail) — info@ eksmo.ru

Отпечатано с готовых диапозитивов
в полиграфической фирме «КРАСНЫЙ ПРОЛЕТАРИЙ»
103473, Москва, Краснопролетарская, 16

По вопросам размещения рекламы в книгах издательства «ЭКСМО»
обращаться в рекламное агентство «ЭКСМО». Тел. 234-38-00

Книга — почтой: Книжный клуб «ЭКСМО»
101000, Москва, а/я 333. E-mail: bookclub@ eksmo.ru

Оптовая торговля:
109472, Москва, ул. Академика Скрябина, д. 21, этаж 2
Тел./факс: (095) 378-84-74, 378-82-61, 745-89-16
E-mail: reception@eksmo-sale.ru

Мелкооптовая торговля:
117192, Москва, Мичуринский пр-т, д. 12/1
Тел./факс: (095) 932-74-71

ООО «Медиа группа «ЛОГОС». 103051, Москва, Цветной бульвар, 30, стр. 2
Единая справочная служба: (095) 974-21-31. E-mail: mgl@logosgroup.ru
contact@logosgroup.ru

ООО «КИФ «ДАКС». Губернская книжная ярмарка.
М. о. г. Люберцы, ул. Волковская, 67.
т. 554-51-51 доб. 126, 554-30-02 доб. 126.

Книжный магазин издательства «ЭКСМО»
Москва, ул. Маршала Бирюзова, 17 (рядом с м. «Октябрьское Поле»)

Сеть магазинов «Книжный Клуб СНАРК» представляет
самый широкий ассортимент книг издательства «ЭКСМО».
Информация в Санкт-Петербурге по тел. 050.

ISBN 5-04-009417-5

9 785040 094172